# FRANÇOISE LORANGER

# MATHIEU

*roman*

**LE CERCLE DU LIVRE DE FRANCE LTÉE**
**3300 BOUL. ROSEMONT, MONTRÉAL**

dj 1456

*À Micheline*

*mon amie,*

*ma sœur . . .*

# CHAPITRE PREMIER

Penché sur son livre, Mathieu soupirait doucement, comme un blessé, comme un malade, comme quelqu'un qui n'est pas fâché de soupirer sans témoin, lorsqu'il entendit des voix familières. Sa mère et sa marraine traversaient le hall pour venir le rejoindre. Hésitant sur l'attitude à prendre, il opta pour la désinvolture et alla ranger le volume dans la bibliothèque. Mais il mentait aux autres mieux qu'à lui-même.

— *Collégien! Pourquoi te caches-tu d'aimer la poésie?*

Agacé, il haussa brusquement les épaules pour rejeter l'irritation que lui causait cette voix intérieure qui soulignait ses moindres défaillances. Impossible pourtant de résister au besoin de se justifier à ses propres yeux.

« A quoi bon m'exposer au ridicule? Ce que je fais ne regarde que moi! »

Il s'agita, mécontent de lui-même, et regarda sa mère sans aménité. Appuyée sur une canne dont elle prétendait ne pouvoir se passer, Lucienne Normand marchait avec peine et lenteur. Une crise de rhumatisme commencée trois mois plus tôt lui avait valu l'hospitalité d'Eugénie Beaulieu, son amie d'enfance. Bonne hospitalité, luxueuse hospitalité.

Cédant à sa manie de reprendre perpétuellement connaissance des êtres qui l'entouraient, Mathieu se mit à détailler les deux femmes, comme s'il les voyait pour la première fois.

Corps douillet, joues pleines et douces, regard agréablement vide, bouche molle et doigts potelés, toute la personne d'Eugénie Beaulieu témoignait de son existence privilégiée.

« Une bonne grosse oie bien nourrie, bien dodue ».

Et il se plut à imaginer l'attitude étonnée, peinée et scandalisée qu'aurait sa marraine si elle parvenait à deviner l'opinion qu'il avait d'elle.

— *C'est facile l'ingratitude, tellement commode surtout!*

« Je ne suis pas, je ne veux pas être un bon pauvre! »

Avec dégoût, il détourna les yeux de ce visage trop tendre et les reporta sur sa mère, mais les souffrances imprimées sur les traits durs et secs de Lucienne Normand ne lui inspirèrent qu'un surcroît de rancœur. Pourquoi aurait-il pitié d'elle? Que lui importait son amère jeunesse de fille riche mais laide et cet amour malheureux qui l'avait jetée dans les bras du plus séduisant et du plus faible des hommes? Au nom de quoi blâmerait-il son père d'avoir ruiné et abandonné sa mère après trois années de vie conjugale?

Tant pis pour elle qui avait pris le risque et qui avait au moins retiré quelques avantages de cette union. Pourquoi la plaindrait-il? Ne supportait-il pas, depuis vingt-cinq ans, les mêmes humiliations, la même misère, et sans qu'il y soit pour rien? Avait-il demandé à naître? A naître d'elle, surtout?

Une fois de plus il haussa les épaules, convaincu d'ailleurs que sa mère se passait fort bien de sa pitié. Les malheurs de Lucienne en effet, malgré leur allure de mélodrame, n'avaient en rien diminué son orgueil; loin d'adoucir les angles de son caractère, ils avaient plutôt contribué à les aiguiser davantage et à faire d'elle un personnage acrimonieux, peu sympathique même à ceux qui la plaignaient le plus. Pourtant, elle savait, à certaines heures, aller jusqu'à l'amabilité. N'était-elle pas tout sourire en ce moment?

— Je suis si heureuse d'être ici au moment des fiançailles de ton fils, disait-elle. Je pourrai sûrement te rendre de grands services...

Madame Beaulieu s'agita, mal à l'aise, car elle cherchait depuis quelques jours le moyen de faire comprendre à Lucienne qu'elle ne pourrait la garder plus longtemps. Confuse, elle essaya quelques insinuations dont aucune ne parut être comprise, ce qui la décida, de guerre lasse, à dire la vérité.

— Bernard a invité des cousines de sa fiancée... Tu comprends, elles habitent Ottawa... et... les réceptions... Marie-Louise nous a demandé...

L'expression blessée des traits de Lucienne éveillait en elle un pénible sentiment de culpabilité. Presque humblement, elle reprit: J'espère que tu ne m'en voudras pas...

Lucienne songea au médiocre petit logement de quatre pièces qu'elle habitait avec son fils, au rez-de-chaussée d'un petit immeuble, et soupira avec amertume:

— Eh bien! puisqu'il le faut!... C'est aussi bien d'ailleurs, je commençais à prendre goût à cette existence agréable qui est la tienne. Je ne dois pas oublier que ce n'est pas mon lot ici-bas, ajouta-t-elle d'un ton ambigu qui laissait entendre que sa vie future connaîtrait sans doute des compensations dont celle d'Eugénie serait dépourvue.

Les traits de Mathieu se crispèrent.

« Oh! qu'elle se taise! Qu'elle se taise! »

Il devinait d'avance ce qui allait suivre, ces mots bêtes qu'elle traînait depuis des années et qui devaient être nés de misère quotidienne.

Les lèvres de Lucienne se pincèrent, sa bouche se durcit.

— **Quand on est né pour un petit pain!..**

Il soupira. Pourquoi cette phrase idiote lui faisait-elle toujours l'effet d'une brûlure? Après tout, ne

traduisait-elle pas toute la mesquinerie de leur existence?

L'arrivée d'Etienne Beaulieu le tira de ses réflexions,
l'amenant à constater une fois de plus, à l'effort qu'il
dût faire pour ne pas corriger aussitôt son attitude
nonchalante, que la présence de son parrain ne le
laissait pas indifférent.

— Ah! te voilà! s'exclama Eugénie, contente de la
diversion qu'apportait l'entrée de son mari. Tu tombes bien, nous allons prendre le thé dans quelques
minutes. Assieds-toi.

Etienne obéit calmement, sans se presser, comme
il faisait toute chose.

Mal à l'aise Mathieu s'agita.

« Celui-là, je serais bien curieux de savoir ce qu'il
pense, en admettant qu'il aille jusqu'à penser. Il y a
des jours où je me demande si ce n'est pas le plus
parfait des imbéciles! »

Derrière l'abri de ses lunettes noires qui lui permettaient d'examiner les gens à leur insu, il observa l'industriel comme il avait précédemment observé les
deux femmes. Rien ne l'agaçait plus que cette espèce
de paix tranquille qui se dégageait de l'homme d'affaires. Mais s'il refusait de s'avouer que le caractère
d'Etienne Beaulieu lui échappait, il ne se privait pas
pour si peu de le détester. Et de le mépriser. Et de
le couvrir intérieurement d'injures grossières. Il s'en
donnait à cœur-joie lorsque l'entrée de Nicole détourna le cours de sa haine.

« Voici maintenant la fille bien-aimée! »

Redoutant les démonstrations d'amitié qui sui-
vraient, il s'enfonça dans son fauteuil, l'air plus ren-
frogné que jamais. Mais l'effervescence de Nicole, ce
jour-là, ne connaissait pas de borne. Passant de l'un
à l'autre, elle s'accrochait au cou de chaque personne
qu'elle embrassait avec transport.

C'était maintenant le tour de Mathieu. Pressé de couper court à tant d'effusions, il se vit forcé de lui adresser la parole.

— En pleine ébullition? Qu'est-ce qui t'arrive?

Nicole se mit à rire et, d'une voix pleine de mystère:

— C'est que j'ai eu ce matin une idée qui va peut-être changer toute ma vie! Une idée lumineuse!

Il n'en fallait pas plus pour éveiller la curiosité d'Eugénie. Lucienne crut bon d'interroger aussi, mais, dans le fond de son cœur, et aujourd'hui particulièrement, elle en voulait à Nicole d'avoir continué à habiter chez ses parents après son mariage. Albert Dupré était si riche! Qu'attendait-il pour offrir une maison à sa femme? Quel besoin avait-il donc de vivre aux crochets de son beau-père?

Mathieu se taisait, regardant Etienne.

« Il n'écoute même pas! Il y a des jours où je me demande s'il a jamais aimé ses enfants. Sans doute trop indolent pour ça! »

Nicole, à qui l'attention des deux femmes ne suffisaient pas, se tourna également vers l'industriel.

— Tu n'es pas curieux de connaître mon idée?

— Mais oui, répondit-il poliment. J'attendais que tu nous donnes des explications.

La jeune femme éclata de rire.

— Et! bien vous ne saurez rien! s'écria-t-elle. Rien du tout! Je voulais simplement vous intriguer un peu.

— Ah! c'est bien toi ça! s'exclama Eugénie, déçue.

Convaincue que tous partageaient le désappointement de sa mère, Nicole savourait son succès. Profitant d'un aparté de Lucienne et d'Eugénie, elle se pencha vers Mathieu.

— Ne crains rien, lui confia-t-elle. A toi je dirai tout.

— Qu'est-ce qui te fait croire que ça m'intéresse particulièrement?

— Bah! je sais bien que tu meurs d'envie, d'en savoir plus long, répliqua-t-elle avec assurance. D'ailleurs, j'aurai besoin de toi pour m'aider à réaliser la première partie de mon projet.

— Ah bon! railla-t-il d'un air entendu.

Nicole n'avait-elle pas toujours besoin de quelqu'un ou de quelque chose? Elle entretenait avec tous les membres de la maison, à tour de rôle, des complicités qui avaient le don de l'exaspérer.

Une bonne venait d'entrer, portant un plateau qu'elle déposa sur une table basse en face d'Eugénie.

— Eh! bien, Juliette, s'étonna Madame Beaulieu, que signifie cette tenue?

Tous les regards se posèrent en même temps sur le manteau et le chapeau de la jeune fille.

— Je pars, Madame, déclara-t-elle brusquement.

Une lueur vive s'alluma dans les yeux de Lucienne qui baissa aussitôt les paupières. Mathieu sourit, sarcastique.

« Toi, ma vieille, je sais ce que tu penses! »

Désemparée, Eugénie s'empressa de s'affoler et d'une voix gémissante:

— Quelle histoire! Vous n'y pensez pas! C'est impossible! J'ai absolument besoin de vous pour le dîner de fiançailles!

— Je regrette, mais il faut que je parte aujourd'hui même.

— Ça ne vous gêne pas, s'exclama Nicole, de partir au moment où l'on a le plus besoin de vous?

— Je n'ai pas à m'occuper de vos obligations plus que vous ne vous occupez des miennes! riposta vivement Juliette.

S'avançant légèrement dans son fauteuil, Etienne se mit à suivre la scène avec intérêt, sans que Mathieu pût deviner ce qui, dans cette affaire, pouvait être susceptible de retenir son attention.

Eugénie semblait atterrée. Naturellement douce, elle désapprouvait la réaction de sa fille; mais la réponse de Juliette lui déplaisait bien davantage, car elle était d'une époque où les domestiques répon-

daient poliment aux apostrophes les plus grossières.
Inquiète pourtant à l'idée de perdre une employée au
moment où il allait y avoir un surcroît d'ouvrage à
la maison, elle reprit, presque suppliante:

— Si c'est une augmentation que vous désirez, je
vous la donnerai, mais ne vous en allez pas tout de
suite. Attendez encore une semaine, au moins!

— Il faut que je parte aujourd'hui, répéta la jeune
fille d'une voix tranchante.

Son langage correct et précis, dépouillé d'anglicismes
aussi bien que d'accent spécifiquement canadien, agaçait toujours Nicole.

— Mais j'y pense, s'écria-t-elle triomphante, la loi
ne la force-t-elle pas à nous donner huit jours de pré-
avis?

— Essayez donc de me retenir! riposta âprement la
jeune fille en esquissant un mouvement de recul.

Malgré la fragilité de sa taille, une telle impression
de force émanait d'elle qu'un silence embarrassé suivit
ses paroles. Etienne Beaulieu parla le premier.

— Vous pouvez partir, Juliette, dit-il calmement.

Cette intervention qui étonna tout le monde mit fin
à l'incident.

Vaincue, Eugénie demanda à son mari de régler le
salaire de Juliette, qui sortit d'un pas ferme sans se
retourner.

— Ça alors! s'exclama Nicole, ça alors!

Madame Beaulieu demeurait accablée. Dans son
existence exempte de malheurs, le moindre ennui prenait l'importance d'une catastrophe.

— Que la vie est compliquée de nos jours! soupira-
t-elle les yeux au ciel... Autrefois...

Voyant que sa mère se lançait dans une longue série
de doléances, Nicole jugea que le moment était venu
de confier son secret à Mathieu.

Les yeux brillants d'enthousiasme, elle se pencha
vers lui et murmura d'une voix mystérieuse.

— Je t'annonce que je vais faire du théâtre!

— Toi! s'étonna-t-il. C'était ça, ton idée?

Ravi de l'ébahissement qu'elle provoquait, Nicole s'empressa de rappeler qu'il y avait déjà deux acteurs dans la famille, qu'il n'y avait donc rien d'étonnant à ce qu'elle ait, comme ses cousins, le goût du théâtre, et qu'elle ne voyait pas pourquoi elle ne réussirait pas dans ce domaine aussi bien que les Cinq-Mars.

— Tu penses bien d'ailleurs que j'ai l'intention de me servir d'eux. Bruno dirige sa propre troupe depuis cinq ans, il ne pourra pas refuser de me donner un bout de rôle pour commencer. Ce n'est rien pour lui qui monte plusieurs pièces par année!

Silencieux, Mathieu écoutait.

« Elle est capable d'y arriver! Quand elle a quelque chose dans la tête, tous les moyens lui sont bons pour arriver à ses fins. »

— Et comment comptes-tu rentrer en relations avec Bruno que tu n'as pas vu depuis des années? Justement depuis qu'il fait du théâtre, ajouta-t-il, sarcastique; car à cette époque, si j'ai bonne mémoire, vous considériez tous qu'il déshonorait la famille.

— Bah! tu sais ce que c'est que les préjugés! répondit-elle, oubliant sa propre désapprobation. Il n'avait pas encore réussi!... Maintenant qu'il passe pour un des meilleurs comédiens de la ville, qu'il est un grand metteur en scène, et qu'on parle de lui, même dans les revues américaines, tout le monde trouve ça très bien. Les gens sont bêtes!

Pressée de reprendre ses confidences, elle continua:

— Sais-tu ce que j'ai fait? J'ai appelé ma tante cet après-midi. Elle a été très gentille et m'a donné tous les renseignements que je désirais. J'ai appris que Bruno est en pleine répétition; si tu veux venir avec moi, ce soir...

— Ah non! ne me mêle pas à tes histoires!

— Je t'en prie, fais-moi plaisir!

— Mais pourquoi? Tu m'embêtes! Emmène Albert, c'est ton mari!

— Non, non, protesta-t-elle vivement, je ne veux pas lui en parler tout de suite. Viens donc, Mathieu! Ça m'ennuie d'aller seule à un endroit où je ne connais personne. Entre au moins dans le théâtre avec moi, après tu...

— Ah bon! Je croyais que c'était chez lui que tu voulais m'emmener...

— Mais non, au théâtre!

Il hésita encore, mais finit bientôt par accepter, curieux de l'expérience. Nicole se confondit en remerciements auxquels mit fin l'entrée d'Albert et de Bernard.

Mathieu lança un regard hargneux aux nouveaux arrivés, qui après avoir salué tout le monde, allèrent se placer devant la cheminée, tenant à la main la tasse de thé que Madame Beaulieu venait de leur servir.

Grand et gras, Albert passait pour un bel homme.

« Ça, un bel homme! raillait Mathieu avec mépris. Un gros paquet de graisse molle, aux traits empâtés et flous! »

Albert posa sur lui un regard plein de condescendance, regard qu'il avait pour tous ceux qui étaient moins grands que lui, c'est-à-dire pour la majorité des hommes, car il mesurait plus de six pieds, puis, voyant que Mathieu affectait de ne pas le voir, il haussa les épaules et se détourna pour raconter à Bernard un incident survenu le jour même dans l'entreprise qu'il dirigeait avec son père.

Mathieu se sentit aussitôt humilié. « Aussi crétin l'un que l'autre! »

Bernard, pourtant, ne lui était pas complètement antipathique. Malgré sa taille d'athlète et les lignes pures de ses traits, il gardait une certaine modestie qui forçait les plus laids à lui pardonner son allure de jeune dieu. Cette absence de prétention lui attirait aussi bien la sympathie des gens du monde que celle des milieux sportifs où l'attiraient ses goûts de lutte, de boxe et de culture physique Il aimait la paix, vou-

lait croire que l'homme était bon et fermait volontairement les yeux sur tout ce qui lui déplaisait.

« Une bonne poire, une bonne poire facile à presser. »

Eugénie Beaulieu interrompit les conversations pour
annoncer que Lucienne lui offrait généreusement de
rester plus longtemps afin de l'aider à organiser le
dîner de fiançailles compromis par le départ intem-
pestif de Juliette. Soucieuse de ne déranger personne,
elle acceptait même de coucher dans la chambre de la
bonne.

— Quant à toi, Mathieu, on te dressera un lit dans
la salle de billard. Ce n'est que pour quelques jours,
après tout.

Chacun se crut tenu de remercier Madame Normand. Bernard qui se sentait en cause, le dîner étant
donné en son honneur, sembla particulièrement ému.

— That's awfully sweet of you! dit-il avec sincérité.

Les moments d'émotion trouvaient toujours son
vocabulaire en défaut. Une pudeur étrange lui com-
mandait de se servir plutôt de l'anglais pour exprimer ce qu'il ressentait.

Albert, toujours à ses côtés, lui donna un grand
coup de coude en jetant sur Lucienne et Mathieu un
regard ironique.

Ce geste à interprétation unique, n'échappa à personne. Bernard lui-même rougit comme un enfant
pris en faute, et regarda autour de lui d'un air malheureux. Tout le monde éprouva brusquement le désir de parler en même temps, afin de dissiper au plus
tôt le malaise général. Rien dans la physionomie de
Lucienne ne laissait deviner qu'elle avait eu connaissance de la scène.

« Je sais ce que tu penses, cochon bouffi d'orgueil,
songeait Mathieu avec un éclair de haine qui ne dé-
passa pas ses lunettes noires. Je sais ce que vous pensez tous! Que nous sommes des parasites! Eh bien!
oui, c'est la vérité. Nous sommes des parasites comme

vous êtes des héritiers. Vous ne valez pas mieux que
nous! Aucun de vous, ici, n'a fait sa fortune lui-même,
aucun de vous n'en serait capable! Pas plus toi, Etienne Beaulieu, raté de luxe, que toi, Bernard Beaulieu,
athlète au crâne épais, et que toi, Albert Dupré, outre
gonflée de fatuité, fils de ton père! Non, vous ne valez
pas mieux que moi, ni les uns, ni les autres! »

Il écrasa rageusement sa cigarette, en proie à une
détresse étouffante.

« Si tout cela pouvait me laisser indifférent! Si je
parvenais au moins à m'habituer à toutes les humiliations de cette sale petite vie! Faire comme les autres,
m'envelopper dans la routine des jours, dans la monotonie des gestes quotidiens. Si je pouvais arriver à ne
plus être conscient de tout ce qui m'arrive, à ne plus
souffrir de la présence des autres! Pourquoi faut-il
que les actes les plus familiers m'apparaissent sans
cesse comme des événements nouveaux, jamais vus,
jamais sentis! Faut-il attendre d'être un vieillard pour
s'habituer à la vulgarité de la vie? »

— *Des phrases! Des phrases! Tu t'occupes trop des
autres! Crois-tu être parfait?*

« Rien! Je ne suis rien! Je n'ai même pas l'excuse
d'être un saint. Je suis au milieu d'eux comme un mi-
crobe parmi les microbes. La seule différence entre
eux et moi, c'est que je le sais et qu'ils l'ignorent, c'est
que j'en meurs et qu'ils en vivent! »

La rumeur de leur conversation inutile montait à
ses oreilles comme un bourdonnement sans résonance. Est-ce donc pour cela seulement que l'homme avait
été créé? Pour cette médiocrité? Ces mots légers, symbole de leurs actes, ces phrases toutes faites où se résu-
maient leurs raisons de vivre: finances, sports, domestiques, société, fortunes; Rien de plus n'était exigé
pour justifier la vie? La création de la vie? L'usage
de la vie?

Désespérément, son regard alla de l'un à l'autre,
cherchant un réconfort qu'il ne trouvait pas.

Le butler vint annoncer le dîner. Tous se levèrent machinalement, Mathieu comme les autres. Les épaules voûtées, il suivit, parce qu'il n'y avait rien d'autre à faire, parce qu'il fallait manger, nourrir la bête. Plus tard, il faudrait se coucher, reposer la bête. Demain, il faudrait se lever, faire travailler la bête. Et ainsi de suite jusqu'à la mort. Rien de plus jusqu'à la mort.

— *Rien de plus pour ceux qui ne veulent rien voir. Tant pis pour toi!*

« Il n'y a rien à voir! ragea intérieurement Mathieu, irrité de sentir une fois de plus la présence de ce démon familier qui semblait toujours ridiculiser ses réflexions les plus profondes. Je sais qu'il n'y a rien à voir! Rien! Rien! Rien! Le monde est pourri! »

Il donna un brusque coup de pied dans un tabouret de cuir qui se trouvait dans son chemin et rejoignit les autres plus mécontent que jamais de lui-même et de la vie.

# CHAPITRE II

La répétition venait de commencer lorsque Nicole et Mathieu entrèrent dans la salle. Doucement, afin de ne pas attirer l'attention, ils se glissèrent dans une des dernières rangées. Nicole vibrait toute entière comme au seuil d'une grande aventure. Ce premier pas vers une vie différente provoquait en elle une excitation fébrile qui, comme toujours, se manifesta par une série de mots.

— Tais-toi, coupa Mathieu, agacé. Laisse-moi écouter!

La rapidité de la jeune femme à s'emparer d'une atmosphère nouvelle l'irritait. A peine était-elle arrivée dans un endroit qu'elle s'y installait déjà avec familiarité, croyant, en quelques secondes, en avoir saisi tout le mystère. Mathieu, si lent à s'adapter, supportait mal cette promptitude qui lui faisait l'effet d'un viol.

Ses nerfs peu à peu se détendirent. Cette pénombre où il se trouvait plongé, alors que les acteurs sur la scène s'agitaient dans la lumière, lui procurait la même paix que s'il s'était débarrassé de ses préoccupations intimes pour en charger d'autres épaules. Tout en lui se calmait; la souffrance, pour quelques instants, semblait s'endormir, le laissant faible, désarmé, presque doux. Machinalement dans un geste qui achevait de le libérer, il retira ses lunettes noires, rendant aux êtres et aux choses la couleur dont il les privait habituellement.

Dans la salle, une voix s'éleva, interrompant les comédiens.

— C'est Bruno! s'étonna tout bas Nicole. Je me demandais justement où il pouvait être. Quant à Danielle, je ne la vois nulle part. Peut-être n'est-elle pas de...

— Tais-toi! trancha Mathieu.

Après un bref dialogue entre le metteur en scène et les interprètes, la répétition reprit.

— C'est curieux que Bruno dirige de la salle, souffla Nicole, moi, je...

— Nicole, je te préviens pour la dernière fois, interrompit le jeune homme, excédé; si tu ouvres encore la bouche, je m'en vais.

— Bon, bon, bon! murmura-t-elle avec mauvaise humeur, se résignant mal au silence.

Libre enfin de s'abandonner à ses impressions, Mathieu se mit à écouter la pièce avec un intérêt qui lui fit bientôt regretter d'être resté si longtemps étranger à cette forme d'art. Il ne souffrait nullement de l'absence de décor et de costumes. Rien ne lui parut plus facile que d'oublier les rideaux et de reconstituer le lieu où se déroulait l'action. Le charme immatériel d'une jeune fille, la lumière qui jaillissait de ses cheveux blonds, abondants et vaporeux, des cheveux qui n'avaient rien d'humain, suffirent à lui faire croire à la présence réelle d'une ondine en blouse et en jupe. D'emblée, il entrait dans le jeu, surpris et ravi de ce qui lui arrivait.

Soucieux de ne rien perdre de cet éblouissement, il évita de regarder un acteur dont le jeu lui semblait affecté et reporta toute son attention sur l'interprète féminine qui jouait avec autant d'aisance que si elle eût inventé le naturel. Un naturel différent d'ailleurs de celui de la vie quotidienne et qui rendait un son plus poétique tout en restant aussi juste. Mathieu, perplexe, cherchait à comprendre.

« Personne dans la vie ne parle sur ce ton; et pourtant sur une scène je ne vois pas comment on pourrait s'exprimer autrement; comment expliquer ça? »

Ce phénomène de transposition, si familier aux artistes, lui échappait complètement. Séduit par le texte qui éveillait en lui d'étranges résonances, il éprouvait la sensation de glisser dans un rêve où tout n'était qu'harmonie. Profitant d'une interruption du metteur en scène, il se pencha vers Nicole pour lui demander:

— De qui est cette féerie?

— Qu'elle féerie? demanda-t-elle, étonnée.

— Mais, tu n'écoutes donc pas? s'impatienta Mathieu.

— Oui, oui, bien sûr! Où ai-je la tête? riposta aussitôt la jeune femme en se ressaisissant. Le titre?... Ecoute, c'est bête, j'ai oublié de le demander à ma tante.

Cet oubli lui parut soudain plein de conséquences. Son cousin ne lui en voudrait-il pas d'être si mal renseignée sur ses faits et gestes? C'était une bien mauvaise entrée en matière.

— Si au moins j'avais pensé à consulter les journaux, soupira-t-elle.

Debout dans la salle, Bruno continuait à donner des indications.

— Toi, Danielle, passe donc derrière Maurice à la fin de cette réplique. C'est cela... Enchaînez, maintenant.

— Danielle! s'écria Nicole, Danielle en blonde! Je ne l'aurais jamais reconnue! Que ça la change! Tu te souviens d'elle en brune? Tu sais que...

— Assez! coupa Mathieu avec colère. Qu'est-ce que tu veux que ça me fasse?

Cette révélation, pourtant, l'exaspérait et lui faisait l'effet d'une injure personnelle. Pourquoi fallait-il qu'après lui avoir donné une telle impression de vérité, cette jeune fille se révélât soudain aussi factice et fausse que Nicole? Rageur, il refusa de se prêter davantage à un jeu où tout, maintenant, lui paraissait artificiel. Son visage se renfrogna; d'un geste brus-

que, il remit ses lunettes noires et tout rentra dans
l'ombre.

— Passons immédiatement au deuxième acte, ordonna Bruno tandis que sa sœur venait le rejoindre dans
la salle.

Ennuyée de constater que la répétition continuait
sans un entr'acte qui lui eût permis de se rapprocher
de son cousin, Nicole eut un mouvement brusque qui
fit glisser sur le sol son étui à cigarettes.

Bruno et Danielle se retournèrent vivement et presque aussitôt la jeune fille remonta l'allée à tâtons.

Nicole s'empressa d'aller au devant des coups:

— Allo, Danielle, excuse-moi d'avoir fait tant de
bruit. Je n'ai pas...

Une exclamation étonnée l'interrompit.

— Comment, c'est toi, Nicole? Qu'est-ce que tu fais
là?

La jeune femme se mit à parler très vite, bafouillant
un peu.

— Il faut que je voie Bruno... Ta mère m'a dit que
je vous retrouverais ici. Est-ce que nous dérangeons?
Tu te souviens de Mathieu, n'est-ce pas?

Danielle se tourna vers le jeune homme qui s'était
levé. La vue de ce visage sans regard parut la saisir,
mais elle s'excusa aussitôt.

— Je ne vous avais pas reconnu. Vous allez bien?

Il répondit aussi brièvement que possible afin
qu'elle ne soit pas tenue de lui adresser à nouveau la
parole.

« Comme sa voix est différente dans la vie. A la fois
sèche et pleine de contrainte... Etre polie lui demand-
de-t-il un tel effort? C'est à peine si elle écoute ce
qu'on lui dit! Qu'est-ce qu'elle attend pour nous envoyer à tous les diables? »

— Maman ne t'a pas dit que nous n'admettions personne aux répétitions? demandait-elle.

— Elle m'a bien dit quelque chose de ce genre, mais
j'ai pensé que ça ne concernait que les étrangers.

— Pour les comédiens, tu es une étrangère, répondit Danielle. Enfin, pour une fois, ça n'a pas d'importance.

— Crois-tu que je pourrai voir Bruno un peu plus tard?

— Pas avant la fin de la répétition...

— Oh! j'attendrai, j'attendrai, dit Nicole d'un ton qui débordait d'humble amabilité. Avant de t'en aller, dis-moi donc le nom de la pièce que vous répétez?

Cette question parut étonner la jeune fille qui répondit pourtant sans faire de commentaires:

— « Ondine », de Giraudoux.

— Ah! mais je l'ai vue à Paris! s'exclama Nicole, aussi ravie que si elle venait de retrouver une vieille connaissance susceptible de lui être utile.

Prudente, elle continua:

— Veux-tu être gentille? Ne dis pas à Bruno que je t'ai demandé cela.

— Pourquoi? demanda Danielle, surprise. Mais elle partit sans attendre la réponse.

Avant de remonter en scène, elle s'approcha de son frère et lui parla à voix basse. Ce dialogue, qui se termina par un éclat de rire, irrita Nicole.

— Qu'est-ce qu'elle a bien pu lui raconter? murmura-t-elle, inquiète. Je n'ai jamais beaucoup aimé Danielle. On dirait toujours qu'elle se moque de nous.

Mathieu ne répondit pas. Cette brève rencontre avait contribué à lui rendre la jeune fille antipathique. Solidement appuyé au dossier de son fauteuil, se fermant à toute émotion, il écouta, ne livrant rien de lui-même au mystère qui se déroulait devant lui. Et l'ennui, peu à peu, le gagna. L'ennui et la tristesse.

— *Imbécile! Tu te plains de vivre sans joies et tu refuses celles qu'on te donne!*

Il sentait bien qu'il lui suffirait d'un geste, d'un élan, pour retrouver son exaltation du début et se laisser reprendre par le jeu, mais ce geste, son esprit

critique lui défendait de l'accomplir. Ce don d'eux-
mêmes que les acteurs lui faisaient, ces instants de
bonheur mis à sa disposition, il les rejetait par esprit
de négation, par entêtement, par habitude aussi, leur
préférant son angoisse familière.

La soirée s'écoula ainsi, perdue pour lui; une soirée
inutile parmi tant d'autres.

A la fin du deuxième acte, Bruno se leva pour la
dernière fois.

— Nous n'irons pas plus loin, dit-il en rassemblant
ses feuilles. Il est déjà minuit et demie. Gardons le
troisième acte pour demain. Puis-je compter sur tout
le monde? ajouta-t-il avec inquiétude, songeant aux
émissions radiophoniques qui constituaient le véritable gagne-pain de ses interprètes.

D'ordinaire, ils évitaient, d'un commun accord, d'accepter les rôles qui eussent interrompu le travail des
derniers jours. Satisfait de leur réponse, le jeune homme s'empressa de rassembler ses feuilles et s'apprêta
à rejoindre ses camarades, lorsqu'il aperçut Nicole et
Mathieu.

Il les accueillit plus aimablement que ne l'avait fait
Danielle, leur parlant comme s'il les avait vus la
veille.

— Qu'est-ce que vous en pensez? demanda-t-il, sautant tout de suite au seul sujet qui l'intéressait.

Nicole, toute vibrante d'un enthousiasme qu'elle
faisait naître à volonté, s'écria:

— C'est magnifique, Bruno! Tu peux me croire,
j'ai vu « Ondine » à Paris et je te jure que Jouvet n'a
pas fait mieux.

Convaincu que sa cousine n'y connaissait rien, il
dédaigna cet éloge et poursuivit:

— Attendez de voir la pièce avec les décors et les
costumes! dit-il, les yeux brillants d'une flamme qui
illuminait tout son visage. Cette fois, je crois que
nous allons faire du bon travail.

Etait-il beau? Etait-il laid? Ou les deux à la fois? Mathieu n'arrivait pas à se faire une opinion à cause de l'animation du regard, de la tendresse du sourire et d'une certaine chaleur attirante qui faisait rapidement oublier la forme des traits.

Bruno les entraîna dans les coulisses. Le cœur battant d'émotion, croyant pénétrer dans les arcanes de l'art dramatique, Nicole examinait tout avec une attention passionnée. La vue des cintres, des décors entassés et des réflecteurs, plus encore que l'audition de la pièce, lui fit prendre conscience de la réalité du théâtre. Sa carrière, du coup, lui en sembla facilitée.

— Veux-tu me présenter tes amis? demanda-t-elle d'un ton suppliant. J'aimerais tant les connaître.

— Rien de plus simple, répondit le jeune homme en rejoignant ses camarades réunis sur le plateau.

De tous les membres de la troupe, Jean-Claude Marchand était le moins doué, mais il manifestait pour le théâtre un tel amour que Bruno avait décidé d'essayer ses talents dans un autre domaine et l'avait cette fois nommé régisseur, malgré la désapprobation de Danielle.

— Tu te trompes en te laissant prendre à la ferveur de Jean-Claude! avait-elle protesté. C'est un impuissant, les mots suffisent à satisfaire son enthousiasme. Il ne sera jamais rien de plus que la mouche du coche!

Mais Bruno avait persisté dans ses intentions et s'était bientôt félicité d'avoir résisté à l'influence de sa sœur. Le zèle empressé de Jean-Claude l'éblouissait. N'avait-il pas déjà réussi à obtenir une forte réduction sur le prix du bois, en s'adressant à un nouveau commerçant?

— Ça marche, les finances? demanda-t-il en l'entraînant à l'écart.

Jean-Claude s'empressa de le rassurer avec une fébrilité qui lui faisait sauter des mots et commencer une phrase avant d'avoir terminé la précédente. L'in-

quiétude de son regard démentait l'optimisme de ses
affirmations, mais Bruno détestait les questions financières et ne demandait qu'à être rassuré. Habitué depuis des années à se débrouiller au milieu des obstacles, il avait depuis longtemps cessé de croire à la
catastrophe.

— Tu peux dormir en paix! affirma Jean-Claude
avec conviction. Nous aurons des salles magnifiques.
Tu verras! Les billets se vendent mieux que jamais!

Mathieu restait à l'écart, observant les comédiens.
Une lassitude mêlée de tristesse s'emparait de lui,
amortissant l'acuité de son jugement. Ses observations
prenaient à son insu une tournure sentimentale.

« Comme ils sont gais! Comme la vie leur est légère!... Et comme ils semblent s'aimer! Même après
une journée et une soirée de travail en commun, ils
n'ont pas l'air pressés de se séparer... »

Il revit, par opposition, la rapidité avec laquelle les
employés de la banque quittaient l'édifice à cinq heures. A peine un adieu sec à droite et à gauche et chacun partait de son côté, pressé d'oublier ses compa-
gnons du jour. Quel contraste entre cette froide indifférence et les relations amicales des acteurs. De temps
à autre, l'un d'eux, se tournant vers lui, souriait, le
prenant à témoin d'une blague. Sa présence ne semblait pas leur être importune.

« Comme ils sont vivants, comparés à tous les gens
que j'ai connus jusqu'ici. Et simples, et libres dans
toutes leurs attitudes. Comme je voudrais leur ressembler! »

Aller vers eux, leur dire que lui aussi avait besoin
d'amitié... Le ridicule de ce geste lui apparut aussitôt.
Immédiatement réveillé, son esprit critique lui souffla
la compensation qu'il cherchait.

« Bah! des exhibitionnistes qui se laissent prendre
à leur propre jeu! Ils donnent l'impression d'être
simples et libres, mais quel cabotinage au fond de
tout cela! »

Il eut un petit rire contraint et sans joie, satisfait
d'avoir trouvé la faille. Redressant la tête, il se mit
à les regarder avec cynisme, prêt à se moquer d'eux
à la première occasion. Mais ils quittaient maintenant
la scène et Nicole revenait vers lui.

— Ah! Mathieu! s'écria-t-elle avec frénésie. Je sens
plus que jamais que je suis faite pour le théâtre!

— Mais oui, répondit-il presque gaiement, c'est vrai,
tu leur ressembles!

Il rit de nouveau, apaisé. La vocation de Nicole ne
justifiait-elle pas pleinement ses dernières réflexions?
Voilà ce qu'ils étaient tous: des Nicole! Factices,
voyants, tapageurs et sans discernement. Elle ne serait pas déplacée parmi eux. Tout rentrait dans l'ordre, le monde redevenait ce qu'il était: petit, mesquin, sans âme. Il pouvait, sans contrainte, reprendre pied dans une vie où il n'était pas inférieur aux
autres. Ce nivellement qui réduisait tous les êtres
humains à la même échelle, bien que lui enlevant la
supériorité qu'il croyait avoir sur son milieu, avait
au moins l'avantage de réduire également l'ascendant
que Bruno et ses amis risquaient d'avoir sur lui.

— Bien sûr! Admettre qu'ils valent mieux que toi
serait admettre qu'il faut que tu changes!

« Pas de crainte! Ça n'arrivera jamais! »

Il ricana avec un haussement d'épaule et se remit à
écouter Nicole. Bruno et Danielle qui sortaient de la
salle aux accessoires, parurent surpris de les retrouver.
Repris par des préoccupations communes, ils avaient
oublié leur présence.

Nicole elle-même s'en aperçut.

— Nous vous dérangeons, n'est-ce pas? fit-elle, un
peu confuse.

Bruno se ressaisit tout de suite.

— Ah! oui, tu voulais me parler?

— Ici? demanda-t-elle, prise au dépourvu, tandis que
sa cousine regagnait sa loge. Tu ne viendrais pas
plutôt au restaurant?

— Attends-moi une seconde, dit-il vivement en se dépêchant de rejoindre sa sœur.

— Tu ne sais pas ce qui m'arrive? s'exclama-t-il en fermant la porte. Elle veut aller au restaurant! Tu ne vas pas me laisser seul avec elle!

— Dis-lui que tu dois aller rejoindre des amis.

— Mais alors elle voudra me parler ici et ça durera des heures!

— Ah! tu es agaçant à la fin!

Cette incapacité de Bruno à se débarrasser des importuns, suivie du désir immédiat de faire partager l'ennui de leur compagnie à quelqu'un de son entourage, devenait de plus en plus irritant.

Il répliqua vivement, l'air contrit:

— Tu vois bien que cette fois ce n'est pas ma faute! Je ne suis pas allé la chercher! Et tu te souviens d'elle; tu sais qu'on ne la laisse pas tomber facilement!

— Tu n'as même pas essayé! objecta Danielle.

« A quoi bon protester, songeait-elle, il va insister jusqu'à ce que j'accepte... ou que je me fâche! »

Elle préféra abdiquer.

— Alors, invitons-là chez nous, soupira-t-elle, et débarrassons-nous en une fois pour toutes! Faut-il aussi demander l'oiseau de nuit qui l'accompagne?

— J'en ai bien peur!

— Il a une sale tête, tu ne trouves pas? J'avais oublié qu'il avait l'air aussi malsain, aussi morbide...

— Tiens, je n'ai pas remarqué, répondit Bruno soudain pensif.

Il se tut, cherchant à revoir les traits du jeune homme et à recomposer son attitude générale. Son visage, peu à peu, se déforma, prenant les tics de Mathieu. Un pli de douleur se creusa au coin de sa bouche, tandis que ses épaules se courbaient et que son corps semblait se résorber autour de la colonne vertébrale.

Quelques secondes s'écoulèrent et Bruno disparut. Ce n'était plus lui qui regardait Danielle, c'était Mathieu, c'était la lassitude de Mathieu, l'inquiétude de Mathieu, l'envie de Mathieu...

— Oh! arrête! s'exclama-t-elle impressionnée, je ne peux pas le supporter!

— Tu as raison, admit Bruno, presqu'avec étonnement, il est malsain. Il y a en lui une espèce de mouvement régressif contre lequel il ne semble pas lutter. C'est sûrement un raté... Rappelle-le moi si jamais j'en ai un à représenter à la scène.

Il se plut à reprendre le personnage de Mathieu, s'interrompant pour demander:

— Comment as-tu vu cela tout de suite?

Mais il n'attendit pas la réponse. Danielle ne savait-elle pas toujours ces choses-là avant tout le monde? Ne devinait-elle pas les gens avant même qu'ils aient parlé? Ne lui avait-il pas mille fois envié ce don?

— Viens, dit-elle avec un soupir. Allons les rejoindre.

# CHAPITRE III

La limousine d'Etienne Beaulieu attendait à la porte du théâtre. Mathieu accepta de conduire, car Nicole désirait parler sans contrainte avec ses cousins.

Elle s'étonna d'apprendre qu'ils n'habitaient plus chez leur mère et qu'ils avaient loué un appartement dans le centre de la ville, à proximité des postes de radio où s'écoulait la plus grande partie de leur temps.

— Et qu'en pense tante Marie?

— Maman commençait à se lasser de voir les comédiens envahir la maison au moment des répétitions. Inutile de te dire qu'elle n'a jamais admis tout à fait notre façon de vivre.

— N'oublions pas que nos mères appartiennent à une autre génération, déclara complaisamment Nicole. Cela explique tout.

— Tu crois? demanda Mathieu avec une candeur sarcastique.

— Mais alors, tante Marie vit seule? continua Nicole, curieuse de détails qu'elle s'empresserait de raconter le lendemain à son entourage.

Bruno la rassura. Henriette, leur sœur aînée, habitait maintenant chez leur mère, avec son mari et ses enfants.

— Y a-t-il autre chose que tu aimerais savoir? demanda-t-il d'un ton ironique, tandis que l'automobile s'arrêtait devant une vieille maison d'apparence sordide, dont le rez-de-chaussée avait été transformé en buanderie chinoise.

— C'est ici?

Le frère et la sœur échangèrent un sourire.

— C'est ici...

Cette rue sombre, ces maisons décrépites et cou-
vertes de suie, ces magasins pauvres et mal entre-
tenus avaient un aspect louche qui impressionna désagréablement la jeune femme. Comment Danielle
et Bruno pouvaient-ils accepter de vivre dans un quartier semblable après avoir connu le calme et la lumière des larges avenues de Westmount? Il fallait
à tout prix dire quelque chose, ne pas avoir l'air
de mépriser leur choix...

— C'est bien, dit-elle avec un effort, c'est...

Un éclat de rire de Danielle l'interrompit.

— Tu n'est pas difficile! C'est tout simplement
dégoûtant. Mais montons quand même... Je te préviens que c'est au dernier étage.

Ils s'engagèrent dans un escalier obscur aux marches vermoulues.

C'était une maison autrefois luxueuse qui avait été
transformée en immeuble de rapport. Chaque étage
comprenait deux ou trois appartements. Seuls Bruno
et Danielle, qui logeaient sous les combles, avaient
l'avantage de ne pas avoir de voisins.

Une course précipitée d'animaux en fuite jeta Nicole dans les bras de son cousin.

— Qu'est-ce que c'est?

— Sans doute un chat qui poursuit un rat.

— Un rat!

— La maison en est pleine, répondit Danielle, mais
ne t'inquiète pas, il y a au moins un chat par étage.

Nicole, mal rassurée, monta précipitamment les
dernières marches. Encore tout agitée, croyant pénétrer, après ce qu'elle venait de voir, dans un de ces
logis sordides que sa mère visitait régulièrement une
fois la semaine, elle poussa des cris d'admiration devant les proportions et la décoration des deux pièces
qui constituaient l'appartement, l'une étant la cham-

bre de Danielle et l'autre un studio où couchait
Bruno et où ils recevaient leurs camarades.

Les meubles aux lignes simples, l'harmonie auda-
cieuse des couleurs, les bibliothèques chargées de livres, les albums de disques empilés sur les tables, le
désordre vivant qui régnait dans la pièce, tout l'étonnait, la ravissait. Elle contempla même sans loucher
les reproductions de peintures qui ornaient les murs:
abstractions, visages à demi réels, dont le sens lui
échappait, mais qu'elle était prête à accepter dans
un acte de bonne volonté qui absorbait tout.

Mathieu se taisait, également séduit, cherchant à
comprendre.

« Comment en sont-ils arrivés là? A quoi tient le
charme de cette pièce? Il n'y a ici rien de luxueux et
pourtant tout cela dégage une impression d'élégance
et de raffinement qui relègue au dernier plan la valeur matérielle des choses. Comme si d'autres valeurs
étaient en jeu... »

Ces valeurs, il les soupçonnait depuis longtemps,
mais toujours pour les rejeter, persistant à croire qu'il
fallait, pour les atteindre, des dons qui ne pouvaient
s'épanouir dans le cercle étouffant où il vivait.

Pourtant, Bruno et Danielle n'appartenaient-ils pas
au même milieu? N'avaient-ils pas reçu, comme Nicole
et lui, une éducation fondée sur les préjugés sociaux,
les conventions mondaines et une religion toute extérieure? Comment une femme, aussi soumise aux
exigences de son clan que l'était Marie Cinq-Mars,
avait-elle pu produire des êtres aussi différents d'elle-
même? Il ne fallait pas parler de l'influence de leur
père puisque Paul Cinq-Mars était mort quelques années après leur naissance. Mais alors, qui les avait
dirigés? Qui leur avait appris qu'il y avait au monde
d'autres valeurs que celles qu'ils tenaient de leur
famille et des couvents et collèges où ils s'étaient ins-
truits? Fallait-il croire qu'ils étaient parvenus seuls

à sauter toutes les barrières et qu'ils avaient eu raison de chercher ailleurs leur véritable climat?

« Impossible! Impossible! Il n'y a pas d'êtres naturellement libres. Y a-t-il seulement des êtres libres? Encore une fois j'allais juger trop vite. Il y a sûrement une faille quelque part dans cette apparente liberté et je me charge bien de la trouver... »

La voix de Nicole le ramena à la réalité.

— Va donc rejoindre Danielle dans la cuisine, dit-elle sans ménagements. Je veux parler à Bruno.

— Ah! bon, c'est l'heure des confidences! railla-t-il.

— Qu'est-ce que tu peux bien avoir à me dire! soupira Bruno que les histoires des autres ennuyaient toujours.

Mathieu entra dans la cuisine où Danielle préparait un souper froid.

— Je regrette de vous imposer ma présence, déclara-t-il d'une voix volontairement nasillarde, mais j'ai reçu l'ordre de venir vous retrouver.

— Asseyez-vous.

Elle lui désigna une chaise près du réfrigérateur. Il y eut un léger silence que Mathieu s'empressa de rompre.

— Comme vous êtes destinée à la connaître tôt ou tard, commença-t-il, aussi bien vous apprendre tout de suite le but de Nicole. Cela nous fournira un sujet de conversation, ce qui n'est déjà pas si mal. Votre cousine veut faire du théâtre.

— Mais elle est folle! s'exclama la jeune fille.

— Bah! y sera-t-elle plus déplacée que bien d'autres? persiffla-t-il.

Danielle haussa les épaules, reprise par d'autres préoccupations.

« Bruno est si faible, songeait-elle. Pourvu qu'il ne se laisse pas aller à faire des promesses! »

Non pas qu'elle redoutât de lui voir tenir ces promesses — Bruno, qui ne savait pas refuser, en faisait continuellement et de toutes sortes, qu'il se gardait

bien de tenir par la suite — mais comment arrive-
rait-on alors à se débarrasser de Nicole?

— Albert, demanda-t-elle, qu'en pense-t-il? Et ma
tante? Et mon oncle?

Mathieu se mit à rire.

— Ils n'en savent rien encore. Vous connaissez Nicole? Elle n'a pas changé; c'est toujours la même Nicole, pleine de mystère et de complicité. Mais ne
vous inquiétez pas, elle parviendra facilement à leur
faire accepter ses vues. Ils finiront tous par s'incliner. Albert, pour se débarrasser de sa femme,
votre tante, par faiblesse et votre oncle, par apathie,
par indifférence...

— Comme vous les voyez bien! fit Danielle, amusée.

Peu habitué à recevoir une approbation, si petite
soit-elle, il la regarda avec méfiance.

« Se moque-t-elle de moi? »

Une exclamation de Bruno lui fit lever la tête.

— Mais pourquoi? s'écriait-il. Pourquoi veux-tu
faire du théâtre comme ça, à propos de rien?

Habitué aux multiples activités de Nicole, Mathieu n'avait pas songé à lui poser cette question.
Quelle raison alléguerait-elle pour justifier aujour-
d'hui sa nouvelle marotte? Il prêta l'oreille pour entendre la réponse, amusé de voir que Danielle l'imi-
tait. La voix de Nicole leur parvint à la fois timide
et pleine de gravité.

— Je veux donner un but sérieux à ma vie...

Danielle haussa les épaules.

— Elle fait fausse route.

Bruno devait partager cet avis car il répondit aussitôt avec une onction toute sacerdotale:

— Ma pauvre Nicole, si tu savais à quel point l'art
dramatique est un art difficile et qui exige des sacrifices!

— Mais je suis prête à tout!

— Parce que tu ne sais pas encore à quoi tu t'en-
gages. Il te faudra des années de travail! A l'heure

actuelle, même avec le plus grand talent, tu ne pourrais jouer que des rôles de folklore. T'es-tu entendu
parler, ma pauvre enfant! Non seulement tu parles
mal, mais tu avales au moins une syllabe sur deux!
La moitié de tes mots ne dépasserait pas la rampe...

— N'écoutons plus, dit Danielle en reprenant ses
occupations, cela deviendrait humiliant pour Nicole.

— Si vous croyez qu'elle se priverait! répondit-il
avec mépris. Cette fille ne respecte rien.

Debout près du poêle, Danielle le regarda paisiblement.

— Et vous, Mathieu?

Il s'agita devant la clarté de ce regard calme, y
cherchant en vain une trace d'ironie. Comment pouvait-on, sans se troubler poser sur les autres un regard aussi prolongé, aussi tranquille surtout? Comment des yeux bruns pouvaient-ils donner une telle
impression de limpidité? Il se mit à rire, de ce petit
rire qui lui était familier et qui diminuait tout.

— Oh! moi, je ne respecte rien pour une bonne raison! déclara-t-il en ricanant. Je n'ai encore rien trouvé qui mérite d'être respecté. Et vous?

Les yeux bruns le fixaient toujours. Nerveux, il
commença à se troubler, rajustant ses lunettes dont
il appréciait, plus que jamais l'opacité.

— Si c'est en moi que vous regardez, railla-t-il, je
vous préviens que vous ne trouverez rien!

La jeune fille se détourna enfin, revenant à la table qu'elle préparait. Une corbeille, qu'elle avait
tantôt remplie de fruits, attira son attention. Obéissant soudain à un réflexe inexplicable, elle saisit la
corbeille et l'offrit spontanément au jeune homme.

— Prenez! dit-elle impétueusement.

— Mais?... Mais pourquoi? bafouilla-t-il stupéfait,
dérouté par ce geste inattendu.

Danielle resta un moment indécise. Si familiers que
lui soient devenus ces mouvements impulsifs, elle ne

parvenait pas toujours à en deviner la signification, ni surtout à en comprendre la poussée irrésistible.

Un silence s'établit entre eux heureusement coupé par l'entrée de Bruno.

— Nicole veut faire du théâtre, annonça-t-il en faisant un clin d'œil à sa sœur, crois-tu qu'elle pourrait suivre les mêmes cours que nous?

— Certainement pas! répondit Danielle d'une voix ferme.

Nicole parut à son tour.

— Pourquoi?

— Parce que ce sont des cours préparés pour des comédiens qui ont déjà l'habitude de la scène.

Cette façon claire et nette de mettre les choses au point, ravissait toujours Bruno.

— Tu vois, Nicole, dit-il, levant les bras dans un geste d'impuissance, je n'y peux rien!

Croyant en avoir fini, il s'installa devant la table.

— Mangeons! s'écria-t-il, je meurs de faim.

Nicole gardait un visage triste et s'entêtait.

— Je sais bien que vous me trouvez sotte et ignorante, avoua-t-elle avec une humilité qui désarma Danielle, mais comment pourrait-il en être autrement? Personne autour de moi ne s'intéresse aux questions intellectuelles; personne ne m'a jamais conseillée. Si seulement vous vouliez m'aider, j'arriverais peut-être à développer ma personnalité dans le sens de la vôtre...

Bruno, touché, se tourna vers sa sœur.

— C'est vrai ce qu'elle dit. Nous étions deux... Et puis, nous étions pauvres, c'est une chance...

Danielle regarda Mathieu.

— Qu'en pensez-vous? demanda-t-elle brusquement.

— Mais, il ne sait rien de ce que je ressens! protesta vivement Nicole qui redoutait les sarcasmes de son ami d'enfance.

— Tout cela est nouveau pour moi, en effet. A vous de vous faire une opinion.

Nicole reprit son plaidoyer et se mit à défendre sa cause avec une telle intensité que Bruno finit par céder.

Danielle hésitait encore. Son regard perplexe s'arrêta sur le sourire cynique de Mathieu. Elle vit qu'il guettait sa réaction. Cessant de raisonner, elle se tourna vers sa cousine.

— Nous t'aiderons, dit-elle enfin.

— Tu peux compter sur nous, renchérit Bruno.

Un éclat de rire accueillit cette double promesse.

— Bravo Nicole! s'écria Mathieu. Tu as compris quel langage il fallait leur tenir!

Danielle, irritée, se tourna vers lui.

— Assez, Mathieu! N'empêchez donc pas les autres de vivre!

— Oh! rassurez-vous! Il faudrait être plus fort que je ne suis pour empêcher Nicole de gigoter!

Danielle se pencha vers lui, tandis que la jeune femme protestait larmes aux yeux.

— C'est si amusant que ça d'humilier les autres? demanda-t-elle à mi-voix.

— Donnez-moi une raison pour laquelle je m'en priverais!

Elle demeura pensive pendant quelques secondes, mais bientôt, secouant la tête, elle répondit allègrement:

— Même si je me trompais, Mathieu qu'est-ce que ça peut faire? Savez-vous ce qui vous nuit surtout? C'est que vous craignez trop, justement, de vous tromper.

Agacée par la vue de ce visage grimaçant, elle lui tourna le dos avant qu'il n'ait le temps de répondre et se joignit à la conversation de Bruno et Nicole.

Mathieu les regarda avec rancœur, se sentant exclu.

« Allez, allez! Laissez-vous prendre à ce genre de colle! Vous n'avez pas fini d'en subir les conséquences! »

Mais son cœur se gonflait d'amertume.

— *Ne fais donc pas l'idiot! Tu as besoin de leur amitié. Au moins ne les repousse pas!*

« Oui, je pourrais bien leur tendre la main... Etre enjoué, agréable, spirituel, mais à quoi bon? Qu'ils me prennent tel que je suis. Je ne m'abaisserai pas comme Nicole à quémander leur affection! »

Il jeta un regard lourd de mépris à la jeune femme qui buvait les paroles de ses cousins. Chacun de leurs conseils semblait tomber en elle comme une manne substantielle. Que fallait-il faire? Par quoi fallait-il commencer? Avec qui devait-elle étudier, etc., etc.

— Reste à savoir si tu as du talent! s'exclama soudain Bruno qui se mit à rire avec un air de doute.

— J'en ai! protesta Nicole avec feu. J'en suis sûre. Ce n'est pas pour rien que depuis des années je ne pense qu'au théâtre. Depuis cette pièce que j'ai dirigée moi-même en plus d'y tenir le premier rôle. Tu te souviens?

— Au profit d'une œuvre de charité? demanda-t-il fouillant ses souvenirs.

— Justement! Quel dommage que tu ne sois pas venu, tu aurais bien vu ce que je peux faire!

Sceptique, il hocha la tête.

— Je n'aime pas les amateurs.

— Mais moi non plus, c'est pour cela que je veux tellement étudier!

Sa voix s'éleva d'un ton, atteignant un accent lyrique qui frappa désagréablement les oreilles exercées de Bruno.

— Je ne savais pas ce que c'était que l'art. Pour moi, il suffisait de s'adonner à un art pour être un artiste. Maintenant je comprends et vous avez raison, il faut que je travaille à trouver ma vérité!

Elle prononçait ce mot d'une façon religieuse qui faisait comprendre qu'à la première occasion elle l'écrirait avec un V majuscule. Danielle, qui avait le culte de la simplicité et du naturel, détourna la tête, tandis que Mathieu applaudissait avec transport.

— Bravo! Bravo! Bravo! criait-il. Encore, Nicole! Encore!

— Quatre heures s'exclama soudain Bruno, les yeux fixés sur l'horlòge de la cuisine.

Nicole sursauta.

— Mon Dieu! qu'est-ce qu'Albert va dire de me voir rentrer si tard! Heureusement que tu es avec moi, Mathieu!

Elle ne semblait jamais lui garder rancune de ses plaisanteries les plus féroces. Se levant, elle embrassa sa cousine avec effusion.

— A très bientôt, n'est-ce pas? dit-elle chaleureusement. Je suis si contente de t'avoir retrouvée!

Elle sortit, accrochée au bras de Bruno.

— Et voilà, conclut Mathieu. Avouez qu'elle vous a bien eus, la petite Nicole!

— Que voulez-vous dire? demanda la jeune fille qui savait très bien ce qu'il voulait dire.

— Reconnaissez au moins qu'elle est forte! Songez qu'à minuit, vous aviez peine à supporter sa présence et que vous voilà maintenant rendue à lui offrir votre collaboration.

Danielle dut faire un effort pour réprimer un mouvement de colère. Trouvant enfin le ton qu'elle cherchait, elle répondit avec une simplicité volontairement angélique:

— Que voulez-vous que je vous dise, Mathieu, sinon que j'avais tort?

Cette réponse le désarma. Elle le regarda partir, retenant mal un sourire amusé. Sur le seuil de la porte, il se retourna une dernière fois.

— Méfiez-vous des mouches! dit-il. Elles ont des ventouses au bout de leurs pattes!

Il sortit, traînant la jambe.

« Il fallait qu'il ait le dernier mot! » murmura-t-elle, agacée.

— Eh bien! demanda Bruno quelques instants plus tard. Qu'en penses-tu?

— Je n'aime pas ce garçon! répondit-elle avec un geste brusque pour chasser Mathieu de son souvenir.

— Je te parle de Nicole, dit-il en bâillant. Elle est un peu toquée, mais c'est une bonne fille au fond.

Comme Danielle, pensive, ne répondait pas, il leva les bras, s'étirant dans un geste plein de naturel destiné à enlever toute importance à la phrase qui suivrait.

— Le dîner de fiançailles de Bernard a lieu le soir de la première. Cette fois, nous aurons une bonne excuse pour manquer une réception familiale.

Il bâilla tranquillement avant d'ajouter:

— Nicole veut que nous allions chez elle après la représentation.

Danielle, inquiète, s'exclama aussitôt:

— Mais tu as refusé, n'est-ce pas?

Désemparé, il laissa tomber ses bras. Ces questions directes de Danielle!

— C'est-à-dire que... Elle ne m'a pas donné le choix! D'ailleurs, les invités seront partis au moment où nous arriverons...

— Bruno, je t'ai dit plus d'une fois que j'en avais assez de supporter les raseurs dont tu ne parviens pas à te débarrasser. Tous les jours il en surgit de nouveaux! Cette fois, je ne marche pas. Fais ce que tu voudras, mais ne compte pas sur moi pour aller chez Nicole...

Il eut l'air malheureux.

— Tu avais promis de l'aider, alors, je croyais...

— Je veux bien lui être utile mais de là à devenir son amie, non!

— Oui, oui, tu as raison, dit-il sérieusement, trop sérieusement. Eh bien! n'en parlons plus. Demain je l'appelle et je mets les choses au point. Il ajouta, avec moins de fermeté:

— Elle suggérait que nous emmenions aussi des amis. C'est quand même gentil de sa part... Elle me fait un peu pitié au fond, pas toi?

Elle hésita un moment avant de répondre:

— Non!... Oui!... Oh! je ne sais pas! Je ne sais plus...

Elle soupira.

— C'est la faute de Mathieu, je crois... Sa présence brouillait mes idées.

Depuis son départ, elle se demandait si ce n'était pas uniquement pour combattre l'attitude négative du jeune homme qu'elle avait soutenu la cause de sa cousine. Cette soirée sans la présence de Mathieu, ne se serait-elle pas déroulée tout autrement?

# CHAPITRE IV

Un morne silence régnait dans les coulisses, un silence de chambre mortuaire, entrecoupé de chuchotements et d'exclamations aussitôt étouffées. Les comédiens, refoulant leur humiliation, cachaient leur amertume derrière les portes closes.

Où était l'animation joyeuse des soirs de premières? Où étaient les visiteurs enthousiastes qui, d'habitude, envahissaient la scène, passant d'un interprète à l'autre, s'empêtrant dans les rideaux, mêlant les accessoires, bousculant tout, dérangeant tout le monde, et pourtant accueillis à bras ouverts parce qu'on avait l'impression, en les étreignant, d'embrasser toute la salle. Personne ce soir n'était venu, hormis quelques fidèles, curieux d'explications, prêts d'avance à tout comprendre, à tout pardonner.

Bruno, accablé, se taisait, seul dans sa loge, épuisé par l'effort surhumain qu'il avait fourni pour essayer de sauver la pièce au milieu des décors qui s'écroulaient, des machinistes qui gueulaient, des comédiens qui perdaient la tête et d'un public qui tantôt s'esclaffait et tantôt boudait, opposant son indifférence aux efforts de la troupe.

La porte s'ouvrit, Danielle entra.

Son visage, comme celui de Bruno, portait la trace des émotions récentes.

— Drôle de soirée! soupira-t-elle en se laissant tomber sur une chaise.

— Drôle de soirée! répéta-t-il, le regard vide, la pensée absente.

— Joli fiasco!

— Oui... Joli fiasco!

Ils se regardèrent, subitement incapables de s'empêcher de rire de l'évidence même de leur malheur. Cachant sa tête dans les cheveux de Danielle, Bruno murmura d'une voix pleine de détresse:

— Je ris, tu sais, mais c'est un désastre!

— Oui, c'est un désastre, répondit-elle machinalement, fixant au loin une ondine qui s'évanouissait, évaporée dans l'air.

Ils se turent pendant quelques instants.

— Il faut faire quelque chose, murmura-t-elle.

— Qu'est-ce que tu veux que je fasse! s'exclama Bruno avec un geste dramatique. Il n'y a plus rien à faire!

— Pour les autres, dit-elle en se levant. Ils sont tellement découragés. D'ailleurs, à quoi bon rester ici à ruminer. C'est fait, c'est passé, c'est fini, n'en parlons plus!

Bruno cacha brusquement son visage dans ses mains.

— Je te demande pardon, fit-il tout bas. J'ai gâché « ta » pièce...

— Que tu es bête!

— Tu sais bien que je montais « Ondine » pour te faire plaisir. C'est pour ça surtout que je ne me pardonne pas de l'avoir ratée!

Etait-il sincère? Jouait-il une scène? Savait-on jamais avec Bruno où finissait le théâtre, où commençait la réalité? Danielle le força à relever vers elle son visage défait. Des larmes roulaient dans ses yeux.

« Et je doutais de lui! »

— Je te défends bien d'avoir des remords à cause de moi, s'exclama-t-elle vivement en l'attirant dans ses bras. Nous étions deux à prendre le risque. Oublions ça! Ondine est morte, vive Antigone! Ou le Misanthrope, ou autre chose... Nous avons toute la vie pour nous reprendre! Viens, allons rejoindre les autres... Il ne faut pas les laisser partir comme ça. Crois-tu que nous pourrions les emmener manger quelque part?...

— Tu en as de bonnes! avec quel argent? Emmenons-les plutôt chez Nicole. Elle m'avait dit d'inviter qui je voulais.

Danielle s'exclama:

— Bruno! Tu ne l'avais même pas prévenue que nous n'irions pas chez elle?

— J'ai oublié!... Mais, pour une fois, tu ne peux pas m'en vouloir puisque cette négligence nous sert!

Elle eut un rire désarmé et demanda:

— Nicole t'a bien assuré que tous les invités seraient partis au moment où...

— Oui! oui! interrompit-il vivement. Il n'y aura personne d'autre que nous.

— Alors, va les prévenir, dit-elle, et partons d'ici!

Bruno s'empressa d'aller frapper à toutes les loges, invitant tout le monde, y compris les figurants et même les camarades qui étaient venus de la salle réconforter les interprètes.

Une demi-heure plus tard, ils arrivaient à Outremont où Nicole, en robe du soir leur ouvrit la porte elle-même, reculant, stupéfaite de les voir si nombreux.

Ils entrèrent sans interrompre une discussion sur les événements de la soirée, parlant fort, contents de se libérer du silence qu'ils avaient gardé dans les coulisses.

Debout sur le seuil de la bibliothèque, Lucienne et Eugénie, également en robe longue, assistaient muettes et figées à cet envahissement. Indignée, Madame Beaulieu appela sa fille qui parlait à Danielle.

— Je t'avais demandé de n'inviter que quelques personnes, fit-elle avec reproche. Après le dîner que nous venons de donner, il me semble que...

— Je vais t'expliquer! interrompit la jeune femme.

Sûre de toucher la bonté de sa mère, elle s'empressa de lui transmettre les dernières nouvelles.

— Pour Bruno, c'est une faillite totale, conclut-elle, peu soucieuse de savoir si ce détail était exact.

— Pauvre enfant, c'est vraiment triste! s'écria Eugénie, apitoyée, tu as raison, il faut bien les recevoir.

Déjà reprise par ses devoirs de maîtresse de maison, elle s'éloigna vers la cuisine entraînant son amie qui ne cachait pas le mépris que lui inspirait le débordement de vitalité des comédiens.

Nicole courut chercher Mathieu qui s'était réfugié dans la bibliothèque. Encore humilié de l'indifférence et du vague dédain que lui avaient témoigné au cours de la soirée les invités des Beaulieu, il accepta à contre-cœur d'aider son amie d'enfance. Nicole prit une voix suppliante.

— Occupe-toi du bar et sois gentil avec eux, veux-tu? Ils sont figés.

— Pas figés, éblouis! dit-il sarcastique. Un tel luxe, ils n'ont jamais vu ça. Ça sort d'où, ces gens-là, tu crois?

Nicole regarda les comédiens qui se taisaient. Il fallait à tout prix faire leur conquête.

— Fais-les boire, dit-elle. Et abondamment!

Elle le laissa et se mit à répandre sur les amis de Bruno des termes de gentillesse faisant signe à Mathieu dès qu'un verre se vidait. L'atmosphère peu à peu se réchauffait, s'animait.

— Bernard n'est pas ici? demanda Danielle.

— Il est allé chez sa fiancée avec Albert, papa et des amis. Dommage que vous n'ayez pu assister au dîner. Vous étiez les seuls absents; la famille était au complet.

— Et Mathieu? demanda Danielle, il n'a pas suivi les autres chez Marie-Louise?

— Non, heureusement, car pour une fois il m'est bien utile.

Danielle observa un moment le jeune homme, cherchant à comprendre ce qui, en lui, pouvait à la fois l'intéresser et la repousser.

— Pourquoi garde-t-il toujours ces affreuses lunettes noires?

Nicole haussa les épaules.

— Il y a si longtemps qu'il les porte que je ne m'en souviens plus.

Mathieu circulait, portant un plateau. Elles le suivirent des yeux, inconsciemment cruelles.

— Il ne serait pas laid s'il les enlevait, fit Danielle. Ses traits ne sont pas désagréables.

— Non, mais sa peau est vilaine. Il a un teint de bilieux.

— C'est surtout l'expression de son visage qui est pénible à voir.

— En plus il est mal fait! Regarde comme il est courbé!

— C'est juste.

— Et trop maigre! poursuivit Nicole. Il n'a que les os et la peau!

Elle eut un éclat de rire sans charité et conclut allègrement:

— Autrement dit, il faudrait le refaire complètement pour qu'il soit passable!

Danielle ne répondit pas, et détourna les yeux, mal à l'aise.

« Il a décidément quelque chose de malsain qui ne tient pas seulement à son apparence physique, songea-t-elle.

Julien de loin lui faisait signe, désignant une place à ses côtés. Son sourire tendre dissipa le malaise de la jeune fille qui vint s'asseoir près de lui et laissa tomber sa tête sur l'épaule offerte. L'affection de Julien était une des bonnes choses de la vie. Rien de trouble ne s'y mêlait. Ils s'étonnaient même parfois, l'un et l'autre, de retirer de cette affection plus de paix et de joie véritable que ne leur en avait apporté les sentiments passionnés qui les avaient unis deux années plus tôt.

Ces sentiments, auxquels elle reprochait d'avoir tenu trop de place dans sa vie, avait mis Danielle en garde contre le danger de faire dépendre son bonheur d'une personne autre qu'elle-même. Un besoin instinctif de stabilité la poussait maintenant à tenir l'amour pour une maladie dangereuse, susceptible de déranger l'équilibre de sa nature.

Julien se pencha vers elle lui offrant la cigarette qu'il venait d'allumer.

— Fatiguée?...

— Oui...

— Découragée?...

— Non...

Il se mit à rire et se mêla à la conversation qui devenait générale. De quoi ce soir pouvait-on parler sinon d'« Ondine »? Quelqu'un demanda si les représentations seraient interrompues.

Bruno soupira.

— Il le faut bien, les machinistes prétendent que tous les décors sont à refaire!

— On pourrait jouer dans des rideaux? suggéra Julien qui s'amusait à enrouler sur ses doigts les cheveux de Danielle.

— Mais non, répondit Bruno avec un geste las. Il faudrait refaire toute la mise en scène. Je préfère retirer la pièce plutôt que d'en donner des représentations dérisoires qui mettraient en jeu la réputation de la troupe.

— Elle est déjà suffisamment entamée! s'exclama Danielle. Attendons de voir ce que les critiques vont nous servir comme savonnade.

— Bah! ils doivent bien se rendre compte qu'ils ont affaire à des amateurs! persifla Mathieu en offrant un cocktail à Danielle.

Voilà qu'il ouvrait les feux, recommençant la petite guerre.

« Je ne répondrai pas, songea-t-elle, c'est le meilleur moyen de le forcer à capituler. »

Bruno haussa les épaules, se taisant également.
Furieux contre lui-même, Mathieu se mordit les lèvres
et n'insista pas. S'écartant du groupe, il revint au bar,
cherchant vainement à s'apaiser.

— C'est la faute de Jean-Claude avec son bois pourri! protesta un des interprètes, irrité par la remarque
de Mathieu.

— Pas étonnant qu'il l'ait eu à moitié prix!

— Il a cru bien faire, répondit Bruno mal à l'aise.
Je suis le seul responsable, puisque c'est moi qui lui
ai confié un emploi pour lequel il n'était pas qualifié.

Ils se récrièrent tous, trouvant moins gênant de
blâmer Jean-Claude que de voir leur metteur en scène
s'accuser ouvertement. Puisqu'il fallait un coupable,
autant choisir celui d'entre eux qui était absent; cela
risquait moins de troubler le calme apaisant qui avait
succédé au tumulte de la pièce. Assise aux pieds de
son cousin, Nicole se laissait prendre à ses protestations chevaleresques.

— Ah! Bruno! tu as une grandeur d'âme qui me
dépasse!

Un silence embarrassé souligna cette remarque. Les
comédiens se regardèrent furtivement, retenant mal
un sourire.

La voix de Danielle s'éleva soudain, libérant l'atmosphère:

— Julien! Tu me tires les cheveux!

Debout derrière le bar, Mathieu sortit une deuxième fois de son mutisme.

— Attention! cria-t-il. Les cheveux teints sont si
fragiles!

— *Tais toi! Mais tais toi donc! C'est toi-même que
tu blesses!*

Hormis cette voix intérieure que rien n'arrivait à
faire taire, personne ne lui répondit. Danielle ne
tourna même pas les yeux de son côté. L'animation
reprenait, sans contrainte.

« Ils ne m'entendent même plus! »

Une espèce de vertige s'empara de lui, le forçant à se retenir au tabouret. Comment manifesterait-il désormais sa présence, si les autres n'accusaient plus réception de ses flèches? Comment leur ferait-il comprendre qu'il était vivant, qu'il n'en pouvait plus d'être seul, qu'il crevait de solitude?

Ses yeux pleins d'anxiété cherchèrent autour de lui un sourire, même pas, un simple regard qui lui eût permis de prendre conscience de sa réalité; mais les verres étaient pleins, personne n'avait besoin de lui. Ce milieu le rejetait comme les gens du monde l'avaient rejeté.

« Non! non, ce n'est même pas cela, c'est encore pire!... Tout se passe, au contraire, comme si je n'existais pas, comme si je vivais à l'insu de tout le monde. Je suis le seul à savoir que je vis! Il faut pourtant que les autres le sachent...  Il faut qu'ils le sachent! »

Il les regarda avec rage, cherchant à saisir des bribes de phrase, guettant une occasion de placer un mot plus incisif qu'un coup de couteau, un mot qui les forcerait, bon gré, mal gré, à constater son existence.

« Je pourrais crever ici, derrière ce bar, personne ne s'en apercevrait. »

Mais sa haine tomba subitement, faisant place à une détresse qu'il connaissait bien.

— A quoi bon! murmura-t-il avec lassitude, à quoi bon!... Ce sera toujours à recommencer...

Il songeait à quitter la pièce lorsqu'Eugénie entra. Bruno, qui savait quel langage il fallait tenir à sa tante, s'empressa d'aller à sa rencontre et tint à se faire pardonner d'avoir envahi la maison.

— Mais rien ne t'empêche de le faire plus souvent, répondit Madame Beaulieu, constatant avec plaisir que le contact des artistes n'avait pas contaminé les jolies manières de son neveu. Songe qu'il y a des années que nous ne t'avons vu!

Danielle, s'approchant à son tour, évita à Bruno l'ennui de s'excuser. Elle n'arrivait pas, comme son frère, à envelopper de chaleur les sentiments qu'elle n'éprouvait pas. Eugénie la trouva moins sympathique.

— Venez manger, mes enfants, dit-elle, tout est prêt.
Cet appel mit tout le monde sur pied.

Malgré les protestations de Lucienne, qui trouvait ridicule de faire tant de frais pour des gens de théâtre, Eugénie avait tenu à donner une certaine élégance à ce souper impromptu.

— Bruno et Danielle savent comment je reçois d'habitude, avait-elle répondu. Je ne veux pas les humilier, surtout ce soir, en les accueillant à la bonne franquette. Leurs amis seront traités ici comme s'ils appartenaient aux meilleures familles de la ville.

L'animation que suscita la vue de l'immense table, où brillaient l'argenterie et les cristaux éclairés par les bougies, la récompensa largement.

Etienne Beaulieu, qui rentrait, s'arrêta dans le hall, étonné du brouhaha.

— Ce sont les nouveaux amis de votre fille, expliqua Lucienne.

— Comme ils sont gais! s'exclama-t-il.

Il hésita, tenté d'aller les rejoindre, mais un coup d'œil jeté sur sa montre le fit changer d'idée.

— Deux heures et quart! s'exclama-t-il, je vais me coucher. Vous feriez bien d'en faire autant, Lucienne; ces soirées ne sont plus de notre âge, ajouta-t-il avec un demi-sourire.

— Si j'en juge par l'heure de votre retour, mon cher Etienne, répondit-elle d'une voix pleine d'insinuations, permettez-moi de vous dire que l'âge n'est pas une objection...

Il s'engagea à sa suite dans l'escalier, ne lui donnant pas le plaisir d'une réponse.

Toute la troupe mangeait avec appétit. Passant de l'un à l'autre, Nicole s'informait des goûts de chacun, et servait des assiettes généreuses qui achevaient d'affermir ses conquêtes. Un vin léger transformait en sujets de blague les déboires de la soirée. Mathieu, qui restait sobre, s'amusait à griser les autres.

— Sais-tu ce qu'il te faudrait, Bruno? s'exclama Julien au moment où l'on attaquait le dessert, c'est un bon petit programme comme celui qu'on t'avait proposé l'an dernier.

— Mais je croyais que tu faisais déjà partie d'un tas d'émissions, dit Nicole.

— Cette fois, il s'agissait de retenir l'exclusivité de mes services. Je devais être à la fois metteur en ondes et vedette de l'émission, et seuls les membres de la troupe en auraient fait partie.

— Ça n'a pas marché?

— Le commanditaire s'est éclipsé au dernier moment.

Il se mit à rêver.

— Oui, c'est ça qui nous sauverait!... Ça me permettrait même de monter une autre pièce au cours de l'hiver...

— Et de payer tes dettes! suggéra Julien en riant.

Danielle se taisait, envahie par les souvenirs de la soirée, cherchant vainement à se délivrer de la nausée qu'ils provoquaient en elle.

— Je voudrais être à un mois d'ici! soupira-t-elle, malheureuse.

Elle savait bien que le temps atténuerait cette sensation pénible. Cette angoisse irait peu à peu en s'atténuant. Pour l'instant, il s'agissait, non pas de refouler cette amertume au plus profond d'elle-même, mais de refuser aux événements le pouvoir d'entamer sa gaîté et sa paix habituelles. Pourtant, malgré ses bonnes résolutions, elle regarda son assiette sans appétit, retenant mal l'envie de la repousser.

« Réagis, idiote! » protesta-t-elle intérieurement.

Et elle se redressa, se forçant non seulement à manger, mais à aimer ce qu'elle mangeait.

— J'ai trouvé, s'écria soudain Nicole avec autant d'enthousiasme qu'Archimède sortant de son bain.

Depuis quelques instants, toutes les cellules de son
cerveau étaient en ébullition pour lui faire découvrir
parmi ses connaissances, un commanditaire qui lui
donnerait droit à l'affection de son cousin et à l'amitié reconnaissante de toute la troupe.

— J'ai trouvé! répéta-t-elle en trépignant sur place.
C'est papa qui te donnera ce programme, Bruno.

Presque tous issus de milieux pauvres, en lutte perpétuelle avec la médiocrité sinon la misère, les comédiens regardèrent avec stupéfaction cette fille désinvolte qui parlait comme d'une chose toute simple d'organiser pour son cousin un de ces programmes radiophoniques dont ils retiraient leur pain quotidien.
Leur respect pour la fortune de Nicole s'établit dans
le silence qui suivit.

Danielle s'agita, mal à l'aise, vaguement irritée, sans
parvenir à discerner la cause de son mécontentement.
Bruno, qui observait depuis quelques secondes l'air
à la fois modeste et triomphant de sa cousine, répondit en riant:

— Si mon oncle t'entendait! Tu n'as pas l'air de te
rendre compte que ces programmes sont très dispen-
dieux!

— Peut-être, répondit Nicole, mais ils doivent également rapporter puisqu'il y a tant de programmes
commerciaux!

Tous ces regards dirigés sur elle lui donnaient une
vertigineuse sensation d'importance. Ravie d'apparaître à tous ces artistes qu'elle enviait comme une
dispensatrice des biens de ce monde, elle ne songea
plus qu'à s'engager davantage.

— Veux-tu parier avec moi que je t'obtiens ce programme? s'exclama-t-elle d'un ton plein de défi.

— Mais si votre père exige l'exclusivité des services
de Bruno, fit Julien, ça va lui coûter pas mal cher!

— Bah! il a tant d'argent! déclara-t-elle avec détachement.

Que n'aurait-elle dit pour continuer à les éblouir, pour continuer à sentir sur elle le feu de tous les regards! Toute la table se mit à causer avec animation, commentant les nouveaux projets. Bruno se leva pour aller rejoindre sa sœur.

— Eh bien? Qu'est-ce que tu en penses? demanda-t-il à mi-voix. Crois-tu qu'elle cherche seulement à nous épater?

— Je ne sais pas, répondit-elle perplexe. Remarque que personnellement je préférerais ne rien lui devoir... Pas toi?

Bruno leva les bras et s'exclama:

— Crois-tu que j'ai les moyens d'être indépendant après ce qui vient de nous arriver ce soir? Il faut que ça se paie, autrement je n'arriverai jamais à monter une autre pièce cette année! Tu vois ça, toi? Un an sans jouer?

Cette idée lui semblait d'avance inadmissible. Danielle elle-même n'y croyait pas. D'année en année, de dette en dette, empruntant à celui-ci, quémandant à celui-là, mentant à tous, refusant de voir les difficultés qui obstruaient sa voie, Bruno finissait toujours par satisfaire son démon du théâtre.

— Tu sais bien que tout va se régler, répondit-elle, que ce soit par Nicole ou autrement! J'aimerais mieux que ce soit autrement, mais comme en définitive c'est toi que ça regarde, fais ce que tu veux.

Elle se mit à rire et ajouta:

— Mais si Nicole fait cela par amitié pour toi, je serais curieuse de savoir ce que tu lui offriras en échange?

— Ma foi, j'irais même jusqu'à lui offrir un rôle!

— C'est sûrement ce qu'elle veut! répondit Danielle en baissant aussitôt la voix. Sois sûr qu'elle y pense!

Bruno s'exclama, étonné de ne pas y avoir pensé:

— Eh! bien; je te jure que je vais me servir de cet atout!

Il se leva pour aller rejoindre Nicole qui revenait avec une cafetière et l'aida à faire circuler les tasses.

— Et tes cours? s'informa-t-il d'un ton aimable. Tu as commencé à étudier?

— Mais oui, je te l'ai dit, j'ai trois professeurs qui me donnent chacun deux leçons par semaine, répondit-elle.

— Tu sais, j'ai exagéré en te disant qu'il te faudrait des années de préparation. Je ne croyais pas à ta vocation... Mais si tu travailles sérieusement, d'ici un an, peut-être même avant, je pourrai te confier un petit rôle...

Nicole n'en croyait pas ses oreilles.

— Si tu travailles! promit-il. Un tout petit rôle, évidemment... Nous pourrions te le faire répéter, Danielle et moi. Ce serait tellement amusant de te faire entrer dans la troupe.

Il s'arrêta, l'air subitement accablé.

— La troupe!... Qu'est-ce que je dis!... Du train où vont les choses, il n'y aura plus de troupe! Comment veux-tu que j'arrive jamais à régler toutes les dettes qui vont me tomber sur la tête!

Il s'arrêta, craignant d'avoir été trop évident. Il se perdait souvent en parlant trop. Ce n'était pas d'ailleurs la subtilité de ses calculs qui désarmaient les gens, mais un pouvoir de persuasion tel que malgré ses contradictions les interlocuteurs les plus avertis finissaient par céder à ses requêtes.

Heureusement pour lui, Nicole était elle-même trop agitée par ses propres ambitions pour avoir saisi le rapport qui unissait les dernières phrases de son cousin. Pressée de régler le cas de ces dettes qui mettaient en jeu sa carrière, elle s'écria avec conviction:

— Ne t'inquiète pas puisque je vais t'obtenir ce programme! Papa fait tout ce que je lui demande.

— Tu crois? demanda-t-il, rassuré.

— Je lui en parlerai dès demain. Compte sur moi pour faire marcher les choses rondement.

Elle se pencha vers lui, et l'embrassa furtivement sur la joue en murmurant d'une voix pleine de tendresse:

— Je t'aime bien, tu sais...

— Mais, moi aussi! répondit-il avec autant de conviction.

Le pacte était scellé.

Danielle, qui de loin les observait, ne put s'empêcher de rire.

« Au fond, ils jouent le même jeu! songea-t-elle. Pauvre Nicole... »

Le réveillon s'acheva dans la gaîté. Malgré les protestations générales, la jeune femme, qui voulait être aimable jusqu'au bout, décida d'aller reconduire en automobile une partie des invités.

— Laissez-moi faire! dit-elle en mettant son manteau, rien ne m'ennuie plus que d'aller dormir tout de suite après une soirée agitée.

Les taxis qui devaient emmener le reste de la troupe arrivèrent bientôt. Les comédiens, en sortant, oublièrent de saluer Mathieu qui resta seul sur le pas de la porte, frissonnant dans le froid de la nuit.

Etienne Beaulieu était sympathique à peu de gens. On disait de lui qu'il était snob parce qu'il ne se départissait jamais dans le monde d'une impeccable correction, et ennuyeux parce qu'il ne parlait pas volontiers. Est-il d'ailleurs une qualité qui prête à de plus mauvaises interprétations que la réserve?

Assis à l'arrière de sa limousine, il songeait en rentrant chez lui aux nouveaux projets de sa fille et se demandait ce qu'il en fallait penser. Il était six heures. Une circulation intense encombrait les grandes artères de la ville, forçant le chauffeur à s'arrêter tous les coins de rue. Patient par nature, Etienne ne songeait pas à s'irriter; peu lui importait l'endroit où il était, pourvu qu'on ne l'empêchât pas de réfléchir. Cette idée de programme radiophonique le laissait froid. Nicole avait beau prétendre que tous les grands fabricants utilisaient la radio comme moyen de publicité, il demeurait persuadé que l'intention de sa fille n'était pas d'augmenter les revenus familiaux, mais de se faire bien voir de ses cousins dont elle s'était subitement entichée pour des raisons qu'il ne soupçonnait pas encore.

Il se demanda si Bruno et Danielle en savaient plus long que lui. Ses neveux l'avaient toujours intéressé, à titre d'êtres humains évoluant dans une sphère dont il ignorait tout. Cette initiative qui lui donnait l'occasion de les mieux connaître aurait pu le tenter, mais, songeait-il, quels liens un oncle pourrait-il établir entre lui et des neveux convaincus d'être seuls à posséder la vraie formule de vie? Il n'était pas sans

se rendre compte du vague mépris que leur inspirait
son état de grand bourgeois capitaliste, mais il tirait
lui-même si peu de vanité de cet état, qu'il se serait
volontiers placé parmi leurs rangs pour se moquer de
son milieu et de lui-même, s'ils avaient voulu lui en
offrir l'occasion. De là à créer pour eux un programme radiophonique aussi onéreux et si peu nécessaire,
il y avait loin.

L'automobile monta la rue Bleury, arrêtée bientôt
par un feu rouge. Etienne se pencha, observant les
piétons qui se précipitaient vers les tramways, pressés
de rentrer chez eux, dans la bonne chaleur de la maison. Son imagination lui suggéra aussitôt des scènes
de famille, des retours aux foyers, les uns joyeux, les
autres secs ou indifférents. Blotti au fond de sa limousine, il eut soudain l'impression, de vivre en marge de
l'humanité. Un désir le prit d'ouvrir la porte, de se
mêler à la foule. Mais le feu venait de passer au vert
et Richard appuyait sur l'accélérateur.

Il se réinstalla machinalement, glissant sa main
entre la banquette et le dossier, dans un geste qui lui
était familier. Surpris de rencontrer une résistance, il
chercha à retirer l'obstacle. C'était un cahier noir qui
pouvait facilement se glisser dans une poche. Il l'ouvrit sans curiosité, y cherchant un nom qui lui permettrait de le rendre à son propriétaire.

Ontario. Nouvel arrêt. A la lueur des réverbères,
Etienne put lire sans effort. Les pages étaient couver-
tes d'une écriture renversée, nerveuse qui par endroits
sortait des lignes comme si rien n'avait pu la contenir.
Elle ne se lisait pas facilement à cause des nombreuses
ratures qui accrochaient le regard.

Etienne parcourut la première page, mais, comme
l'automobile à nouveau repartait, il referma le cahier
et demanda au chauffeur:

— Qui a pris la voiture aujourd'hui, Richard?

— Personne, Monsieur, à part vous.

— Hier, alors?

— Hier, j'ai conduit Madame Beaulieu dans les magasins...

— C'est tout?

— Non; hier soir, dans la soirée Madame Dupré s'est servi de l'auto. Est-ce qu'il y a quelque chose qui ne va pas?

— Non, non, continuez...

Il se souvint qu'au déjeûner Eugénie, trouvant dangereux de voir Nicole circuler seule à quatre heures du matin, lui avait reproché d'être allée reconduire quelques invités.

« Ce cahier doit appartenir à un des interprètes de Bruno. » songea-t-il.

Brusquement intéressé, il ordonna au chauffeur d'arrêter.

— Je veux marcher, dit-il. Continuez sans moi.

Aussitôt que l'automobile fut hors de vue, il héla un taxi.

— 3548 rue Champlain, commanda-t-il.

Quelques instants plus tard, il descendait devant une maison d'apparence médiocre, semblable à ses voisines, et montait rapidement deux étages. S'arrêtant sur un palier, il sortit une clé, ouvrit la porte et entra.

Le silence régnait dans l'appartement. Etienne enleva son manteau, pénétra dans le salon garni de meubles bon marché et s'assit dans un des fauteuils. Une pipe était posé près de lui dans un cendrier. Il l'alluma et commença la lecture du cahier noir.

*Tout ce qu'il y a d'inexprimable dans le cœur des hommes, depuis que sur la terre il y a des hommes et qu'ils souffrent, envahit ce soir les quatre murs de ma chambre comme une marée irrépressible, s'unissant, pour mieux m'étouffer, à l'inexprimable de ma propre vie. Je crève de tout ce qui n'a pas été dit qui voulait être dit: de toutes les pensées refoulées au plus creux de l'être; de toutes les vaines aspirations du cœur à se*

*définir; de tous ces pauvres désirs de clarté, de déli-
vrance; du besoin de chacun de nous de se libérer de
lui-même par des mots... Ma tête est pleine à éclater
de toutes ces ébauches de phrases à peine formulées
dans les replis du subconscient et mortes au bord de
tant de lèvres. Hélas! N'est-ce pas de la décomposition de tous ces embryons, continuellement avortés en
nous, que nous mourrons un jour?*

*Vivre parmi les autres m'est un perpétuel tourment.
Pour être heureux, il faudrait que je parte, que j'aille
me terrer au fond des bois, bête parmi les bêtes. Ce
qui me retient, c'est qu'on me rejette. Ce choix n'est
pas de moi! Aurais-je rêvé de solitude si javais été
comme les autres? Il me semble parfois que, même
normal, je n'aurais pu manquer de constater la mé-
chanceté des hommes et d'en pleurer.*

*Déjà, lorsque j'étais enfant, j'avais peine à croire
tout à fait à ce Dieu juste et bon qu'on nous proposait
au collège, et qui ressemblait étrangement au Père
Noël: même barbe blanche, même bonhomie, même
tendresse paterne et joufflue, même arsenal de récom-
penses pour les petits garçons sages.*

*Comment aurais-je pu croire longtemps à son exis-
tence puisqu'il ne m'entendait pas crier, puisque ce
miracle que j'attendais de lui ne se produisait pas?
Quelle conclusion un enfant épris de certitude pouvait-il tirer de cet accablant silence du ciel, sinon
qu'on lui avait menti? J'attendais toujours qu'un de
mes camarades vînt me dire, comme c'était arrivé
pour le Père Noël: « Tu sais, le bon Dieu, ce n'est pas
vrai, ma grande sœur me l'a dit! » Mais cela ne s'est
jamais produit.*

*La beauté est-elle autre chose qu'une réflexion de
l'esprit, une émotion du cœur? Le plus beau paysage,*

*s'il n'est pas réfléchi dans un cerveau humain, à quoi lui sert sa splendeur? Et l'être le plus disgrâcié, s'il n'est vu de personne, peu lui chaut sa laideur! Etre beau en soi ne signifie rien. La beauté ne prend un sens que s'il y a comparaison.*

*Pauvre fou! Faut-il que tu aies le souci de ton importance humaine pour en être arrivé à croire que ton regard donne à la beauté son prix! Comme si la beauté, pour exister, avait besoin de l'homme. Comme si être contemplé ajoutait quoi que ce soit à l'objet contemplé. La beauté est. Point final.*

*De même, le regard des autres n'ajoute rien à ma laideur, mais à mon tourment...*

*Peu m'importe le système philosophique le mieux construit s'il ne correspond pas à mon expérience de la vie.*

*Pourquoi demander aux autres plus qu'un échange de pensées? Pourquoi me meurtrir sans relâche à attendre d'eux une compréhension que je suis sans doute incapable de leur rendre? Même un frère jumeau, né de la même cellule, aurait des réactions différentes des miennes. Que dire d'un étranger? Quelle audace, quelle imprudence, en tout cas quelle folie, de chercher à exercer sur un autre une influence, si petite soit-elle. De même, quelle erreur de demander à d'autres des directives. Nul ne te connaît, que toi-même. La réponse est en toi. Personne ne peut répondre pour toi, que toi seul.*

*J'ignore encore, j'ignorerai sans doute toujours le regard d'une femme qui se donne. Je n'aurai connu que les yeux battus des esclaves de bordel, à tant de l'heure. Ces jeux me dégoûtent! Ces femmes aussi! — Et moi-même plus encore! — Mais la bête est là*

*qui commande et moi j'obéis. J'obéis et je prends sans*
*joie, je prends dans la haine les plaisirs que je paie.*

*Au pays des aveugles, les borgnes sont rois, dit-on.*
*Hélas! quel borgne cela pourrait-il consoler!*

*Je suis l'enfant de la haine.*
*Le fiel de ma mère a brûlé mes yeux clignotants que*
*                                    [la lumière irrite;*
*Sa rage a gonflé ma tête trop grosse,*
*Son dépit autour de mes os a sculpté ce corps malingre*
*Car rien de bon ne pouvait sortir d'elle.*
*Je n'ai reçu de mon père que le dégoût que m'inspire*
*                                    [ma mère.*
*Elle m'a porté avec fureur.*
*Fœtus, je m'accrochais à ce ventre qui ne me voulait*
*                                    [pas,*
*Je rongeais ce maigre placenta qui se refusait,*
*J'étais en elle quelque chose de plus fort qu'elle,*
*De plus puissant que son mépris;*
*J'étais le souffle de vie qui travaille à sa conservation.*
*Rien ne pouvait faire que je ne voie le jour.*
*Sa haine après sept mois de lutte a triomphé de moi.*
*Elle ma rejeté, elle m'a vomi avec férocité;*
*Mais la vie en moi était déjà trop solidement ancrée.*
*Je voulais vivre! Je voulais vivre!*
*Je vis.*
*Et la haine entre nous ne cessera qu'avec nous.*
*Non pas avec l'un ou l'autre de nous,*
*Mais avec la mort de l'un et de l'autre.*

*Pourquoi est-ce que je souffre? Pourquoi ce qui*
*m'arrive m'arrive-t-il? A moi, particulièrement. Qu'est-*
*ce que j'ai fait de plus ou de moins que les autres*
*pour tant souffrir? Les autres souffrent-ils aussi? Que*
*m'importe d'ailleurs, ce que je veux savoir, c'est pour-*
*quoi, moi, je souffre. Si au moins cette souffrance*
*avait, sinon un but, du moins un sens. Mais quel peut*

être le sens de la souffrance? Que ce soit moi ou un
autre, pourquoi souffrir? Pourquoi vivre? Et pourquoi mourir? Pourquoi être, s'il faut un jour n'être
plus? Et s'il faut n'être plus, pourquoi avoir été?

L'enfer aujourd'hui habite en moi. Un feu tellement violent me consume que mon corps devrait se
dissoudre en fumée. Je n'ai rien à attendre de personne que la pitié, cette pitié même que je hais. Aucune inquiétude d'ailleurs; je me suis forgé contre elle
un tel rampart d'ironie que personne n'osera jamais
le franchir. Non! Personne jamais n'a songé à me
plaindre! Tous ceux qui me connaissent s'accordent
à me trouver cynique. Hélas! encore hélas! pourquoi
se trompent-ils? S'ils savaient qu'un mot seulement,
prononcé d'une certaine manière, suffirait à me faire
éclater en sanglots! Le veau qui pleure...

Ce Dieu dont on prétend que le temps ne compte
pas pour lui et devant lequel il est dit que notre vie
s'écoule avec la rapidité d'un clin d'œil, comment donc
pourra-t-il juger équitablement les hommes pour qui
le temps est d'une importance primordiale?

Rien de neuf dans tout ce que je pense, rien de neuf
dans tout ce que j'écris. Je refais, après des milliers
d'autres, le cycle de la souffrance. C'est l'éternelle
histoire sans originalité ni fin.

Je n'ai pas conscience d'avoir plus mérité une éternité de bonheur qu'une éternité de malheur. Comment des êtres finis pourraient-ils mériter une récompense ou un châtiment infini? Passe encore que la
récompense soit illimitée, cela pourrait être un effet
de la bonté de Dieu, mais l'idée d'un châtiment éternel est inadmissible quand on a le sens de la justice.

*Le regard des autres est à mon visage le plus impla-
cable des miroirs. Même si je ne m'étais jamais vu, les
yeux des hommes m'auraient appris ma disgrâce. Et
ceux des femmes donc!*

*Rien de plus ridicule à voir que des amoureux.
Rien de plus bête non plus! Cette façon qu'ils ont de
se regarder dans les yeux, comme s'ils y devaient trouver toutes les réponses; cette démarche sautillante qui
les transporte toujours vers un septième ciel, invisible
pour tous; cette niaiserie qu'ils confondent avec l'extase; ces murmures enamourés qu'ils échangent avec
un gravité de prêtre ou de pythonisse!... Quel égoïsme
au fond dans cette manière d'ignorer le monde et de
jouer à planer dans des sphères inaccessibles au commun des mortels!*

*Bande d'idiots dont je ne ferai jamais partie, et
pour cause, pourquoi faut-il que j'envie malgré tout
votre stupidité!*

*Au point où j'en suis, l'amour ne saurait m'appor-
ter de solution. La femme la plus tendre du monde et
la plus intelligente ne parviendrait qu'à me rendre
malheureux, car j'aurais à supporter, outre mes souffrances, celles que je ne pourrais m'empêcher de lui
faire subir. Je suis trop avancé dans la méfiance, je
suis trop avancé dans la haine de tout et de moi-
même, pour être délivré par l'amour. C'est en dehors
de l'amour que je devrais chercher, si je voulais encore
chercher. Et pourtant l'amour... Mais à quoi bon revenir là-dessus!*

*Quand Il me parle, c'est pour me dire:*
*— Renonce! Renonce!*
*— Renonce à quoi?*
*— Renonce à impressionner les autres, renonce à
ce rôle de l'être abject qui salit tout ce qu'il touche!*

— *Tu m'as ainsi fait.*

— *C'est ton orgueil qui te conseille cette attitude.*

— *Oui, pour sauver la face! Cette face ignoble que tu as choisie pour moi entre toutes les faces!*

— *Accepte-la, tu n'en souffriras plus. Pourquoi passer ta vie à te blesser et à blesser les autres? Cherche donc plutôt la paix!*

— *Les autres! Je ne les ferai jamais assez payer.*

— *Quel mal te font-ils?*

— *Ils me regardent et je me vois.*

— *Est-ce tout?*

— *Ils me regardent et je me vois!*

— *Vaniteux! Orgueilleux! Est-ce pour rien que j'ai prêché l'humilité?*

— *J'aime mieux suivre l'exemple de tes prêtres que le tien. C'est plus facile. Crois-tu que c'est gai d'être choisi par toi quand on sait que c'est toujours parmi les déchets que tu recrutes tes adeptes? Il doit être beau ton ciel! Une espèce de cour des miracles, sans doute? J'aime mieux l'enfer!*

— *Et pourtant, tu persistes à m'appeler...*

— *Parce que je fais partie des laissés pour compte justement! Mais je proteste! Je ne veux pas être parmi les faibles!*

— *Alors, pourquoi te laisses-tu dominer par la souffrance? Ne cherche pas à la fuir, elle te poursuivra. Fais-lui face au contraire et lutte avec elle comme Jacob lutta contre l'ange. C'est le seul moyen de la vaincre et d'arriver à la joie.*

— *La joie n'est pas pour moi!*

— *Pas encore... Tu n'es pas prêt à la recevoir.*

— *Quand serai-je prêt?*

— *Quand tu auras consenti. Il n'y a pas de joie sans consentement. Accepte-toi!*

—*Jamais! Jamais! Jamais!*

— *Ils ont oublié ce que tu as souffert. Pour un peu, ils se réjouiraient de tes souffrances qui les sauvent!*

— *Je suis venu pour cela.*

— *Tes souffrances physiques, voilà tout ce qu'ils acceptent de voir. C'est le côté spectaculaire de ta mort qui les frappe. Ce que les Américains appelleraient le côté « glamorous » de ta crucifixion.*

— *Qui es-tu pour juger les autres?*

— *Laisse-moi faire. Ça me console de les mépriser. Ce que tu as souffert moralement, tu penses s'ils s'en moquent!*

— *Et toi?*

— *Oh! pas moi! Personne plus que moi n'envie tes souffrances. Elles ont sur les miennes l'avantage d'avoir un but, d'avoir été choisies surtout! Et non imposées! Elles retombent sur le genre humain comme une manne riche de mansuétude; les miennes retombent sur moi pour me brûler, comme sur une montagne la lave d'un volcan!*

— *Le feu purifie...*

— *Celui de l'enfer aussi?*

— *Même avec moi tes sarcasmes?*

— *Je me garde comme je peux de l'amour que tu me proposes. Tu ne sens donc pas que, dans ma solitude, je suis prêt d'y succomber?*

— *Je t'apporte la paix, pourquoi la refuses-tu? N'est-ce pas cela même que tu cherches?*

— *Pas ce genre de paix qui comprend le renoncement, l'acceptation...*

— *Regarde la nature, tout est là. L'abeille demande-t-elle d'être un oiseau? Le sapin, d'être un chêne? Le lac veut-il être une rivière? Accepter d'être ce qu'on est, tendre à se réaliser pleinement dans le sens propre de sa personnalité, sans demander davantage, n'est-ce pas la sagesse même?*

— *Je demande que les autres m'acceptent aussi!*

— *Ils t'accepteront quand tu te seras accepté toi-même. Qu'as-tu à faire des autres? Les autres sont-ils plus heureux?*

— *Ils s'acceptent mutuellement, ils vivent de leurs rapports, de leurs contacts... Je veux la chaleur de la tendresse humaine. Est-ce trop demander quand on ne l'a jamais connue?*

— *Ne construis pas ton bonheur sur une base aussi fragile. La joie est en toi, c'est là qu'il faut regarder. Ne cherche pas ailleurs. D'abord, accepte-toi.*

— *Jamais! Je le crierai jusqu'à mon dernier souffle! Jamais!*

*J'ai beau diriger ces dialogues, ils tournent toujours contre moi. Et pourtant j'y reviens quand même, sans doute parce qu'ils me donnent l'illusion d'avoir un ami qui m'écoute. Un ami qui se laisserait injurier.*

*Il y a des moments où, regardant Bruno, je ne suis pas loin de le trouver aussi laid que moi. Et pourtant, il est certain qu'il n'en souffre pas. J'ai même la conviction que son visage lui semble prodigieusement intéressant et qu'il ne l'échangerait contre aucun autre. Comment en est-il arrivé là? Il est vrai qu'il y a aussi des instants où il atteint une beauté que je n'aurai jamais. Peut-être ces brèves illuminations suffisent-elles à lui faire oublier le manque d'harmonie de ses traits et même à le faire oublier aux autres? Peut-être aussi ces illuminations sont-elles moins brèves que je ne le crois...*

*A vingt ans je pouvais encore espérer qu'une porte s'ouvrirait un jour sur le bonheur; mais puisque je sais maintenant qu'il n'y a pas d'issue, à quoi bon m'obstiner à hurler comme si mes cris devaient avoir l'effet d'un « Sésame, ouvre-toi! ». Qu'est-ce que j'attends pour me soumettre comme les autres? Qu'est-ce que j'ai à trépigner sur place et à lever le poing contre tout et contre Dieu comme un adolescent?*

*Peut-être étais-je moins malheureux à vingt ans parce que j'en devinais d'autres autour de moi qui cher-*

chaient des réponses à leur angoisse métaphysique. Ils m'ont tous laissé en cours de route. Les plus inquiets d'entre eux sont maintenant les plus gras, les plus calmes. Ils sont entrés paisiblement, souvent par le mariage, dans le giron de la société et de l'Eglise. « Jeu d'enfants! » disent-ils aujourd'hui, de leurs recherches d'hier. Jeu d'enfants de chercher Dieu? Sans doute, puisqu'ils y ont tous renoncé pour revenir sagement à la religion de leurs pères. Il faut croire qu'ils ont raison puisque je reste seul à me tourmenter. Qui sait peut-être serais-je aussi parmi les résignés si la vie m'avait proposé des sources de bonheur semblable au leur.

Non, non! Plus j'examine le bonheur des autres et moins il me tente. Plutôt être ce que je suis que de sombrer dans l'automatisme général. La révolte me donne au moins la sensation de vivre. Tout plutôt que leur indifférence qui est déjà une espèce de mort.

Si tu as pu crier dans la détresse, toi qui te croyais d'essence divine, comment, moi qui suis bien certain de n'être que le petit de l'homme, ne crierais-je pas cent fois par jour: Mon Dieu, mon Dieu, pourquoi m'as-tu abandonné!

Le texte s'arrêtait sur cette plainte désespérée. Suivaient plusieurs pages encore blanches. Aucun nom, aucune adresse, rien qui permît d'identifier l'auteur. Bruno était la seule personne qui y fût mentionnée, ce qui confirma Etienne Beaulieu dans sa pensée que le cahier devait appartenir à un des interprètes de la troupe et lui fit regretter de ne pas s'être mêlé la veille aux invités de sa fille. Une rencontre avec eux, si brève soit-elle, lui eût permis d'éliminer au moins ceux à qui leur physique réservait l'emploi de jeunes premiers, et de se livrer à quelques conjectures.

Il comprenait mal qu'avec un visage aussi disgrâcié que celui qu'il se plaignait d'avoir, l'auteur ait
choisi de se destiner au théâtre. Concours de circonstances? Vocation irrésistible? Il n'y devait remplir
que des rôles de deuxième plan puisqu'il n'était question, tout au long de ces pages, que de refoulement
forcé et inaccepté.

Que les hommes ne puissent avoir entre eux aucun
contact autre que superficiel, Etienne le savait de
reste, lui qui avait sur cette conviction bâti toute sa
vie, mais il s'étonnait qu'on put en être à ce point
malheureux. Perplexe, il se remit à feuilleter les pages, pesant les mots, cherchant à lire entre les lignes.
Plus il réfléchissait, plus il lui semblait que ce garçon était dans la position d'un prisonnier qui eût pos-
sédé sans le savoir les clés de sa propre geôle. Il savait
d'avance comment il faudrait lui parler, devinant sans
peine les mots que l'autre attendait et que personne
sans doute ne lui dirait jamais.

Comment arriver à le connaître, ou plutôt à le
reconnaître? D'abord, revoir Bruno et, par lui, entrer en relation avec toute la troupe. Dépister ce
garçon si laid, au milieu d'un groupe de comédiens,
serait un jeu. Sans compter qu'il devait se trahir mille
fois par jour, malgré ce rempart de cynisme dont il
prétendait s'être entouré. Ses camarades étaient sans
doute trop occupés à vivre leur propre vie pour discerner le son fêlé de sa voix.

Curieux d'en savoir davantage, Etienne décida d'accorder à son neveu le programme radiophonique que
sa fille lui demandait avec tant d'insistance, ce qui
donnerait une fois de plus à Nicole l'occasion de répéter à tout le monde que son père ne lui refusait
jamais rien.

« Après tout, cette série d'émissions ne peut nuire
à mes affaires, songea-t-il. Peut-être y trouverai-je
même un profit. Quoi qu'il en soit, il faut que je
retrouve ce garçon. »

# CHAPITRE VI

Dans un salon particulier muni de hauts-parleurs et séparé du studio par une immense vitre, Etienne Beaulieu assistait à une audition du programme qu'il devait commanditer.

Assise entre son père et son ami, Nicole, indifférente au texte, ne songeait qu'à s'étonner de retrouver Danielle avec des cheveux bruns.

— A sa place, je serais restée blonde!

Albert, pris d'un intérêt subit pour les activités de sa femme, avait insisté pour la suivre au poste de radio. L'œil allumé derrière les paupières mi-closes, il se faisait nommer les interprètes, se gardant bien d'avouer que les comédiennes surtout l'intéressaient. Les artistes ne représentaient à ses yeux qu'une classe de gens reconnus pour la légèreté de leurs mœurs, parmi lesquels un homme habile devait pouvoir recruter des proies intéressantes.

Debout, appuyé à la vitre, les yeux fixés sur Danielle dont il n'était séparé que par l'épaisseur du verre, Mathieu pouvait examiner la jeune fille à loisir, et d'autant plus librement qu'elle attendait, immobile, le moment de reprendre son rôle.

Son visage, ce soir, lui parut dépourvu de charme. Regrettait-il inconsciemment la lumière qui avait auréolé la tête d'Ondine? Mais il tressaillit soudain, bouleversé par un détail qu'il n'avait jamais remarqué auparavant: Au coin de l'œil, creusant son chemin dans la chair, une ligne se dessinait...

Brusquement ému, il sentit monter en lui, en même temps qu'un vague instinct de protection, le désir beaucoup plus précis de prendre la jeune fille dans

ses bras et de la posséder avant qu'il ne soit trop tard,
comme si ce signe de vieillissement devait entraîner
sa décomposition immédiate. Cette petite ride, soulignant le caractère éphémère de la beauté de Danielle,
lui rendait cette beauté plus précieuse d'être ainsi
menacée. Plus accessible aussi. Il la suivit des yeux
jusqu'au micro, écoutant sa voix avec anxiété, y
cherchant une défaillance, quelque chose comme une
ride sonore qui confirmerait l'autre. Mais la voix
s'éleva, pure, claire, disciplinée.

Le directeur du poste fit son entrée, s'excusant
d'avoir été retenu à son bureau.

— Eh bien? demanda-t-il aimablement, ça vous
plaît?

— Nous signerons le contrat ce soir, répondit Etienne Beaulieu, comme s'il venait seulement de prendre
cette décision.

Nicole voulut témoigner sa joie, mais il l'interrompit d'un geste. Depuis dix jours, intrigué par sa découverte, il n'avait cessé de relire les pages du cahier,
attendant avec impatience l'occasion d'entrer en contact avec les comédiens. Cette première rencontre,
pourtant, le décevait. Aucun des interprètes mascu-
lins ne lui semblait assez mal conformé pour avoir à
se plaindre de son sort.

Machinalement il se répéta les premières lignes du
portrait:

> « *Je suis l'enfant de la haine.*
> *Le fiel de ma mère a brûlé mes yeux clignotants*
> [*que la lumière irrite*
> *Sa rage a gonflé ma tête trop grosse,*
> *Son dépit, autour de mes os a sculpté ce corps*
> [*malingre,*
> *Car rien de bon ne pouvait sortir d'elle...* »

Cette description ne correspondait à aucun des comédiens qu'il voyait évoluer devant lui. Il allait re-

gretter de ne pas avoir exigé pour cette audition la
présence de tous les membres de la troupe, lorsqu'il
aperçut un jeune homme qui, assis derrière le piano,
avait jusque là échappé à son attention. Il avait
une étrange tête au front bas, couronné par d'épais
cheveux noirs, lisses et trop longs. Au-dessus des pom-
mettes saillantes, d'immenses yeux pâles, noyés, perdus, levaient sur Bruno un regard inquiet. Des yeux
qui n'avaient rien de clignotant, qui gardaient même
au contraire une fixité douloureuse. Les mains seules
manifestaient une incontrôlable fébrilité.

Perplexe, Etienne se pencha pour mieux le voir.

— Qui est-ce? demanda-t-il en se tournant vers sa
fille.

Ravie d'être consultée, Nicole suivit le geste de son
père et s'exclama, interloquée:

— Mais, c'est Jean-Claude Marchand! Je croyais
que Bruno ne devait plus l'employer!

— Pourquoi cela?

— Parce qu'il est en grande partie responsable du
désastre de la pièce.

— Tiens! fit Etienne, intéressé. Comment cela?

Nicole se lança dans une longue explication qu'il
interrompit bientôt pour exiger le silence. Faute de
pouvoir reconnaître l'auteur du cahier d'une façon
certaine, il voulait au moins chercher à s'imbiber de
l'atmosphère dans laquelle il vivait afin d'en dégager
les principaux éléments.

Cette faculté qui permettait aux interprètes de rejeter tout ce qui était étranger au texte et d'exprimer les sentiments les plus divers, dans une complète absence de décors, de costumes et de tout ac-
cessoire extérieur susceptible de leur créer un climat
propice, le remplissait à la fois de stupéfaction et
d'admiration.

« Comment font-ils? Passe encore qu'ils y arrivent
au théâtre où tout concourt à les servir, mais ici, à
deux pas de nous, comment peuvent-ils parvenir à

s'oublier à ce point? Il y a là presque un manque de
pudeur... Comment ne sont-ils pas arrêtés par l'absurdité même de la chose? D'où sortent-ils leur émotion?
Comment peuvent-ils « partir » de la sorte? Car ils
sont partis! Enlevés! Nous seuls, ici, restons solidement sur terre. Eux n'y sont plus... »

Il éprouva soudain, avec une espèce de honte, la
sensation d'être de trop, comme un étranger mêlé
malgré lui à un drame de famille. « Arrêtez, on vous
regarde! » avait-il envie de crier aux acteurs.

La musique noya les derniers mots. Le sketch était
terminé. Le directeur se leva, plus aimable que jamais.

Bruno, qui les attendait dans le studio, s'approcha
en souriant.

— Qu'en pensez-vous demanda-t-il presque timi-
dement, car il n'était jamais aussi modeste que lorsqu'il était content de son travail.

Il y eut un silence de quelques secondes, Etienne
espérant qu'un autre serait en mesure de parler de
l'audition.

Le directeur fut le premier à se ressaisir.

— Excellent, mon ami, excellent!

C'était sa formule en présence du commanditaire.

L'industriel murmura à son tour quelques félicitations, bientôt imité par Nicole qui crut devoir ajouter qu'elle n'avait jamais entendu de meilleure émission. Mais tout cela arrivait trop tard; les interprètes avaient déjà compris qu'ils avaient crié dans
le vide. Etienne rougit légèrement, devinant que cet
incident ne faisait qu'affermir l'opinion que ses neveux avaient déjà de lui. Danielle et Bruno échangèrent un regard déçu.

— Sais-tu que tu as des belles poules dans ta troupe? s'exclama Albert. Au fond, tu as choisi un beau
métier!

Bruno le regarda froidement, dédaignant de répondre, tandis que Mathieu songeait:

« Sale bête! Si j'étais une brute de ton espèce, je te casserais la gueule avec plaisir! »

Reprenant son rôle de mécène, Nicole se mêlait aux interprètes, leur glissant à l'oreille avec une tendre familiarité:

— Hein! je vous avais bien dit que je vous obtiendrais ce programme!

Etienne se taisait, observant Jean-Claude, saisi par l'extrême nervosité que trahissaient tous ses gestes. Maintenant qu'était passée la crainte de manquer le signal du réalisateur, son regard avait perdu sa fixité inquiète et semblait au contraire étrangement mobile. Rien, ni personne, ne paraissait valoir la peine de retenir son attention. Ce n'était pas des yeux clignotants, mais des yeux qui cherchaient perpétuellement, sans relâche. Qui cherchaient quoi?...

« J'ai peut-être tort d'attacher tant d'importance à ce portrait, songeait Etienne. Il se pourrait bien que mon héros ait fait à son sujet un peu de littérature... »

Le Directeur, toujours poli mais pressé d'en finir, invita l'oncle et le neveu à passer dans son bureau afin de discuter les conditions du contrat.

Bruno parla le premier.

— En ce qui me concerne, c'est très simple, commença-t-il. J'entends avoir la main libre. Je veux être le seul à décider du choix des sketches, de la musique, de la distribution, enfin de tout ce qui touche la partie artistique du programme. Quant au reste, cela vous regarde. Je ne veux pas avoir à m'occuper des textes publicitaires.

Il s'exprimait avec aisance et autorité, convaincu que son oncle était décidé à lui accorder le contrat, puisqu'il n'avait même pas pris la peine d'écouter l'audition.

Il fut surpris d'entendre Etienne répondre calmement:

— Cela me va parfaitement. Quant à moi, je réclame le droit d'assister dans le studio même, non

seulement à chaque émission, mais aussi à chaque répétition, si le cœur m'en dit.

— A chaque répétition?  Et dans le studio même?
s'étonna le directeur.

Aucun commanditaire n'avait jamais exercé une
telle surveillance.

Bruno, perplexe, regarda son oncle.

— Si c'est à cause de la censure des textes, je peux
vous les faire parvenir à l'avance.

— Merci.  Je ne tiens pas à les voir.  J'ai pleine confiance en toi.

— Alors, pourquoi tenez-vous à assister aux répétitions?  Je crains que votre présence ne gêne terriblement les interprètes.

— Oh! je ne suis pas inquiet, je les ai vus à l'œuvre
ce soir!  Ils m'oublieront d'autant plus vite que je
m'engage à ne pas les déranger, répondit Etienne,
amusé de l'étonnement que suscitait sa demande.

Bruno, ennuyé, hésitait, songeant que la présence du
commanditaire rendrait les répétitions ennuyeuses et
froides.  Comment travailler avec chaleur en présence
d'un témoin lucide et calme?  Le témoin qui paie!

— Il me semble que vous pouvez parfaitement accepter cette clause, Bruno, fit le directeur.

Perplexe, le jeune homme s'inclina.

— La seconde condition, reprit Etienne en raffer-
missant sa voix, est que ma fille fasse partie de chaque
émission.

— Nicole! s'exclama Bruno qui n'avait pas prévu le
coup.

— Je ne savais pas que Madame Dupré faisait... voulait... était une artiste! ânonna le directeur, furieux de
s'entendre bafouiller.

— Le mot est peut-être un peu fort, répondit monsieur Beaulieu avec un demi-sourire.

Bruno se taisait, sûr maintenant de tout comprendre.  La vérité lui sautait aux yeux.  Pressée d'exhiber
ses talents, Nicole avait trouvé trop long d'attendre

qu'il soit en mesure de monter une nouvelle pièce et
se faisait offrir un programme radiophonique à seule
fin de se faire décerner des rôles. Qui sait, peut-être
même avait-elle douté de sa parole? Ce n'était pas
pour rien qu'elle était la fille d'un financier; il lui
fallait des engagements écrits et non de simples promesses verbales. Ne poussait-elle pas la prudence jusqu'à exiger de son père qu'il assistât aux répétitions
afin de s'assurer que les clauses du contrat étaient bien
remplies?

Il n'y avait qu'à s'incliner ou à refuser. Etienne était
le commanditaire, cette bête rare qui a tous les droits.

— Cette condition est-elle définitive? demanda-t-il,
brusquement furieux du tour qu'il se faisait jouer.

— Définitive, déclara l'industriel. Et il sentit que
ce geste arbitraire le rendait odieux. En quelques secondes, il passait du rôle d'oncle ennuyeux et bourgeois à celui de capitaliste fort de ses pouvoirs. Il n'en
fallait pas moins pour le rendre détestable aux yeux
d'un artiste; mais qu'importait l'avis de Bruno, puisque de toute façon ils ne seraient jamais appelés à
s'entendre?

Le directeur se devait de mettre les deux parties
d'accord, ce qu'il s'empressa de faire en débouchant
une bouteille de whisky.

— Cette clause ne devrait pas vous arrêter, Bruno,
dit-il en remplissant les verres. Rien ne vous empêche,
au début, de donner à Madame Dupré des rôles de second plan. Je ne crois pas que Monsieur Beaulieu ait
des objections à ce que sa fille soit d'abord initiée
avant de devenir vedette.

Le jeune homme leva les yeux vers son oncle qui
répondit:

— Je me suis engagé tantôt à ne pas me mêler de
la distribution.

— Bien! décida Bruno, d'une voix qui en disait long
sur les rôles que Nicole aurait à tenir. Avez-vous d'autres conditions à poser?

— Que le programme ait lieu le soir, et que tu fasses jouer à tour de rôle tous les membres de la troupe, sans en excepter un seul. J'insiste même pour que cela soit mentionné dans le contrat, ainsi que le nom de chacun d'eux.

« Sans doute une idée de Nicole qui veut se faire bien voir de tout le monde », songea Bruno.

— C'était mon intention, répondit-il.

Les prix furent établis sans protestations ni d'une part ni de l'autre, à la grande surprise du directeur qui trouvait énormes les exigences de Bruno.

— Evidemment, dit-il en se tournant vers l'industriel, à ce prix vous exigez l'exclusivité?

Etienne s'inclina, indifférent. Il semblait attacher si peu d'importance à cette clause que Bruno fut sur le point de lui demander d'y renoncer. La crainte de paraître abuser le retint; et surtout la présence du directeur.

Il ne restait à régler que des détails sans importance qui rencontrèrent l'adhésion des deux parties en cause, ce que voyant le directeur se leva.

— Je ferai dresser le contrat dès demain, dit-il, et nous pourrons nous rencontrer de nouveau pour le signer.

Il les reconduisit à la porte sans se départir de son aimable politesse.

L'oncle et le neveu, gardant le silence, s'engouffrèrent dans l'ascenseur.

« S'il est vrai que les millionnaires ne comprennent pas toujours les pauvres, songeait Etienne, il est aussi vrai que les pauvres comprennent rarement les millionnaires. »

Apprenant que l'affaire était conclue, Nicole s'écria:

— Bravo! Il faut célébrer ça! Et tout de suite!

— En effet, répondit Bruno avec un entrain un peu forcé.

Monsieur Beaulieu demanda la permission de se retirer. Personne ne songea à le retenir.

— Où voulez-vous aller? demanda Albert dès que
son beau-père eut le dos tourné.

— Au Samovar peut-être? proposa Nicole.

Ce club de nuit était situé à quelques rues du poste
de radio. Tout le monde acquiesça.

— Eh bien! je vous quitte, déclara précipitamment
Albert. J'avais pris des billets pour la partie de
hockey. Vous m'excusez, n'est-ce pas? Vous êtes quatre, vous n'avez pas besoin de moi. Bonsoir!

Et il se hâta de disparaître de peur que sa femme
n'insiste pour le retenir. Nicole n'en avait pourtant
nulle envie. Suspendue au bras de Bruno, elle semblait au comble de la joie.

Danielle, aux côtés de Mathieu, suivait sans plaisir.
L'insistance de Nicole à leur imposer sa présence
commençait à l'irriter. Presque tous les jours depuis
trois semaines, sous un prétexte ou sous un autre,
la jeune femme venait passer « un petit quart d'heure » chez ses cousins, et n'en partait plus.

Habitué à traîner des parasites dans son sillage, Bruno remarquait à peine sa présence, malgré l'obstination de Nicole à lui demander des directives au sujet
de ce qu'elle appelait « sa nouvelle personnalité ».
Danielle, qui détestait que l'on prît son amitié pour
une chose acquise, supportait moins bien ces visites.

« Comment arriverons-nous jamais à nous débarrasser d'elle, maintenant qu'elle nous a obtenu ce programme? » songea-t-elle avec un soupir.

Elle se tourna vers Mathieu, prête à lui avouer qu'il
avait eu raison de la mettre en garde contre Nicole,
mais le visage dur et fermé du jeune homme lui enleva
toute velléité de confidence.

Ils étaient à peine installés devant une table que Bruno, prenant tranquillement une gorgée de whisky, demanda à sa sœur d'un ton ironique:

— Sais-tu que Nicole est en passe de devenir une grande artiste? Tu n'as qu'à bien te tenir si tu ne veux pas être promptement éclipsée.

— Comment ça?

Devinant bien que son cousin faisait allusion au contrat, Nicole rougit, tandis qu'il reprenait d'un ton railleur, scandant bien ses mots:

— Est-il rien de plus beau que la science infuse, que les dons naturels, que le talent inné? Ce n'est pas tous les jours qu'on peut voir une comédienne faire ses débuts sans études et sans expérience, dans une série d'émissions créées spécialement pour elle!

La jeune femme, mal à l'aise, s'agita, cherchant une réponse.

— Nicole va jouer? s'étonna Danielle.

— Parfaitement, répondit-il, de plus en plus sarcastique. Nicole sera de chaque émission, c'est stipulé dans le contrat.

— Ne vous ai-je pas déjà dit que les mouches ont des ventouses au bout des pattes? demanda Mathieu. Ça colle bien des ventouses!

— J'ai pensé... je me disais, balbutia Nicole d'une voix mal assurée, je me disais: pourquoi ce programme ne ferait-il pas l'affaire de tout le monde? Qu'est-ce qui m'empêche de penser aussi à mes intérêts.

— Mais ce qui m'étonne, c'est que tu y penses si mal! riposta vivement Bruno, laissant éclater sa mauvaise humeur. Car enfin, tu dois bien te dire qu'au milieu de professionnels tu seras tout à fait ridicule!

Mathieu, retrouvant sa voix nasillarde, s'exclama:

— Quel naïf! Est-on ridicule quand on a derrière soi la fortune d'un père et celle d'un mari! Deux fortunes, penses-y!

— En effet, approuva Bruno, revenant au sarcasme, j'avais oublié ce détail! Et aussi que les études ne sont bonnes que pour les pauvres qui n'arriveraient pas, autrement, à se faire un nom.

Humiliée, Nicole protesta faiblement:

— Je ne jouerai pas, Bruno... je ne jouerai pas si ça te déplaît...

« Mais défends-toi! faillit s'écrier Danielle, défends-toi mieux que ça! »

— Tu joueras! déclara Bruno, impitoyable. Tu joueras mal, mais tu joueras! La ville entière rira de toi, mais tu joueras! Tu nous couvriras de honte, mais tu joueras!

Danielle soupira. Pourquoi son frère dépassait-il encore toute mesure? Pourquoi la forçait-il à prendre, contre lui qu'elle aimait, la défense de Nicole qu'elle n'aimait pas?

— Tu n'avais qu'à refuser cette clause, Bruno, dit-elle à contre-cœur. Tu l'as bien acceptée, n'est-ce pas?

Il s'emporta immédiatement, furieux de la voir prendre un parti autre que le sien.

— J'ai quand même le droit de dire ce que j'en pense!

— C'est à mon oncle qu'il fallait le dire puisque c'est avec lui que tu traites cette affaire.

Bruno donna un grand coup de poing sur la table.

— Mais je t'assure bien que je ne me suis pas gêné! s'écria-t-il avec force. Je ne lui ai pas caché ma façon de penser, tu peux me croire!

Danielle se mit à rire.

— Bruno! La vérité!

Il se calma presque instantanément.

— Eh! bien, non! je n'ai rien dit, avoua-t-il, accablé.
Je n'ai rien dit parce que j'ai besoin de ce programme
pour monter une nouvelle pièce.

— Je ne jouerai pas, Bruno, promit à nouveau Nicole, en larmes. Je te le promets! Je te le jure!

— Tu aurais tout à y gagner, répondit froidement
Danielle.

Mais elle regretta d'avoir parlé. Nicole, en exigeant
de jouer chaque semaine, ne perdait-elle pas ses droits
à leur reconnaissance? Ce geste arbitraire préparé à
leur insu ne leur rendait-il pas, vis-à-vis d'elle, une
entière liberté d'esprit?

Ennuyée de cette scène qui menaçait de s'éterniser,
elle se tourna spontanément vers Mathieu.

— Vous n'avez pas le goût de danser? suggéra-t-elle.

Pris au dépourvu, le jeune homme se sentit rougir
comme un coupable.

— Je ne sais pas danser, répondit-il brusquement,
furieux de ne trouver rien d'autre à dire.

— Alors, tant pis!

Elle déplaça légèrement sa chaise de façon à voir
évoluer les couples, décidée à ne plus se mêler à la
conversation tant que celle-ci roulerait sur le même
sujet. Bruno d'ailleurs commençait à en avoir assez.
Faute d'opposition sa colère s'apaisait. Il ne lui restait qu'à pardonner à sa cousine comme il avait quelques jours plutôt pardonné à Jean-Claude qui était
venu lui faire des excuses, comme il finissait toujours
par pardonner à tout le monde. Par indifférence.

— Quand je pense que tu es allé jusqu'à exiger de
ton père qu'il assiste aux répétitions afin de me surveiller, dit-il profitant d'un dernier sursaut de rancune
pour accabler la jeune femme.

Nicole cette fois protesta de toutes ses forces et avec
tant de sincérité qu'il finit par la croire.

— Je ne jouerai pas, gémit-elle. Je te jure que je
ne revendiquerai jamais cette clause. Qu'est-ce que tu
peux me demander de plus?

— C'est vrai, admit-il se réjouissant d'avoir obtenu ce qu'il voulait.

— J'attendrai que tu me trouves prête, reprit Nicole avec un humble sourire suppliant. Mais je t'en prie ne me fais pas attendre trop longtemps, car je...

Elle s'interrompit en entendant une voix s'exclamer tout près d'elle:

— Mais c'est Nicole!

Redressant la tête, elle se hâta de se composer un visage mondain. Un jeune homme et une jeune fille s'approchaient, des amis, qui connaissaient également Mathieu. Encore mal remise de ses émotions, la jeune femme dut faire un effort pour manifester un peu d'enthousiasme et présenter les nouveaux venus à ses cousins.

« Hélène Mercier, Jacques Aubry. »

Ils venaient d'arriver et attendaient que le maître d'hôtel leur désignât une place.

— Voulez-vous vous asseoir à notre table? proposa Bruno.

Nicole fit la grimace, peu anxieuse de partager son cousin avec une rivale possible.

Ils acceptèrent.

D'un commun accord, Bruno et Danielle reculèrent leurs chaises pour faire place aux arrivants qui leur apportaient une heureuse diversion.

Hélène était mince et blonde, douceur et sourire. Bruno se dépêcha de l'accaparer tandis que Danielle, contente de ne plus avoir à tenir tête à Mathieu, accueillait Jacques avec reconnaissance. C'était un jeune financier d'une trentaine d'années qui venait, grâce à la fortune de son père, d'acquérir un siège à la bourse. Il s'occupait, pendant ses moments de loisirs, de mouvements musicaux, tels la Société des Concerts Symphoniques et le Ladies Morning Musical Club. Il croyait avoir déjà rencontré Danielle et se mit à évoquer des souvenirs. Mathieu se sentit relégué parmi les objets inutiles.

« C'était fatal!  Il est beau, riche, élégant...  Il doit
être bon aussi...  Pourquoi pas?  C'est si facile quand
on a tout pour soi! »

Nicole, également délaissée, cherchait à suivre la
conversation du couple Hélène-Bruno, ou plutôt le
monologue de Bruno, car c'était lui surtout qui parlait.  Seuls lui plaisaient les gens qui l'écoutaient avec
sympathie.  Il aimait ce reflet de lui-même qu'il se
plaisait à susciter en eux.  Non pas un reflet du véritable Bruno, mais d'un Bruno momentané, qu'il mo-
delait au fur et à mesure, suivant l'expression du
visage qui l'écoutait.

L'orchestre appelait frénétiquement les danseurs.
Bruno invita Hélène.  Quelques secondes plus tard,
Jacques et Danielle se levaient à leur tour.

Mathieu et Nicole restèrent seuls, reprenant sans
tendresse un duo qu'ils avaient eu trop souvent l'occasion de tenir.

Le cœur plein de haine, le jeune homme suivait des
yeux les couples enlacés, surexcités par la musique.

« Ça aussi c'était fatal! » songeait-il avec aigreur en
voyant Danielle dans les bras de Jacques.

Il regretta d'avoir refusé la proposition de la jeune
fille.  Quel autre prétexte trouverait-il jamais de la
tenir si près de lui?  Quitte à lui faire endurer un
supplice de quelques minutes, quitte à se couvrir lui-
même de ridicule, il aurait dû accepter.  Mais il avait
laissé passer sa chance; une occasion semblable ne se
présenterait jamais plus.

Un profond soupir s'exhala de sa poitrine, si douloureux que Nicole se tourna vers lui.

— Qu'est-ce que tu as? demanda-t-elle avec mauvaise
grâce.

Il la regarda avec des yeux durs, blessé par la curiosité évidente de son regard.

— Si tu veux faire la conquête de Bruno, répondit-
il sèchement, je te conseille de changer d'attitude.

Le rire de Nicole s'égrena bruyant et faux.

— Es-tu fou! s'exclama-t-elle, Bruno n'est qu'un cousin!

Il alluma une cigarette sur celle qu'il venait de finir.

— Bas! telle que je te connais, tu ne reculerais pas devant un inceste bien présenté!

Nicole parut offusquée.

— D'abord, mon cher, il n'y aurait pas d'inceste! Tu oublies qu'on peut se marier entre cousins. Et puis tu me dégoûtes! Ça me lève le cœur de t'entendre!

— Quel cœur?

Elle lui tourna délibérément le dos et sortit son poudrier pour se refaire une beauté.

Mathieu lui lança un regard de mépris.

« Autant torturer quelqu'un que d'être seul à souffrir ».

— Je vais quand même te donner quelques conseils, même s'ils doivent t'être totalement inutiles, dit-il dédaigneusement. Parce que ça, ma fille, pour Bruno, tu peux toujours courir!... Primo: parce qu'il est aussi insaisissable et impalpable que le plus impondérable des fluides. Secundo: parce que...

Nicole haussa les épaules.

— Je te préviens que je ne t'écoute pas.

— Tu m'écoutes très bien au contraire! Secundo: parce que tu parles toujours de toi, ce qui l'empêche de parler de lui, et tertio...

Le retour des danseurs le força à s'interrompre.

Nicole réussit cette fois à rendre la conversation générale. Contente de se découvrir une supériorité sur ses cousins qui n'étaient jamais allés en France, elle se mit à échanger des impressions avec Jacques qu'elle avait eu la surprise de rencontrer un soir à la sortie de la Comédie Française.

— Ah! Bruno, il faudrait que tu vois cela! Les plus grands acteurs, dirigés par les plus grands metteurs en ce genre de remarques, faillit se fâcher; mais comment le faire sans compromettre la poésie du personnage tendre et mélancolique qu'il se plaisait à incarner pour Hélène? Soupirant, il se contenta de répondre avec une ironie triste et douce:

— Il ne faut pas trop nous demander, Nicole, nous travaillons dans des conditions tellement pénibles.

— Il me semble pourtant que nous n'avons pas à nous plaindre, protesta Hélène avec un sourire char-scène! Ce n'est pas comme ici! ajouta-t-elle imprudemment.

Bruno, qui n'avait pas encore épuisé l'amertume de mant.

Nicole, confuse, se récria aussitôt.

— Oh! je n'ai pas voulu dire que...

Mais son cousin ne l'écoutait plus. Dépitée, elle se mordit les lèvres.

— Prends des leçons! persifla Mathieu en désignant Hélène qui paraissait écouter avec intérêt les moindres paroles de Bruno.

*Laisse-la donc tranquille! Qu'est-ce que ça te donne de la faire souffrir?*

« Bah la souffrance de Nicole!... Des picotements d'amour-propre!

Pourtant, il cessa de la tourmenter. Livrée à elle-même, la jeune femme se mit à réfléchir aux moyens de réparer sa gaffe, mais se rappelant les conseils de son ami d'enfance, elle renonça à interrompre Bruno. Refoulant ses larmes, elle fit un effort pour avoir l'air souriant, et chercha à participer à la conversation de Jacques et Danielle qui discutaient un livre paru quelques années plus tôt.

— Ah! c'est dommage, dit Nicole, non sans une certaine candeur. C'était au temps où je ne lisais pas...

Cette sincérité, qui par moments se décidait à percer la couche de vanité et de respect humain qui la recouvrait, désarmait toujours Danielle.

— J'étais d'une affreuse ignorance avant de retrouver mes cousins, continua-t-elle. Je n'ouvrais jamais un livre!

Jacques Aubry sourit aimablement.

— Ce qui compte surtout, il me semble, répondit-il, ce n'est pas tant de lire que de vivre... De sentir surtout...

Danielle, étonnée, le regarda avec des yeux nouveaux.

« Ce n'est pas si bête, ce qu'il dit, songea-t-elle. S'il a vraiment compris cela, c'est qu'il est moins banal que je ne le croyais. »

Il avait un regard clair, empreint d'une vague tristesse. Pourtant, aucun souci ne semblait avoir marqué son visage lisse et uni. Il parlait sans timidité aussi bien que sans audace, comme si tout lui était facile à dire.

« Il a une simplicité qui ne manque pas de charme, songeait la jeune fille, mais est-ce une impression de vide ou de paix qui se dégage de lui?... »

Elle s'étonna d'être si lente à le deviner.

— Qu'est-ce qui t'a pris de redevenir brune? demanda soudain Nicole qui reprenait peu à peu son assurance.

Mathieu dressa l'oreille, curieux d'entendre la réponse.

Danielle riait.

— Croyais-tu que j'allais passer ma vie chez le coiffeur! s'écria-t-elle. C'est pour jouer « Ondine » que je m'étais fait teindre les cheveux.

— En effet, s'exclama Jacques, j'étais à la première et vous étiez blonde. J'ai cru que vous portiez une perruque.

Danielle s'étonna de rester indifférente au rappel d'un événement qui l'avait rendue si malheureuse. La lutte intérieure qu'elle avait dû soutenir pour ne pas se laisser abattre par l'humiliation et le découragement, lui avait paru si pénible et si longue, qu'il lui

semblait aujourd'hui que des mois avaient dû s'écouler depuis cette mésaventure. Elle constatait ce soir
pour la première fois qu'elle était parvenue à sortir de
cet échec sans amertume. Parler de cette soirée d'une
façon objective ne lui demandait aucun effort, et
n'éveillait en elle aucun écho de frustration. Cette
Ondine si vivante trois semaines plus tôt était belle
et bien morte.

— Fallait-il absolument qu'Ondine soit blonde? demanda Nicole assez fort pour que Bruno l'entende,
car elle espérait, par le théâtre, le ramener à la conversation générale.

Il se retourna en effet.

— Non, dit-il, rien dans le texte ne l'indiquait, mais
Danielle y tenait beaucoup.

— Pourquoi cela? demanda Jacques.

Danielle hésita, ennuyée d'avoir à s'expliquer.

— Il me semblait que le public ne croirait pas à
une Ondine brune, répondit-elle. Les brunes me font
toujours l'effet d'être trop charnelles, trop vivantes
pour être autre chose qu'humaines. Je voulais une
Ondine plus immatérielle... Tout cela est discutable
évidemment!

Mathieu, rêveur, se rappelait sa déception du premier soir.

« Je me trompais, » j'ai confondu la vérité du théâtre et celle de la vie. Et même celle de la vie?... Non,
ça n'a rien à voir. J'étais complètement en dehors de
la voie! »

Il essaya de recréer l'atmosphère de la répétition,
cherchant à comprendre comment il en était venu à
tout rejeter, simplement parce qu'une partie infime de
Danielle lui avait semblé fausse, et comment il en était
arrivé à conclure aussi rapidement que la personne
entière de Danielle mentait.

« Fausse, elle l'est peut-être; elle l'est même très probablement, mais cela n'a rien à voir avec la sorte de
teinture ou de maquillage qu'elle emploie. »

Il se rappela soudain qu'au studio il l'avait trouvée
moins jolie. Presque anxieusement, il chercha au coin
de l'œil la petite ride qui l'avait ému. Elle était toujours là, rassurante, lui fournissant une obscure revanche.

« Un jour... un jour, elle sera vieille. Un jour sa
beauté rejoindra ma laideur... La vieillesse nous ren-
dra cette égalité que la jeunesse m'a refusée. »

Il se mit à rire, d'un rire amer et sans joie.

*« Et après, pauvre fou? Et après?... Cela te rendra-*
*t-il plus beau? »*

Danielle se tourna vers lui, mal à l'aise, troublée par
ce rire mais s'efforçant de le trouver naturel.

— Qu'est-ce qui vous amuse tant, Mathieu?

— Vous ne comprendriez pas! répondit-il brusquement.

Elle se rapprocha, baissant la voix afin que seul il
puisse l'entendre.

— Mathieu, pourquoi n'aimez-vous pas les autres?

Il s'agita devant son regard calme. Cette fille à une
façon de vous regarder! Se moque-t-elle? Où veut-elle
en venir avec son air sérieux? Va-t-elle se mettre à me
prêcher la morale? Quelle sorte de réponse faut-il lui
faire? Sarcastique évidemment, mais dans quel ordre
d'idée? Va-t-elle cesser de me regarder! Qu'est-ce
qu'elle me veut? Qu'elle me fiche la paix! Elle me
trouve ignoble, je le sais. Je suis ignoble! Mais qu'elle
me fiche la paix une fois pour toute!

Danielle se taisait, l'interrogeant du regard. La vue
de ce visage hargneux tout tendu vers elle, lui inspirait peu à peu un malaise insupportable. Comme s'il
lui avait été donné de pénétrer à son insu et contre
son gré dans la conscience du jeune homme elle se
mit à éprouver soudain les doutes, l'instabilité, les
quotidiennes angoisses, toute la détresse de Mathieu.
De seconde en seconde, la personnalité de Mathieu
se substituait à la sienne. Il fallait à tout prix réagir,
repousser ce flot de sensations intolérables, retrouver

sa tranquillité habituelle. Coute que coute il fallait
procurer à Mathieu un apaisement dont dépendait
momentanément sa propre sécurité. Mais comment
l'apaiser? Baissant les yeux pour ne plus voir ce visage qui la troublait, elle se tint immobile, cherchant
en elle la réponse.

Le jeune homme s'agitait, en proie à une nervosité
de plus en plus grande.

— Alors quoi, on joue les psychologues ce soir? Ça
nous change des ondines n'est-ce pas? Espérons que
ça sera moins raté. Eh! bien, allez-y, ne vous gênez
pas, j'attends le diagnostic. Depuis le temps que vous
m'examiner vous avez bien dû vous faire une opinion?
Allez, allez, j'attends! Parlez!...

Mais elle se mit à rire, d'un rire si désarmant de
naturel qu'il y chercha vainement une trace de feinte.

— Mathieu, je demande grâce! Vous êtes trop
habile à ce jeu! Puisque je ne peux pas être une ennemie digne de vous, soyez charitable et laissez-moi
passer dans les rangs de vos amis.

Un étonnement douloureux remplaça le rictus amer
qui déformait les traits du jeune homme.

— *Accepte, idiot, accepte! Jamais on ne t'a plus
généreusement tendu la main. Ne refuse pas!*

« Non! Non, ce n'est pas vrai! Pourquoi tiendrait-
elle à moi? Je n'ai pas cessé, depuis que je la connais,
de lui dire des choses désagréables. C'est un piège
qu'elle me tend pour mieux se moquer de moi... Je
ne me laisserai pas faire! Je ne me laisserai pas faire! »

Vite une réponse! La plus blessante possible, et qui
lui fasse bien comprendre qu'il n'est pas dupe!

— Peuh! fit-il avec une moue méprisante, qu'est-ce
qui vous fait croire que je tienne à votre amitié?

*Imbécile! Tu n'as rien à donner et tu ne sais même
pas recevoir!*

Danielle, lassée, eut un léger soupir et renonça à
poursuivre l'entretien. Tant pis pour lui s'il refusait

tout secours. Il n'y avait qu'à l'abandonner à lui-même.

— N'en parlons plus, dit-elle, et elle se tourna vers Jacques dont le visage paisible lui parut subitement contenir toute la paix du monde.

Mathieu s'appuya au dossier de sa chaise, presque épuisé par l'effort qu'il venait de soutenir pour ne rien montrer de sa détresse intime.

« Idiot! Idiot! Idiot! Pourrais-tu jurer qu'elle n'était pas sincère? Deux fois, ce soir, elle s'est tournée vers toi et tu l'as repoussée... »

Il n'osa plus la regarder craignant de ne pas être en mesure de lui tenir tête si par hasard elle revenait à la charge. Mais Danielle se levait, prête à partir. Hélène et Jacques l'imitèrent aussitôt.

— Toi, tu restes, n'est-ce pas, Bruno? supplia Nicole.

— Ma foi, non. Je dois être à CBF assez tôt demain matin.

— Mais tu ne peux plus faire partie d'aucun programme, s'écria-t-elle, ennuyée, tu viens de promettre l'exclusivité à papa!

Bruno sourit, ironique.

— Je regrette, le contrat n'entre en vigueur que dans dix jours. D'ici là, je suis encore libre, ne t'en déplaise!

Blessée par le ton de sa voix, elle n'insista pas et se leva à son tour.

Les derniers adieux se firent à la sortie du club.

— Viens vite, commanda sèchement Mathieu, entraînant Nicole qui, rêveuse, suivait des yeux la silhouette de son cousin.

— Tertio? demanda-t-elle après un long soupir. Quelle était cette troisième raison qui m'empêchera toujours de plaire à Bruno?

— Tiens! je croyais que tu n'avais pas écouté, railla-t-il.

— Tertio! répéta-t-elle durement.

— Tertio, ma fille, tu t'imposes trop à lui, ça l'embête! Et il n'est pas le seul, ça embête tout le monde!

Il la regarda méchamment, repris par le désir de l'humilier, de la faire souffrir autant qu'il souffrait, mais il se tut, accablé par son propre tourment, par ce tourment quotidien qui ne lui laissait aucun répit, par ce tourment inutile, vain, sans cause, auquel depuis des années il cherchait une explication.

# CHAPITRE VIII

C'est aujourd'hui que Lucienne Normand rentre chez elle. La limousine d'Etienne a été mise à sa disposition. Et aussi le chauffeur.

Assis à la droite de sa mère, Mathieu épie sournoisement le profil aigu, figé dans l'amertume. Triste visage, visage anguleux privé de lumière. « Quand on est né pour un petit pain... » Elle n'a même pas besoin aujourd'hui de prononcer ces mots. Ils s'incrivent d'eux-mêmes parmi les rides qui accentuent ses traits.

La voiture s'arrête devant la maison. Maison grise et terne, rue sombre et étroite.

Lucienne descend, plus droite et plus rigide que jamais. Mathieu la suit, courbé, traînant la jambe, le visage agité par des tics nerveux qu'il réussit pourtant à réprimer quand il s'observe. Mais en ce moment, pourquoi s'observerait-il? Il n'aide pas Richard à descendre les valises; Richard est payé pour cela par son oncle: qu'il se débrouille avec les paquets!

Le vent siffle entre les murs. C'est novembre: le froid, la pluie, l'humidité, l'ennui; mais tout cela correspond si bien à l'état d'âme de Mathieu qu'il ne songe pas à s'en plaindre. C'est plutôt du soleil aujourd'hui qu'il se plaindrait.

Il n'y a pas d'escalier à monter, tout juste quelques pas à faire dans le couloir mal éclairé. Voici la porte. Ils entrent silencieusement, sans même échanger un regard. Richard dépose les valises et s'en va. Ils restent seuls, tous les deux, la mère et le fils, unis malgré eux par la médiocrité de leur existence; seuls devant

le mobilier usé dont le tissu s'effiloche dans la pénombre; seuls en face d'une pauvreté qui une fois de plus
les saisit à la gorge.

— Il faudrait faire de la lumière, dit Lucienne
d'une voix morne.

Du matin au soir, il faut avoir recours à l'électricité.
Mathieu ne répond pas, et se dirige vers sa chambre.
Lucienne soupire et s'asseoit machinalement sur le
bras d'un fauteuil.

— J'avais oublié que c'était si miteux, si obscur, si
petit! murmure-t-elle avec lassitude.

De la splendeur passée, que reste-t-il? Uniquement
un crucifix d'or ciselé qui a appartenu à Louis-Joseph
Papineau, dont elle s'enorgueillit de descendre. Pour
rien au monde elle ne consentirait à se séparer de cet
objet, symbole des jours glorieux de sa famille qui a
tenu, pendant trois ou quatre générations, tous les
postes de commandes de la province. Aujourd'hui,
plus que jamais, Lucienne éprouve le besoin de se
raccrocher à ce crucifix qui ne lui inspire pourtant
aucune prière. Car elle a depuis longtemps cessé de
prier dans son cœur, et si elle va encore à la messe
tous les dimanches, c'est que cet acte de dévotion fait
partie de la vie d'une Canadienne française de bonne
souche.

— Il faut faire quelque chose, soupire-t-elle.

Cette odeur de renfermé l'étouffe et la pousse à
vaincre son apathie. Ouvrir la fenêtre, aérer au plus
vite, voilà au moins une décision à prendre. Mais les
vitres barbouillées de suie la dégoûtent tellement
qu'elle n'a pas le cœur de s'en approcher.

Un immense découragement l'envahit à la pensée
qu'il va falloir tout nettoyer à grande eau, épuiser ses
forces à frotter, payer de sa sueur ces quelques mois
de vacances. Petite vie, morne vie...

Machinalement, elle passe son doigt ganté sur une
table couverte de poussière, écrivant un nom que

depuis des années elle évite de prononcer. Jules... Ce
Jules tant aimé, source de tous ses maux.

— J'étais faite pour commander, gémit-elle tout bas,
j'étais faite pour diriger une grande maison, pour recevoir, pour dépenser, pour vivre dans le luxe... Bien
plus qu'Eugénie qui n'a aucune envergure et qui trouve le moyen de se plaindre au milieu de ses richesses.

Elle ne songe pas qu'il lui a fallu être privée de la
sienne pour en connaître la valeur. Pauvre Lucienne,
si lente à comprendre les autres, et pourtant si promp-
te à envier. Et avec quelle rage mesquine, avec quelle
acrimonie! Jamais elle n'admettra que ses amis riches
puissent également avoir des épreuves. Ni épreuves,
ni mérite. Ils sont riches, tout est là. Ils sont riches,
et elle est pauvre, donc ils ont tort.

— Mathieu! crie-t-elle soudain, la voix dure, retrouvant subitement son énergie. Mathieu, viens m'aider;
nous allons tout nettoyer!

Mathieu, étendu sur son lit, s'enfonce dans une
morne rêverie sans issue. Les yeux fixés sur la fenêtre
— munie de barreaux de fer comme toutes celles du
rez-de-chaussée — il regarde le mur d'en face, si près
du sien. Un mur de brique jaune où la pluie a délayé
la poussière et la suie en longues traînées grises et
noires.

« Voilà mon horizon, murmure-t-il tout bas. Drôle
de vie!... Quelle différence y a-t-il entre un prisonnier
et moi? N'ai-je pas aussi mon geôlier? »

— Mathieu! crie encore Lucienne. M'as-tu entendue?

C'est samedi. Ce n'est pas sans raison que sa mère
a choisi un samedi pour rentrer chez elle. Elle compte
sur lui. Aujourd'hui et demain il faudra s'acharner à
frotter et à polir. Il la connaît assez pour savoir
qu'elle ne s'arrêtera pas avant que tout soit rigoureu-
sement propre. « Pour qui, pourquoi cette propreté,
songe-t-il; la propreté a-t-elle plus de sens que le
reste? »

Il se lève et décroche un vieux pantalon dans l'armoire.

« Les travaux forcés maintenant », soupire-t-il en ricanant.

Lucienne, dans sa chambre, vient d'échanger ses vêtements de sortie contre une robe de travail. Elle ne soupire plus, son parti est pris. D'un pas ferme, elle se dirige vers la commode et ouvre le tiroir afin d'y prendre un tablier. Au milieu du linge, une lueur brille soudain qui lui fait pincer les lèvres pour retenir une plainte, car elle a reconnu la bordure d'argent qui encercle la photographie de son mari. La tentation est trop forte. Lucienne se penche et prend le cadre entre ses mains qu'elle s'efforce de maintenir calmes. Même après tant d'années, elle ne peut regarder ce visage sans être envahie par les sentiments les plus contradictoires d'amour et de haine. Pendant de longues minutes, elle contemple les traits fins, saisie une fois de plus par la beauté de l'homme qui l'a tant humiliée.

— Jules, murmure-t-elle tout bas. Jules... Ah! si je pouvais te retrouver! Il est impossible, comprends-tu, impossible que je ne te retrouve pas un jour. Il est impossible que la vie ne me donne pas l'occasion de te rendre au centuple le mal que tu m'as fait. Je le veux depuis trop longtemps, je le veux avec trop de force pour ne pas l'obtenir!

Depuis qu'il s'est enfui avec cette Américaine en visite à Montréal, personne n'a plus entendu parler de Jules Normand. Malgré une enquête soigneusement menée et reprise tous les trois ou quatre ans, Lucienne n'a jamais pu percer le mystère de sa disparition. Où est-il allé? Où vit-il? Parviendra-t-elle un jour à le savoir? Plusieurs fois, des agences lancées à sa poursuite ont cru retrouver sa trace, mais chaque fois il a fallu déchanter et revenir aux ténèbres. Et recommencer à thésauriser tant bien que mal, en vue de reprendre plus tard ces recherches si fertiles en

découragements. Elle en arrive par moments à se
demander s'il n'est pas mort, échappant ainsi à sa
vengeance; mais cette idée lui est tellement intolérable
qu'elle la repousse avec force, préférant se raccrocher
à l'espoir de le retrouver vivant.

Replaçant soigneusement le cadre sous la pile de
linge, elle se redresse soudain avec un regard vif et un
demi-sourire au coin des lèvres. Pourquoi ne pren-
drait-elle pas les économies que lui a valu son séjour
chez les Beaulieu pour faire entreprendre de nouvelles
recherches? Les dernières ne remontent pas à un an,
mais qu'importe, elle se paiera ce luxe qui, pendant
des mois, illuminera sa vie.

Réconfortée par cette idée, Lucienne retrouve son
énergie et se met courageusement à l'ouvrage. Mathieu la suit en silence, passif et morne, sans résistance, plus loin de la résignation qu'il ne l'a jamais
été.

# DEUXIEME PARTIE

# CHAPITRE PREMIER

La répétition s'achevait. Il ne restait à régler que des questions de détail. Quelques interprètes sortirent afin d'aller fumer une cigarette dans la salle d'attente. Assis sur le banc du piano, que les acteurs appelaient maintenant « le coin du commanditaire », Etienne regardait, écoutait et se taisait. En trois mois, il n'avait pas manqué une seule émission. Sa tranquille présence, qui avait d'abord soulevé les commentaires les plus fantaisistes, passait maintenant inaperçue. Intimidés au début, les acteurs avaient bientôt repris leur rythme normal sans plus se préoccuper d'un témoin si discret.

Seule Danielle prenait encore conscience de ce regard vivant. Respectant la réserve dont Etienne ne semblait pas vouloir sortir, elle lui adressait rarement la parole. « Un jour, je lui parlerai... » Se mettait-elle à raisonner là-dessus, qu'Etienne redevenait aussitôt l'oncle lointain et banal qu'elle avait toujours connu. Elle s'expliquait mal ce qui l'attirait vers lui; c'était intuitivement qu'elle savait de façon certaine, sinon explicable, qu'ils parlaient le même langage.

Leurs regards parfois se rencontraient, se souriaient, semblaient se reconnaître, mais se détournaient bientôt, presque gênés de l'entente qu'ils croyaient l'un et l'autre y découvrir.

En trois mois, Etienne n'avait fait aucune découverte importante concernant l'auteur du cahier et s'étonnait de mettre tant de temps à résoudre un problème qui, au premier abord, lui avait paru si facile. Devait-il douter de ses dons de perspicacité? Retenu par le charme d'un milieu qui lui offrait bien d'autres sujets d'observation, il ne renonçait pas à poursuivre son enquête. Chaque émission lui apportait un incident nouveau qui l'éclairait sur le caractère et la personnalité de l'un ou l'autre des membres de la troupe, et sur le comportement des comédiens en général.

Rien d'intéressant ne s'était encore produit ce soir-là. Etienne qui regrettait l'absence de Danielle, songeait à s'en aller lorsque deux acteurs vinrent s'accouder au piano à queue, face à la grande vitre qui séparait le studio, de la salle d'attente. Ils se mirent à causer entre eux comme ils le faisaient souvent, à deux pas de l'industriel, sans se préoccuper de savoir s'il les entendait.

— Tiens, c'est Michelle d'Ars! s'exclama l'un d'eux en apercevant une jeune fille qui leur souriait de l'autre côté de la vitre.

Il rajusta sa cravate d'un air avantageux qui fit rire son camarade.

— Te fatigue pas, mon vieux, c'est Bruno qu'elle vient voir!

— Bah! qu'est-ce que tu en sais? fit l'autre dépité.

— Tu ne sais pas qu'entre eux c'est la grande aventure?

— Tiens! depuis quand?

— Depuis au moins six jours. Ils ne se quittent plus!

— Ah! oui? Le grand amour?

— Le dernier en tout cas. Ça doit être brûlant! Tu connais Michelle, c'est la fille à drame! Etais-tu là le soir où elle a fait une scène à Mercier devant tout le monde?

— J'y pense, Mercier!... Qu'est-ce qu'il dit de ça? C'est quand même lui qui l'a lancée l'automne dernier avec « La belle du village ». Avant ce programme, elle n'avait que des bouts de rôles...

— Elle fait son chemin, t'inquiète pas! Tu verras qu'avant longtemps elle sera vedette de la troupe.

Etienne, qui écoutait, amusé, tourna machinalement la tête vers la salle d'attente. Appuyée au dossier
d'un banc, une jeune fille regardait Bruno avec des
yeux de feu. L'industriel, saisi, se détourna aussitôt,
et reporta toute son attention sur Bruno qui inter-
rompait la répétition et rassemblait précipitamment
ses feuilles en consultant l'horloge. Encore dix minutes...

Le jeune homme se dirigea vers la porte, mais parut
soudain se raviser. Faisant demi-tour, il vint rejoindre
son oncle.

— Le sketch vous plaît, ce soir? demanda-t-il aimablement.

— Beaucoup, répondit Etienne; et je suis sûr qu'il
plaira à ta tante. T'ai-je dit qu'elle doit venir me rejoindre tantôt avec Nicole?

— Vraiment? répondit le jeune homme, manifestant
un enthousiasme poli. J'ai hâte de savoir ce qu'elle en
pensera. Elle n'est jamais venue au studio.

L'ingénieur vérifiait les microphones. Bruno en
profita pour lui demander d'ouvrir le salon réservé
aux commanditaires.

— J'aurai besoin, la semaine prochaine, d'une interprète qui ne fait pas partie de la troupe, dit-il d'un
air sérieux en revenant à son oncle. Une jeune fille...
Je suppose que vous n'y voyez pas d'objections?

Etienne sourit.

— Mais pas du tout, mon ami, ça te regarde. A-t-elle
de l'expérience?

— Oh! oui, elle joue depuis quatre ou cinq ans.

— Vraiment?

« Sacré menteur! » songea-t-il amusé.

Bruno ne s'attarda pas plus longtemps. Choisissant
le premier prétexte venu, il passa dans la salle voisine
où Michelle l'attendait. Ils échangèrent, avant de parler, un long regard ardent.

— Tu joues la semaine prochaine, dit-il enfin. J'en
ai parlé à mon oncle.

Elle s'agita.

— Mais sait-il qu'il s'agit de moi? T'a-t-il dit qu'il m'avait vue?

— Non, répondit Bruno, surpris de la question. Veux-tu le connaître?

— Non, Non! dit-elle vivement.

La moitié des gens qui connaissaient Michelle la trouvaient jolie, les autres la trouvaient laide. En fait, sa beauté n'avait aucune importance. Ce qui, en elle, attirait ou déroutait, c'était une intensité de vie extraordinaire qui ne laissait personne indifférent.

Etienne passa dans la salle d'attente au moment où sa femme et sa fille y entraient, luxueusement enveloppées de vison. Nicole, qui depuis quelques mois affectait le genre artiste, portait un grand béret de velours et avait entouré son col d'un foulard de couleurs vives noué d'une façon habilement négligente qui enlevait toute importance au luxe de son manteau.

Apercevant Bruno qui causait avec une jeune fille dont il entourait la taille d'un bras trop affectueux, elle s'empressa d'aller interrompre cet aparté déplaisant.

— Allô, mon chou, dit-elle en lui tendant une joue amicale.

— Allô toi, répondit-il sans paraître remarquer son geste.

Inconscient du trouble de Michelle dont le visage se durcissait, il vit sa cousine se redresser avec stupéfaction en s'exclamant:

— Juliette!

— Je ne suis plus Juliette, répondit la jeune fille d'un ton qui résonnait comme un cri de guerre.

Bruno, cherchant à comprendre, aperçut sa tante qui le regardait avec reproche avant d'aller rejoindre son mari.

Nicole reprit d'une voix cinglante:

— Mes félicitations, vous avez fait du chemin depuis
que vous avez quitté la maison.

— Qu'est-ce qui lui prend? s'étonna Bruno en la regardant s'éloigner. D'abord, pourquoi t'appelle-t-elle
Juliette?

— Parce que c'était mon nom! riposta Michelle en
martelant ses mots.

Bruno regarda furtivement sa montre. Neuf heures
moins cinq...

— J'ai travaillé chez ton oncle pendant deux ans
comme domestique...

— Ah! oui?

Il se mit à rire, jetant un coup d'œil sur Nicole et
sa mère qui discutaient vivement. Cette histoire le
ravissait. N'était-il pas toujours placé dans les situations les plus étranges? Sa vie lui semblait plus fécon-
de que toutes les autres en incidents bizarres.

— Je sens déjà que tu ne m'aimes plus! s'exclama
Michelle, rageant de le sentir distrait.

Craignant de la perdre s'il n'entrait pas immédiatement dans son jeu, il protesta vivement que cette histoire ne changeait rien à son amour et lui fit promettre de ne pas quitter le poste sans lui. Revenant au
clan adverse, il hésita un moment sur l'attitude à
prendre, mais se décida bientôt pour un aimable détachement. Simplicité et naturel. Rien ne le gênait
moins que les situations équivoques. Du moment que
les événements se compliquaient d'eux-mêmes, il trouvait plus élégant d'opter pour la plus grande sobriété
de gestes et de paroles.

— Sais-tu avec qui tu es? demanda Eugénie scandalisée.

Il s'inclina aimablement.

— Oui, ma tante.

Nicole indignée protesta:

— Je ne veux pas être snob, Bruno, mais tu avoueras
que c'est gênant pour nous de te rencontrer au bras
de notre ancienne bonne!

Le silence d'Etienne encouragea le jeune homme à répondre avec un détachement de plus en plus marqué:

— Pourquoi donc? Michelle, est une camarade de radio que...

— Comment! interrompit Nicole rageuse, elle joue à la radio alors que moi!...

Bruno ne put s'empêcher de rire devant la spontanéité de son indignation.

— Tu aurais tort de m'en vouloir, je t'assure! Ce n'est pas ma faute si la plupart des comédiens viennent du peuple. En général, la cuisse de Jupiter produit plus de financiers que d'artistes.

Consultant sa montre une fois de plus, il s'excusa d'être obligé de les brusquer. Ils s'installèrent silencieusement dans le salon des commanditaires tandis qu'il se dépêchait d'aller rejoindre les comédiens. L'ingénieur réclama la minute de silence qui précédait chaque émission, et le programme commença.

Muni d'une paire d'écouteurs qui lui permettaient d'entendre les effets sonores, Bruno dirigeait du studio, car il faisait aussi partie de la distribution. De temps à autre, lorsque tout allait bien, il lançait un regard oblique, tantôt du côté de Nicole assise entre son père et sa mère, tantôt du côté de Michelle qu'il voyait debout au milieu d'un groupe d'auditeurs venus de tous les coins de la ville pour assister à l'émission.

« Côté capitaliste et côté peuple, songeait-il en regardant tour à tour les deux vitres. Au milieu, comme trait d'union, les artistes, race amphibie... Dommage que Danielle ne soit pas ici ce soir. Cette histoire l'amuserait! »

Le silence d'Etienne lui plaisait particulièrement. Il y trouvait une raison de plus d'admirer son oncle à qui il était déjà reconnaissant de ne lui avoir jamais rappelé la clause du contrat concernant sa fille. Celle-ci, moins discrète, ne laissait pas s'écouler une semaine sans supplier son cousin de lui faire lire un texte afin de savoir s'il la trouvait enfin prête. Elle avait changé de professeur deux ou trois fois sous différents prétextes, et prétendait étudier sans arrêt. Son entêtement à vouloir jouer à tout prix finissait par attendrir Bruno.

— Patiente! Patiente! disait-il. Un jour tu seras récompensée!

Mais il n'allait jamais jusqu'à dire qu'il se chargerait de la récompense. Il semblait avoir oublié qu'elle lui avait obtenu ce programme grâce auquel il avait pu — en engageant chaque semaine la plus grande partie de son cachet — régler ses difficultés financières et se préparer à monter « Les Mouches », de Jean-Paul Sartre, qu'il devait présenter au public quelques semaines plus tard.

— En tout cas, Bruno, déclara Nicole d'un ton énergique en le voyant s'approcher après l'émission, que je ne voie pas Juliette faire partie de notre programme!

Il leva les mains dans un geste d'impuissance.

— Je regrette, ton père m'a déjà donné l'autorisation de la faire jouer.

Il se tourna vers son oncle, ajoutant, très sérieux:

— Il est vrai qu'à ce moment-là vous ne saviez pas de qui il s'agissait...

L'homme d'affaires haussa les épaules.

— Cela ne change rien, dit-il.

— Si vous préférez ne pas assister à l'émission la semaine prochaine, je comprendrai très bien...

— Tu te trompes étrangement si tu crois que cette situation me gêne, répondit Etienne avec un demi-sourire.

— Mon Dieu que la vie est compliquée, soupira Eugénie.

Furieuse de voir qu'elle ne parvenait pas à rayer Juliette de la distribution, Nicole déclara les dents serrées:

— Eh bien! puisque c'est comme ça, moi aussi j'exige un rôle!

Et, d'un ton sarcastique qui s'adressait aussi bien à son père qu'à son cousin, elle ajouta:

— C'est dans le contrat après tout.

— Elle a raison, c'est dans le contrat, acquiesça Etienne.

Eugénie eut un geste de désapprobation, n'osant dire devant son neveu à quel point elle blâmait sa fille de vouloir se mêler à un milieu qui lui paraissait de moins en moins recommandable.

Forcé de s'incliner, Bruno répondit froidement:

— Bien, Nicole, tu auras ton rôle.

La jeune femme crut défaillir de joie.

— Oui? C'est vrai? Ecoute, tu n'es pas fâché j'espère? demanda-t-elle, soucieuse maintenant de rentrer dans les bonnes grâces de son cousin.

Il ne répondit pas, occupé à prendre congé de son oncle et de sa tante.

Elle réussit à le retenir un moment.

— Bruno, écoute-moi, veux-tu? supplia-t-elle pendant que ses parents sortaient. Essaie de comprendre...

Il la regarda avec rancœur, tenté de lui dire quelques méchancetés, mais il se ravisa soudain. Une idée venait de lui traverser l'esprit, qui transforma en sourire amusé l'expression maussade de son visage. Inquiète de ce changement subit, Nicole se troubla.

— Mets-toi à ma place! s'écria-t-elle. Ça fait trois mois que j'attends!

— Mais pourquoi t'agites-tu? demanda-t-il doucement. Ne t'ai-je pas dit que tu jouerais la semaine prochaine?

— Oui, mais tu regrettes déjà de me l'avoir promis!

Il eut un éclair dans les yeux en répondant.

— C'est peut-être toi qui regretteras de m'avoir forcé la main.

— Qu'est-ce que tu veux dire? demanda-t-elle inquiète.

Mais elle se calma aussitôt.

— Oh! je sais bien que tu n'as pas l'intention de me confier un grand rôle!

Il referma la porte sans répondre. Songeant qu'il valait mieux ne pas insister davantage, Nicole décida de goûter sans inquiétude la joie de son triomphe et de remettre à plus tard le soin de faire la paix.

Les interprètes étaient partis. Seule dans le studio, Michelle attendait. Bruno vint la rejoindre en manifestant la plus grande gaîté.

— J'ai une bonne idée! Une idée en or! s'écria-t-il en la forçant à danser avec lui. Tu vas voir, nous allons bien rire!

Elle eut un geste pour désigner la porte par où Nicole venait de sortir.

— Est-ce qu'il s'agit de...?

— Justement! Je te promets que tu seras bien vengée de toutes les impertinences de ma cousine. Telle que je la connais, elle n'a pas dû se priver! Et ce qu'il y a de bien, c'est que cette idée me venge également.

— Raconte vite! ordonna-t-elle, impatiente.

— Eh bien! au lieu de faire passer le sketch que j'avais choisi pour la semaine prochaine, je vais demander à Tessier de m'écrire un texte spécial où tu tiendras le rôle d'une millionnaire insupportable qui tyrannise ses domestiques.

Perplexe, la jeune fille cherchait à comprendre.

— Je ne vois pas en quoi...?

— Parce que tu ne sais pas encore que Nicole fera partie de cette émission...

Le visage de Michelle s'éclaira.

— Tu lui donneras le rôle de...? Un rôle de bonne?

— Parfaitement!

Elle éclata de rire, bruyamment, en sautant de joie.

— Bruno, tu es un amour! Dieu, que je vais m'amuser! Dis à Tessier de me préparer un texte cinglant, féroce! Et tu vas voir comment je le jouerai!

# CHAPITRE II

Mathieu, découragé, repoussa les bordereaux et soupira profondément. Depuis une semaine, tous les employés de la banque, y compris le gérant, cherchaient à déceler l'erreur qu'il avait commise. Lui-même, tous les soirs, restait derrière les barreaux du guichet, repassant chaque feuillet, consultant les livres et fouillant sa mémoire sans parvenir à retracer les huit dollars qui manquaient.

Le cœur gonflé d'ennui, il regarda à travers la vitre la neige lourde et molle qui commençait à tomber. C'était l'heure qui, à tous, apportait la détente. Le dernier repas du jour ayant mis un terme aux soucis quotidiens, chacun pouvait maintenant donner libre cours à sa fantaisie et dépenser à sa guise le gain de la journée.

La rue sur laquelle était située la banque où Mathieu irritait ses nerfs, changeait complètement d'aspect dès que s'allumaient les réverbères et les étoiles. Commerciale le jour, cette rue devenait, la nuit, le boulevard qui mène à tous les lieux d'amusement. Couples au début d'une aventure, vieux ménages dégoûtés, entrain factice ou naturel, gaîté spontanée ou voulue, aspirations profondes ou vaines, espoir et amertume, tout se mêlait, s'entrelaçait, se confondait. Mathieu, qui avait pour la foule le mépris des rejetés, regardait passer la vie sur le trottoir d'en face avec un dédain qui englobait tout.

Depuis quelque temps, il s'était mis à boire, puisant dans l'alcool une somnolence qui l'abstenait de penser. Il ne se grisait pas complètement, ayant soin de se maintenir dans un vague état d'indifférence qui paralysait l'acuité de ses sensations et donnait à ses actes un automatisme qui l'empêchait d'en constater la monotonie. Il abandonnait la lutte, il renonçait, endormant cette voix familière qui toujours l'avait tenu en éveil. Ni heureux, ni malheureux; mi-éveillé, mi-endormi; il se laissait emporter par les événements, évitant de réagir, glissant doucement dans une torpeur dont il espérait bien ne plus jamais sortir.

La faim le décida à quitter son tabouret. Sans prendre la peine de revêtir son manteau, il traversa la rue et entra dans un restaurant où il commanda un sandwich qu'il mangea au son d'un air de jazz provenant d'un « juke box ». « Jazz et foule: médiocrité! » décida-t-il sommairement avec un haussement d'épaules. Il acheta une tarte aux bleuets pour tromper sa faim entre deux additions, et revint à la banque.

Reprenant sa place, il attira la pile de bordereaux avec une rancœur renouvelée. « Si au moins j'y comprenais quelque chose! » Ce n'était pas sa première erreur, ni la plus grave. Il lui arrivait fréquemment de prolonger ses heures de travail, comptant et recomptant l'argent de la caisse, forcé d'avoir recours au comptable qui le couvait d'un œil méprisant.

Une heure passa, puis la demie d'une autre. Le cerveau plein de chiffres qui s'entre-croisaient sans lui apporter de réponse, le jeune homme appuya ses coudes sur le registre ouvert devant lui. L'une après l'autre s'offraient à sa mémoire les têtes des clients qui défilaient quotidiennement devant lui. Au début de son stage, pour éviter de sombrer dans le désespoir, il avait cherché à s'intéresser à tous ces gagne-petit, déposant, retirant, déposant, retirant, sans jamais parvenir à grossir leurs maigres économies. Mais, peu à peu, lassé de ces visages où se lisait toujours la même histoire, il s'était mis à les détester, les accusant de lui apporter du monde une image trop mes-

quine. Ce soir plus que jamais, il en avait par-dessus,
la tête de leurs espoirs mort-nés. Sa propre vie n'était-
elle pas une réplique exacte de la leur? Pauvre, médiocre et morne, si morne, si pitoyablement morne...

La vue de la tarte aux bleuts posée près de lui, lui
donna la nausée. Il allait la jeter au panier, lorsqu'une impulsion irrésistible le fit la renverser sur
le registre qu'il referma brusquement en éclatant de
rire.

— Fini! C'est fini! Fini! Fini!

Pris de fièvre, il courut chercher d'autres livres,
qu'il empila sur le premier afin que le jus des fruits
pénètre à fond les pages et que son dégoût et sa haine
soient à jamais imprimés au milieu de ces chiffres,
source de ses angoisses et de ses sueurs quotidiennes.

Saisissant chapeau et manteau, il sortit rapidement,
riant toujours, d'un rire que rien ne semblait devoir
arrêter. Il se calma pourtant et, la raison revenant,
chercha à comprendre le mobile de ce geste qui le
laissait sans emploi. Pourquoi cette subite révolte
succédant à des semaines de résignation? L'esprit de
lutte n'était donc pas complètement étouffé en lui?
Avait-il eu la bêtise de croire qu'il se libérait en agis-
sant ainsi? C'était sortir d'une prison pour entrer
dans une autre dont Etienne Beaulieu serait encore
chargé de lui ouvrir les portes.

Il se remit à rire, de ce rire sans joie qui pourtant le soulageait. Non! Non, il n'irait pas s'aplatir
devant son parrain. Cette fois, il trouverait lui-même
son nouveau supplice. Et puisqu'il était libre et qu'il
pourrait dormir le lendemain, il décida de boire; non
plus en amateur, mais comme une brute. Jusqu'à
l'extrême limite de l'avachissement.

Vers quatre heures du matin, il rentra chez lui aussi
ivre qu'il l'avait souhaité, se heurtant aux meubles,
renversant tout sur son passage et réveillant sa mère
qui, de loin, lui cria une injure. Insensibilisé par
l'alcool, il ne répondit pas et se laissa tomber sur son

lit, tout habillé, sans même penser à ôter ses lunettes noires.

A huit heures le lendemain matin, comme tous les jours, Lucienne Normand vint frapper à la porte de son fils. Etonnée de ne pas recevoir de réponse, elle entra, s'indignant de le trouver ronflant dans ses vêtements de la veille.

— Mathieu! Mathieu, lève-toi!

Grognement.

— Mathieu, as-tu compris? Il est huit heures!

Elle le secoua si fort qu'il se redressa à demi.

— Laissez-moi dormir, protesta-t-il d'une voix pâteuse. C'est fini, la banque...

— Qu'est-ce que tu racontes?

— Pas si fort! gémit-il en retombant sur l'oreiller.

Comprenant qu'elle n'obtiendrait rien de lui, Lucienne se résigna.

— C'est bien. Cuve ton vin, ivrogne! Je te retrouverai bien!

Elle referma la porte avec fracas, déjà prête à injurier le ciel qui lui envoyait ce nouveau malheur.

Mathieu dormit encore pendant de longues heures. Ce n'est que vers midi qu'il fit son apparition à la cuisine, les vêtements en désordre, la peau grise, la barbe longue, les cheveux hérissés et la tête alourdie par une migraine qui crispait ses traits.

— Tu aurais pu te laver avant de paraître devant moi, dit sèchement Lucienne.

Dédaignant de la regarder, il s'approcha du robinet, buvant coup sur coup deux verres d'eau froide.

— Oui, dessaoûle-toi! grommela-t-elle en continuant à peler les pommes de terre d'une main de plus en plus nerveuse.

Comme il ne répondait pas, elle jeta son couteau sur la table et s'avança vers lui, si menaçante que Mathieu obéissant à un réflexe ancien, vestige de ses craintes enfantines, leva le bras pour se protéger la figure.

Lucienne, à deux pas de lui, s'arrêta méprisante.

— Lâche!...

Mais il s'était déjà détourné, haussant les épaules. Elle le suivit au salon où il se laissa choir dans un fauteuil, cherchant à se délivrer du chapeau de plomb qui lui broyait le crâne.

— Parle, maintenant, j'attends des explications. Qu'est-ce que tu as encore fait pour qu'on te jette à la porte?

— Cette fois je n'ai pas attendu! railla-t-il. Et le souvenir de la tarte aux bleuets éveilla en lui un écho du rire de la veille.

— Tais-toi!

Il sentit monter en elle une colère qu'un ou deux sarcasmes, bien placés auraient tôt fait de porter au paroxisme, mais une telle lassitude l'accablait qu'il n'eut pas le courage de prendre l'offensive.

— Alors te voilà sur le pavé? Et tu vas te mettre à boire maintenant? Il ne te manquait que ce vice pour ressembler à ton père! Paresseux, lâche, coureur, ivrogne, te voilà donc comme lui sur toute la ligne!

Sa voix aiguë résonnait dans la tête de Mathieu. Devinant ce qui allait suivre, il se boucha les oreilles, décidé à ne pas réagir.

— Mais il te manque quelque chose, mon garçon, pour être l'égal de ton père, poursuivait Lucienne qui ne se contrôlait plus. Et tu sais ce que c'est, n'est-ce pas? Il était beau lui: Assez beau pour se faire entretenir par une femme, tandis que toi, Mathieu, toi, t'es-tu regardé? Crois-tu que je serais prête à refaire pour toi ce que j'ai fait pour lui?

Elle s'arrêta, haletante, croyant voir se dessiner devant elle la silhouette de Jules, le regard de Jules, la bouche de Jules; tout ce qu'en Jules elle avait aimé avec déraison. Ses yeux hagards errèrent dans la pièce et se posèrent sur Mathieu; sur Mathieu, fils de Jules; sur Mathieu à qui elle n'avait jamais pardonné de ne pas ressembler à son père.

La vue de ce visage détesté souleva en elle un accès de rage qui la précipita sur le jeune homme. Le secouant violemment elle le força à se lever et le traîna devant le miroir suspendu au pied du crucifix de Papineau. La colère et la haine décuplaient ses forces.

Mathieu n'avait pas prévu cette attaque. La tête pleine encore des supplications que ce genre de scène lui avait fait pousser dans son enfance, il s'abandonna.

— Regarde-la ta sale face! cria Lucienne, regarde-la bien. Crois-tu qu'avec une tête semblable tu trouveras jamais une femme pour te faire vivre!

Brusquement, afin qu'il pût mieux contempler ses traits, elle lui arracha ses lunettes noires qu'elle lança sur le tapis et courut allumer le plafonnier. Ebloui par la lumière, Mathieu ferma les yeux, mettant dans ce geste tout ce qui lui restait d'énergie.

— Regarde-toi! Regarde-toi donc! ricanait Lucienne en le maintenant devant la glace. Admire un peu ce que ton père m'a laissé en échange de ma fortune! Trouves-tu que j'ai gagné au change?

Elle desserra enfin son étreinte et s'éloigna.

Cherchant à contrôler le tremblement nerveux de ses mains, Mathieu ramassa ses lunettes et reprit sa place. Cette scène épuisante l'avait au moins réveillé, lui rendant une lucidité qui lui suggéra aussitôt des vengeances.

— Mon père a fait ce que tout homme intelligent aurait fait à sa place. Il a pris ce que vous aviez de meilleur et il a rejeté le reste.

Lucienne pâlit. Sans lui donner le temps de répondre, il poursuivit:

— Pourquoi les citrons sont-ils faits, sinon pour être pressés, vidés de leur jus, et jetés à la poubelle?

Elle s'avança vers lui, à nouveau menaçante. Mais loin de reculer, il leva son visage vers elle, grimaçant, la voix sifflante.

— A votre tour de me regarder! Ne vous gênez pas; vous verrez ce que mon père voyait en vous. Je suis la réplique exacte des sentiments mesquins, bas et vils qui vous animaient à cette époque aussi bien qu'aujourd'hui. Hein! comprenez-vous maintenant pourquoi il vous a plaquée, le beau Jules? Comprenez-vous pourquoi n'importe quel homme en aurait fait autant à sa place?

Elle le repoussa durement, se contraignant au silence, tant elle redoutait de laisser échapper des mots qui révéleraient la place que son mari tenait encore dans sa vie. Cela, personne ne devait le savoir; Mathieu moins que tout autre. Craignant de se trahir, elle recula, le laissant sur cette victoire. Il n'en demanda pas davantage, trop las pour désirer poursuivre sa revanche. Lucienne, la première, reprit la hache de guerre.

— Tu vas aller voir ton parrain, commanda-t-elle. Il n'est pas question que tu restes sans emploi.

— J'ai l'intention cette fois de me débrouiller tout seul.

— Ne fais pas l'idiot. Tu n'as pas une tête qui inspire la confiance, mon garçon. Tout seul, tu n'arriverais à rien. Tu n'es qu'un raté, essaie de t'en souvenir!

Ces vieux mots si souvent entendus désarmèrent Mathieu.

— Il m'a prévenu de ne plus avoir à compter sur lui, dit-il avec effort.

— Je m'en charge, riposta Lucienne. A cause de sa femme, il n'osera rien te refuser. C'est un mou, tu le sais aussi bien que moi.

Mathieu se tut. La seule idée d'avoir à se présenter pour un emploi au milieu de garçons mieux doués que lui sous tous les rapports n'était-elle pas encore plus redoutable qu'une entrevue avec son parrain?

— D'ailleurs j'y pense, insinua Lucienne, ne me disais-tu pas que tu avais découvert quelque chose à son sujet? Qu'est-ce que c'était donc déjà?...

Il secoua la tête.

— N'essayez pas de me faire parler. Je n'ai pas dit de quoi il s'agissait.

— Bien! garde tes secrets, répliqua-t-elle dépitée; mais apprends à t'en servir!

— Eh! mais dites donc! C'est du chantage que vous me conseillez là!

— Appelle ça comme tu voudras et fais ce que tu voudras, mais trouve-toi une situation au plus vite. Compris?

Elle lui tourna brusquement le dos et quitta la pièce. Mathieu se leva, cherchant à réagir contre la fatigue qui l'accablait. Enfermé dans la salle de bains, il absorba des cachets d'aspirine et se lava à grande eau pour stimuler son énergie. La vue de ses vêtements froissés et défraîchis ne lui inspira qu'une brève hésitation. « Puisque je suis répugnant de toute façon... » Pressé de s'en aller, il se rhabilla vivement, bâclant à la hâte un nœud de cravate informe. La glace lui renvoyait son image. Il se contempla pendant quelques secondes avec un rictus amer et murmura:

— Le fils du beau Jules!

Penché vers le miroir il tira la langue à son visage.

— Raté!

# CHAPITRE III

Assis à la table d'un restaurant, Mathieu comptait l'argent qu'il lui restait. A peine deux dollars... « Cher Etienne! Il faudra bien que tu chantes! »

Ses forces revenaient au fur et à mesure qu'il mangeait. Les idées commençaient à se coordonner dans sa tête enfin libérée de la migraine. Froidement, il étudia la question. Comment fallait-il s'y prendre pour obtenir la collaboration de son parrain? Malgré l'assurance de sa mère, il était loin d'être certain qu'Etienne Beaulieu consentirait à s'occuper de lui. Il prépara ses phrases, cherchant à prévoir les objections, bien décidé à recourir au chantage s'il le fallait.

Il dut attendre assez longtemps dans l'antichambre avant d'être reçu, ce qui lui donna le temps de réviser les détails de la scène qu'il comptait mener rondement.

Enfin l'industriel le fit appeler. Mathieu entra, l'air insouciant, la cigarette aux lèvres, très désinvolte. Laissant tomber sur sa chaise le manteau qu'il portait négligemment sur l'épaule, il prit place en face de l'homme d'affaires, s'asseyant avec nonchalance. « Eviter avant tout d'avoir l'air du quémandeur timide et confus. »

La première partie de l'entretien se déroula exactement comme il l'avait prévu. Etienne Beaulieu ne lui fit aucun reproche, mais déclara catégoriquement:

— Tu comptes trop sur moi, Mathieu. Depuis que tu as commencé à travailler, j'ai dû te chercher au moins une vingtaine d'emplois que tu as successivement quittés, convaincu que je serais toujours là pour t'aider. Eh bien! mon ami, en voilà assez. Quand tu auras eu un peu de peine à te placer, tu seras plus intéressé à satisfaire ton patron et plus soucieux de ne pas te faire congédier.

Il parlait d'un ton calme et froid. Habitué à ses manières correctes, le jeune homme ne se laissa pas désarmer.

— Ainsi, vous refusez de vous occuper de moi? demanda-t-il après une légère hésitation.

— Mon bureau n'est pas une agence de placement. Quand tu m'auras prouvé que tu peux te tirer d'affaire tout seul, au moins une fois, reviens me voir, mais pas avant.

Mathieu comprit que le moment était venu de placer sa dernière cartouche. Il s'étonnait de n'éprouver aucune honte; tout juste une grande nervosité. Où était donc cette voix qui d'habitude commentait tous ses actes avant même qu'ils ne soient accomplis? Avait-il réussi à la noyer dans l'alcool? Etait-il enfin délivré de sa conscience? Il constata soudain que depuis quelques semaines rien ne l'avertissait plus ni du bien, ni du mal. Silence complet du côté des aspirations nobles. Cette scène de chantage qu'il se préparait à jouer le laissait indifférent et sans remords. Une seule chose le préoccupait: bien tenir son rôle, avoir l'air du bonhomme qui n'en est pas à son premier coup.

Il prit sa voix la plus nasillarde.

— Mon cher parrain, vous me forcez à vous avouer que je ne suis pas très porté à la reconnaissance. Je vais d'ailleurs vous le prouver en me comportant comme un goujat, ce qui, j'imagine, ne vous surprendra nullement.

Il souligna les derniers mots d'un petit rire sec.

— C'est-à-dire?...

— C'est-à-dire que je vais me livrer à un petit chantage que m'a d'ailleurs conseillé ma chère maman et que vous serez, je crois, en mesure d'apprécier.

Etienne ne répondit pas. Son visage ne réflétait aucune émotion.

La voix de Mathieu devint plus nasillarde encore.

— Voilà, Vous avez, pour des raisons que j'ignore, mais qui peuvent facilement se deviner, loué rue Champlain, dans l'est de la ville, un appartement de quelques pièces où vous vous retirez occasionnellement. Vrai ou faux?...

Le regard d'Etienne, loin de se détourner, devint perçant de curiosité. Mathieu n'y pouvait lire aucune dénégation, de crainte pas davantage, ni même la plus petite trace d'indignation. La curiosité seule y brillait, si vive, si intense, que malgré la protection de ses verres fumés le jeune homme dut faire un effort pour rester calme.

— Eh bien? demanda Etienne, j'attends...

« Il attend, oui, il attend de voir jusqu'où j'irai dans l'abjection. A moi de lui montrer que je peux aller plus loin qu'il ne le croit. »

— Eh bien! je me demande tout simplement ce que ma pauvre marraine penserait de notre petit secret.

Etienne ne répondit pas, observant son filleul avec une attention de plus en plus grande, forcé de s'avouer que ce garçon, qu'il avait vu grandir, lui était totalement inconnu. En était-il à ses première armes? Son cynisme sonnait juste, mais pourquoi s'agitait-il tellement? Que se passait-il en lui? Inquiétude? Craintes? Remords? Ou toute autre chose. Que cachait son regard? Comment répondre d'un homme qui porte des lunettes noires!

— Peut-on te demander comment tu as appris ces détails vrais ou faux? demanda-t-il, soucieux de prolonger un entretien qui jetait une telle lumière sur son filleul.

Son regard perçant devenait intolérable. Mathieu ricana, le visage agité de tics, redoublant de cynisme.

— Bravo! Question intelligente! On voit que vous avez l'habitude! Il vous faut des preuves? La banque

d'où je sors en est pleine. Vos chèques, mon cher parrain! Vos chèques que votre propriétaire venait dé-
poser tous les mois entre mes mains. Drôle d'idée de
payer par chèques quand on mène une vie double...
A l'avenir, soyez donc plus prudent!

Le silence reprit, un silence prolongé, crucial, plus
pénible à supporter que les injures. Etienne restait
calme. Les menaces du jeune homme ne l'effrayaient
pas. Il serait toujours temps d'aviser s'il les mettait
à exécution, ce dont il doutait, les Normand ayant
trop à risquer en jouant l'appui de sa femme. Comment fallait-il traiter ce garçon? Le mépriser ou le
plaindre? Le punir ou l'aider? L'ignorer ou le prendre au sérieux Comment, au plus profond de lui-
même, souhaitait-il être traité?

Son regard inquisiteur enveloppa Mathieu de la tête
aux pieds, s'arrêtant à l'agitation des mains, à la propreté douteuse des vêtements, au cynisme du sourire,
aux expressions rapides et fugitives qui traversaient ce
visage dominé pourtant par la souffrance et la haine.
Il s'étonna de l'instabilité que dénotait toute la personne de son filleul. Instabilité momentanée ou permanente?

A l'examiner ainsi, il en venait à éprouver la sensation bizarre que Mathieu se désagrégeait devant lui.
Pour un peu, c'est avec ses propres mains qu'il aurait
voulu réunir autour de ce corps inquiet les cellules
éparses, comme s'il lui était possible de regrouper le
noyau initial. Il lui semblait que l'essence même de
Mathieu, ce qui faisait que Mathieu était Mathieu et
non un autre — un être unique de son espèce, sans
modèle ou réplique ni dans le passé, ni dans le présent, ni dans l'avenir; n'ayant de commun avec les
autres que le fait d'être unique de son espèce — s'écar-
tait de lui à son insu dans mille directions opposées.
Que resterait-il de lui, de l'entité Mathieu si ce travail
de désagrégation continuait? Un corps sans âme?
Est-ce ainsi que la folie commençait? Où allait Ma-

thieu? Où était Mathieu? Le Mathieu initial, primi-
tif, éternel, le vrai, le seul Mathieu? Et d'abord, qui
était Mathieu?

Poussé par une impulsion irrésistible, Etienne se
leva, décidé à s'approcher de son filleul et à lui enlever
ses lunettes noires. Coûte que coûte, il lui fallait voir
ce regard qui se dérobait à la vue de tous depuis tant
d'années. Contournant sa table de travail, il s'avança
sans quitter des yeux le jeune homme, lorsque son
genoux heurta malencontreusement la chaise sur laquelle Mathieu avait jeté son manteau. Arrêté par
cet obstacle, il eut un geste machinal pour redresser
le vêtement qui allait glisser sur le sol et s'arrêta, saisi,
a la vue d'un cahier noir à couverture de carton mou
qui dépassait d'une poche. Une brève illumination
traversa son esprit tandis qu'il réprimait avec effort
son désir de s'emparer aussitôt de l'objet.

— Ecoute, Mathieu, dit-il précipitamment, bafouillant presque, tu vas passer dans l'antichambre pendant
que je vais téléphoner. Je viens de penser à quelqu'un
qui pourrait bien t'être utile.

Comme s'il craignait de le voir résister, il s'empara
du bras de Mathieu qui, étonné, se laissa faire. Refermant la porte dont il eut soin de pousser le loquet,
Etienne revint au manteau, s'empara du cahier, l'ouvrit au hasard et, reconnaissant l'écriture, le referma
aussitôt.

— Mais oui, murmura-t-il, mais oui, évidemment!

Qu'avait-il besoin maintenant de voir le regard de
Mathieu? Ce que cachaient les lunettes noires n'était-
il pas inscrit entre ces pages? Là était le vrai Mathieu,
torturé, déchiré... Ouvrant un tiroir, il y jeta le carnet
et se dépêcha de rappeler son filleul.

— Tu peux entrer, dit-il d'un ton neutre. Malheureusement, la personne que je voulais rejoindre est
absente à l'heure actuelle, mais ce n'est que partie
remise.

Mathieu, encore surpris — il avait cru que son parrain s'était levé pour le gifler, — songea dédaigneusement: « Faut-il qu'il ait peur! »

— Quel genre de travail te plairait davantage, demanda Etienne cherchant maintenant à voiler la curiosité de son regard.

— Aucun, je n'aime pas travailler.

Cette victoire facile, loin de lui rapporter la joie qu'il en avait escomptée, le remplissait de mépris pour son parrain et de dégoût pour lui-même. « Il m'écœure, je m'écœure, le monde entier m'écœure! »

— Tu n'as de goût pour rien? continua l'homme d'affaires.

— Pour rien.

— Aucune ambition spéciale?

Mathieu leva la tête.

— M'avez-vous regardé? demanda-t-il brusquement.

Il se retourna pour prendre son manteau, poursuivant avec rancœur:

— L'ambition des crapauds! Cracher! Baver... Ça vous dégoûte, hein? Si vous saviez comme ça m'est égal. Vous avez eu un père pour faire votre fortune; autrement, où seriez-vous?

— Je me le suis souvent demandé, répondit doucement Etienne.

— Ouais? railla Mathieu, ça m'étonne!

— Moi aussi, il y a bien des choses qui m'étonnent, fit l'industriel. Tu peux t'en aller maintenant et ne t'inquiète pas, je t'appellerai demain.

Mathieu allait parler mais il se ravisa. Les injures ne lui apportaient même plus de satisfaction. Sa bouche eut un drôle de mouvement comme s'il allait pleurer.

« Pourvu qu'il se domine! » songea Etienne.

Cela dura l'espace de quelques secondes après lesquelles Mathieu partit sans ouvrir la bouche, sans même hausser les épaules comme il le faisait si souvent.

« Ouf! soupira l'industriel délivré. Qu'est-ce que

j'aurais fait s'il s'était mis à pleurer! Une chose est
d'avoir de la sympathie pour quelqu'un et une autre
de savoir la témoigner. »

Il revint à son bureau et sortit le cahier du tiroir.

— C'était Mathieu, murmura-t-il, c'était Mathieu et
je n'ai rien deviné...

## CHAPITRE IV

Heureusement ou malheureusement pour lui, Etienne Beaulieu avait hérité d'une fortune solidement établie et d'un commerce appelé à rapporter des revenus de plus en plus considérables; ce qui lui permettait de jouer à l'homme d'affaires sans toutefois prêter à ce jeu plus qu'une partie de son attention.

Fils d'un « self made man », il avait reçu une éducation pratique aussi éloignée que possible des spéculations de l'esprit et de l'art. Cours scientifique et commercial; mathématiques, géométrie, algèbre, histoire naturelle, physique, chimie, etc.; toutes ses études avaient eu pour but de lui former un cerveau raisonnable et bien équilibré.

Etienne, enfant, se laissait guider avec une soumission apparente, mais comme il avait pour les folles joies de l'imagination plus d'aptitudes que pour les sciences exactes, et pour le bonheur plus de goût que pour l'érudition, il chercha inconsciemment à être heureux et trouva bientôt dans la rêverie son moyen naturel d'évasion.

Au lieu de tendre son intelligence à comprendre les problèmes qu'on lui proposait, il passait la durée des cours à étudier passionnément le visage de ses professeurs, à guetter leurs réactions et à reconstituer leur vie intime. Remontant jusqu'à leur enfance, il leur inventait des jeux, une famille, des amis, s'interrogeait sur les motifs qui les avaient poussés à la vocation religieuse et leur suscitait, selon les jours, doutes et regrets ou mysticisme et sainteté.

Loin de se douter qu'ils faisaient l'objet des préoccupations de cet élève inattentif, ses maîtres, à tour de rôle, le traitaient de cancre et accumulaient les zéros sur ses feuilles d'examens.

A chaque congé mensuel, Monsieur Beaulieu, à son tour, invectivait son fils. Etienne écoutait, la tête basse, mais, comme les discours de son père l'ennuyaient tout autant que les leçons de ses professeurs, il s'amusait à improviser pendant ce temps des histoires drolatiques où les grandes personnes tenaient des rôles ridicules qui mettaient en jeu leur dignité.

Les punitions semblaient n'avoir aucune prise sur lui, non plus que les appels répétés à sa fierté et à son honneur. A vrai dire, s'il devinait bien ce que l'on attendait de lui, Etienne comprenait mal qu'on essayât de l'arracher à des rêves qui avaient pour lui tant d'importance et qui, en plus, lui procuraient tant de satisfaction. Il en conclut que les adultes avaient sur le bonheur des enfants des vues différentes des siennes, mais comme il s'agissait en définitive de son propre bonheur, il estima qu'il était meilleur juge et se garda de rien changer à sa conduite.

Vers l'âge de treize ans, il constata avec satisfaction qu'on cessait de l'ennuyer, son apparente inertie ayant enfin triomphé de l'entêtement de ses éducateurs. On décida, une fois pour toutes, que c'était un enfant apathique, mou, indolent, paresseux, lymphatique et veule, et que ce serait une pure perte de temps que de s'obstiner à vouloir en faire à tout prix un homme de cœur et d'action.

Abandonné à ses songes, Etienne aurait pu se perdre en débauches d'imagination, mais c'était un enfant sage, naturellement sage, comme beaucoup d'enfants qu'on soupçonne d'être amorphes. Peu à peu, de lui-même, il remplaça les rêveries par des méditations qui lui permirent d'acquérir assez tôt une connaissance des autres qui, toute sa vie, devait lui être profitable.

Lorsqu'il sortit du collège, son père, qui jouissait

d'une nature autoritaire, le regarda droit dans les yeux et déclara sans aucune considération:

— Mon fils, il est évidemment inutile, de t'envoyer à l'université.

— Tu dois avoir raison, papa.

— C'est bien ce que je pensais.

Etienne ne voulut pas voir la moue méprisante qui accompagnait ces paroles et sourit à son père qui continua:

— Tu entreras demain à la manufacture.

— Si tu veux, papa.

— Tu commenceras au bas de l'échelle. Tu feras un stage dans chaque branche de l'entreprise afin d'en connaître tous les rouages. Quand tu seras initié, tu choisiras, si tu es capable d'un choix, le poste que tu désires. Nous verrons alors ce qu'il est possible de faire pour toi. Grâce à Dieu, mon commerce est solidement établi, autrement, je serais bien en peine d'avoir à te léguer une usine de cette envergure. Tu aurais vite fait d'être en faillite.

— En effet! répondit sérieusement Etienne.

Et, à cause de cette humilité qu'il prenait pour de la sottise, son père le méprisa davantage. Etienne, qui savait depuis longtemps que le tempérament excessif de son père le poussait à condamner sans merci ceux qui ne partageaient pas ses opinions, ne songea pas à lui en vouloir, sa propre nature lui interdisant, comme une injustice, de juger le plus grand ou le plus petit de ses semblables.

La vie sérieuse commença donc. Le jeune homme passa d'un service à l'autre et se serait fermement ennuyé sans son merveilleux système d'évasion, qui lui permettait d'être heureux partout. Cinq ans plus tard, il eut avec son père sa deuxième entrevue importante. D'homme à homme.

— Eh bien! mon fils, es-tu décidé? demanda Monsieur Beaulieu, reprenant la conversation comme si elle avait eu lieu la veille, car il avait de la suite dans les idées.

Etienne, qui songeait en le regardant que la vieillesse n'embellit pas un homme, cet homme fût-il son propre père, hésita à répondre, car il ignorait de quoi il s'agissait.

— As-tu fait ton choix? Dans quelle partie de l'usine aimerais-tu être placé définitivement?

Ce dernier mot effraya le jeune homme pour qui il ne pouvait jamais rien y avoir de définitif.

— Non, répondit-il. Et, voyant que son père allait se livrer à une grande colère, il s'empressa d'ajouter:

— Mais je crois savoir à peu près ce que je veux...

— Eh bien! dis-le, tonnerre de Dieu!

— C'est un poste qui n'existe pas à l'usine, ou, du moins, pas tel que je le conçois.

— Parle!

— J'aimerais m'occuper des employés.

— Nous avons un gérant pour ça.

— Il n'y entend rien. Donne-moi sa place... Ou plutôt, non, invente pour moi une nouvelle situation.

— Peuh! Comment pourrais-tu diriger les hommes, toi qui ne sais pas te diriger toi-même?

— Mais je ne veux pas les diriger! s'écria Etienne que cette seule idée glaçait d'avance. Je veux simplement les rendre heureux.

Le vieillard le toisa d'un regard méprisant.

— Es-tu fou, mon garçon?

— J'ai remarqué que certains employés ne remplissaient pas les fonctions pour lesquelles ils seraient le plus doués. Giraud, par exemple, qui est aux machines, devrait être à la menuiserie; Duffaut qui s'occupe de...

— Que me chantes-tu là? Je ne suis pas allé les chercher! Ils ont demandé ces emplois!

— Les hommes se trompent souvent sur eux-mêmes. Tu obtiendrais un meilleur rendement si chacun de tes employés occupait la place qui lui convient.

L'homme d'affaires ne répondit pas tout de suite. Ce dernier argument le laissait perplexe. En outre, il s'étonnait d'entendre parler son fils qui, devant lui, n'ouvrait jamais la bouche. Il trouvait si anormal de le voir s'intéresser à quelque chose, qu'il décida finalement de lui donner pleins pouvoirs.

Quelques années s'écoulèrent.

Les résultats dépassèrent tellement l'attente de l'industriel qu'à la suggestion d'Etienne, il consacra une somme annuelle à l'amélioration du sort de ses ouvriers. Il fit même plus. Rencontrant son fils, un jour, à la sortie de la manufacture, il lui donna une grande tape dans le dos en s'écriant:

— Etienne, mon garçon, tu es moins bête que tu n'en as l'air!

Et le jeune homme comprit qu'il avait fait, sans le vouloir, la conquête de cet homme irréductible.

Il allait avoir trente ans lorsqu'il eut avec son père un dernier entretien sérieux. L'homme d'affaires, en vieillissant, s'était tourné vers la religion avec l'ardeur et l'intransigeance qu'il mettait en toute chose. Depuis quelques temps, il avait des scrupules dont Etienne faisait les frais.

— Mon fils, dit-il, te voici arrivé à l'âge de fonder un foyer. Y as-tu songé?

— Non, mon père.

— Hé bien! penses-y, mon garçon, il est temps. Je te donne un mois pour te choisir une femme.

— Mais, mon père, rien ne presse...

— Mon garçon, Dieu a dit: « Il n'est pas bon que l'homme soit seul. » Il savait ce qu'il disait. C'est malsain. Ça ne peut que te conduire au péché si ce n'est déjà fait.

— C'est fait.

— Je le craignais. Il faut que cela cesse.

— Mais je n'aime personne!

— Mon fils, il n'est pas question d'amour, mais d'hygiène et de raison. Si ça t'ennuie de te chercher

une fiancée, confie cette tâche à ta mère. Quel genre
de femme aimerais-tu épouser? Je te laisse libre de
faire ton choix.

Etienne apprécia cette liberté, la seule qu'on lui
laissait. Il ne songea pas à se révolter, trouvant que
le sujet n'en valait pas la peine. Vivre chez son père
ou chez sa femme le laissait indifférent. Pourtant, il
s'agissait de bien choisir cette femme afin de préserver
l'intégrité de sa vie intérieure. Après quelques instants, il releva la tête et déclara:

— J'aimerais épouser une jeune fille qui ne serait
ni trop intelligente, ni trop jolie, ni trop riche.
Qu'elle soit bonne, c'est tout ce que je lui demande.

Et le père s'étonna de cette sagesse de son fils en
qui, subitement, il croyait se reconnaître.

— Tu seras heureux, mon enfant, conclut-il avec
satisfaction.

C'est ainsi qu'Etienne fit la connaissance d'Eugénie,
recommandée par plusieurs amies de sa mère. Fille de
sénateur, elle avait toujours vécu dans l'aisance et le
confort, mais n'apportait rien en mariage. Il la trouva
plus jolie qu'il ne l'eût souhaité, mais s'avisant qu'elle
avait par contre moins d'esprit qu'il ne l'avait exigé,
il songea que ce qu'elle avait en trop se trouvait com-
pensé par ce qu'elle avait en moins. Sa beauté, mal
servie par une intelligence médiocre, ne retenait pas
ceux qu'elle attirait.

Il décida de l'épouser promptement. Elle demanda
une maison: il lui acheta celle qu'ils habitaient aujourd'hui sur le chemin Sainte-Catherine. Elle demanda des meubles rares: il lui signa un chèque généreux
qu'elle s'empressa de dépenser. Elle demanda cinq
domestiques: il employa cinq domestiques. Elle demanda deux enfants: un garçon et une fille. Il lui fit
gracieusement deux enfants: un garçon et une fille.

Là s'arrêtait ce qu'il pouvait lui donner. C'était
une femme sans imagination, elle ne demanda pas
davantage. Etienne ne demanda rien et l'obtint. Le

mauvais goût de sa femme ne le gênait aucunement, une faculté fort commode lui permettant de s'isoler partout où il était et d'oublier rapidement les objets et les gens qui lui déplaisaient. Il parvenait sans peine à se mettre vis-à-vis d'eux dans un état d'indifférence complète qu'il appelait intérieurement: être au neutre.

Se gardant bien de juger personne ni Dieu, il ne demandait rien à personne ni à Dieu. Son expérience personnelle, acquise dès les premières années de collège, lui avait fait rapidement comprendre qu'il n'existait pas de véritables contacts entre les êtres humains et que chacun allait dans la vie séparé d'autrui par des cloisons étanches, impénétrables. Dès lors, renonçant à se faire comprendre, il avait tendu à ne chercher son bonheur qu'en lui-même. Le cherchant il l'avait trouvé; l'ayant trouvé, il avait eu soin d'organiser sa vie de façon à toujours être heureux.

Parce que son mari ne lui avait jamais dit un mot blessant et ne s'était jamais départi d'une extrême galanterie à son égard, Eugénie demeurait convaincue qu'Etienne l'adorait — « autant que sa nature froide le lui permet » — et allait même jusqu'à affirmer qu'il ne l'avait jamais trompée; ce en quoi elle s'aventurait beaucoup. Nicole et Bernard se faisaient également illusion et racontaient volontiers que leur père les aimait tellement qu'il était incapable de leur refuser quoi que ce fût.

Pourtant, si Etienne accédait à tous les désirs de son entourage, ce n'était pas, comme on semblait le croire, par excès de tendresse, mais pour camoufler au contraire une indifférence presque totale qui le faisait douter de sa propre sensibilité et n'était pas loin de le gêner. Il avait longtemps essayé de s'intéresser à ses enfants, mais, encore qu'il y ait mis toute son indulgence, il n'avait découvert en eux aucune richesse secrète susceptible d'alimenter sa tendresse. Déçu par la vacuité de leur âme, aussi bien que par la médio-

crité de leur intelligence, il s'était vu forcé de s'avouer
que Nicole et Bernard l'ennuyaient. Il avait beau
fouiller son cœur en tous sens, il n'y trouvait à leur
sujet rien qui, de près ou de loin, ressemblât à de
l'affection. Ce n'était qu'après une longue absence
qu'il parvenait encore à s'intéresser aux siens; l'éloi-
gnement lui permettant d'avoir du caractère particulier de chacun une vue d'ensemble que la vie en commun lui refusait.

Les rapports quotidiens, lui semblait-il, nuisent à la
connaissance intime des êtres, soit à cause des sentiments qui entrent en jeu et rendent toute impartialité
impossible, soit à cause de l'indifférence née de la monotonie qui finit par s'établir entre les membres d'un
même clan. L'état de neutralité et de lucidité, indispensable à la connaissance d'autrui, ne lui paraissait
possible qu'avec de parfaits étrangers; aussi les incon-
nus seuls gardaient-ils pour lui un pouvoir de séduc-
tion. La découverte des cahiers de Mathieu confirmait
ses théories et lui prouvait, une fois de plus, l'ineffi-
cacité d'une trop longue cohabitation.

« Si j'avais rencontré ce garçon ailleurs que dans
mon entourage immédiat, j'aurais deviné tout de suite
ce qui se passait en lui. Il m'aurait suffi de le voir
deux ou trois fois pour comprendre qu'il était l'auteur
de ces pages. »

Bien qu'il eût facilement et très tôt renoncé à être
compris, comprendre les autres était, par contre, devenu pour Etienne une passion qui s'était développée
avec le temps jusqu'à devenir un de ses plus puissants
mobiles d'action.

Il suffisait qu'un individu ait une réaction dont le
sens lui sembla mystérieux pour qu'il ait envie de le
connaître et pour le pousser à entreprendre à son
sujet une sorte d'enquête personnelle. C'est à la suite
de recherches de ce genre qu'il en était venu à louer
l'appartement de la rue Champlain qu'il avait gardé
par la suite trouvant commode d'avoir à sa disposition

un endroit où personne de son entourage ne songerait
jamais à le relancer.

Le problème de son filleul aujourd'hui retenait
toute son attention. La tête entre ses mains, oubliant
tout ce qui l'entourait il se plongea passionnément
dans la lecture du second cahier de Mathieu.

# CHAPITRE V

## DEUXIEME CAHIER.

*Le moindre mouvement mesquin que je peux avoir étonne moins les gens que ne le ferait ma générosité. Pourquoi les décevoir? On n'attend de moi qu'avilissement et bassesse. Je suis sans doute le seul à espérer davantage. Qu'est-ce qui peut bien me retenir de me lancer à fond de train sur cette voie qu'on m'indique?*

*« Quand on est né pour un petit pain!... » soupire ma mère, mettant dans sa voix tout le fiel de son cœur. Qu'y a-t-il donc dans cette phrase qui soulève en moi tant de rage? Pourquoi ces mots me font-ils si mal?*

*J'ai perdu un de mes cahiers de notes. Dieu sait entre quelles mains il est tombé! Parce que c'est la pire chose qui pourrait m'arriver, il me semble impossible qu'il n'ait pas été trouvé par quelqu'un de mon entourage. Je guette, plus méfiant que jamais, d'où me viendront les coups. Nouvelle inquiétude qui s'ajoute aux autres.*

> *Tu as été trahi par tes amis*
> *C'est donc que tu avais des amis.*
> *Connais-tu l'amertume*
> *de ne pouvoir être trahi*
> *que par un visage*
> *le tien?...*

*On a dit de toi que tu étais le plus beau des enfants
des hommes. Tu n'étais pas si bête que de te choisir
une tête comme la mienne! Si je prêchais tout ce que
tu as prêché, qui me croirait? Qui voudrait croire que
je suis le fils de Dieu?*

*Si je partais?...*

*Il y a des jours où il me semble qu'ailleurs, dans
une autre ville, au milieu d'étrangers qui ne sauraient
rien de moi, j'arriverais à être heureux.*

*Hélas! Hélas! Pas plus ailleurs qu'ici, pas plus ici
qu'ailleurs. Le remède est en moi, si remède il y a!*

*Son image est entrée en moi pour m'éblouir,
Son image est entrée en moi pour me torturer,
Son image est entrée en moi par surprise,
Par surprise, à cause d'une petite ride
Que je ne retrouve même plus sur son visage.
Il a suffi d'une petite ride
Que je cherche et qu'elle n'a plus
Pour qu'en un jour je m'enrichisse
Du seul malheur que j'ignorais.*

*Comme ils vivent les autres, comme ils vivent! Tout
le monde autour de moi s'agite. Ces comédiens surtout... Ils n'arrêtent pas de vibrer, d'agir. Leurs actes
provoquent d'autres actes, qui, à leur tour, en suscitent d'autres. Je suis parmi eux le témoin qui regarde,
parasite volontaire ou involontaire, indésiré comme
tous les parasites. Nicole elle-même, malgré sa faible
densité, remue plus d'air que moi. Ma présence n'aura
jamais rien changé à rien.*

*On n'attend rien de moi, je ne cesserai jamais de
m'en plaindre. Au studio, hier soir, Bruno eut l'idée
d'encadrer le sketch par deux strophes de Mallarmé,
mais il ne se souvenait plus des dernières rimes et
allait de l'un à l'autre, questionnant jusqu'à Nicole
et son père. Arrivé devant moi, il passa outre, après*

un bref regard, sans soupçonner que j'étais le seul à
pouvoir le renseigner. J'aurais pu, après l'émission,
lui réciter le poème tout entier pour lui montrer qu'il
avait eu tort de sous-estimer mon petit bagage litté-
raire, mais à quoi bon cette revanche qui aurait tourné contre moi, de toute façon. Dire des vers à voix
haute devant des artistes? Avec la tête que j'ai?...
Qu'aurait-on conclu, sinon que j'aime la poésie? Et
quoi de plus ridicule qu'un homme laid qui tend, de
toutes ses forces, à la beauté?

J'ai été comme tous les enfants de la province, gavé
de religion. On m'en a tellement fait absorber qu'elle
me sort aujourd'hui par tous les pores de la peau.
J'ai beau croire que je ne crois pas, il me revient encore des relents pieux de mes années de collège, de
l'époque où, dans l'espoir d'être un jour moins malheureux, je me disais: « Si c'était vrai pourtant! Ce
serait si beau que ce soit vrai... » Malgré moi, je me
sens encore frustré dans mon désir de ce Dieu juste et
bon dont on nous rebattait les oreilles. On a incrusté
cet espoir si profondément en moi, que j'y reviens inconsciemment aux heures d'angoisse. Ce n'est pourtant pas faute d'avoir constaté, aux heures de calme,
à quel point le monde est vide de sa présence. Hélas!
par quoi remplacer ce Dieu si bon qui n'existe pas?

> Je pense à toutes les larmes inutiles
> A tous les cris
> striant le silence de toutes les nuits.
> J'entends dans le noir, le noir du soir
> toutes les voix, toutes les plaintes
> de ceux qui souffrent, de ceux qui pleurent.
> Leur peine comme la mienne
> monte et tombe
> remonte et retombe
> inlassablement
> infailliblement

*inexorablement*
*dans le vide.*
*Larme ou sanglot*
*Doléance ou juron*
*gémissement ou hurlement*
*lamentation ou vociferation*
*résignation ou transports*
*soupirs de vierge ou cris de mort*
*le chant s'élève dans la nuit*
*la douce nuit des hommes*
*chant gratuit, chant offert*
*à l'indifférence de l'univers.*
*Et plus perçante encore que toutes ces clameurs*
*et les dépassant toutes,*
*crevant l'air et déchirant l'éther*
*de l'atmosphère et de la stratosphère*
*monte dans la nuit*
*la plainte refoulée*
*la plainte étouffée*
*la plainte emprisonnée*
*de celui qui ne se plaint pas.*
*Qui souffre et ne se plaint pas.*
*Qui meurt et ne se plaint pas.*
*Il y en a.*
*Pauvre angoisse, angoisse inutile*
*vaine angoisse, angoisse folle*
*qui t'élèves sans fin au-dessus de la terre*
*sans arrêt sans relâche et sans fin*
*depuis l'apparition de l'homme*
*qui te recevra jamais?*
*Vers qui montes-tu?*
*Vers quoi?*
*Il n'y a rien.*
*Moins que rien.*
*Rien.*

*— Ah! te voilà! Il y a longtemps que tu n'étais venu.*

— *Je viens quand on m'appelle. Tu souffres donc?*

— *Ça s'endure. Faut-il être au plus creux du déses-poir pour te retenir?*

— *Vous m'oubliez toujours dans la joie.*

— *C'est ta faute aussi, tu as mal fait ta propagande. Il ne fallait pas tant spéculer sur la misère humaine.*

— *Les cris de détresse montent plus haut et plus vite que les autres. Je vais vers eux d'abord. Pour-tant, la joie m'est chère; je n'ai tendu qu'à elle, mais on ne m'a pas compris. Où en es-tu?*

— *Au même point d'orgue. Tu viens de le dire: la souffrance a des résonances interminables. Je n'ai pas d'autre ami que toi et encore faut-il que je t'im-provise.*

— *Es-tu le seul à le faire? Chacun se façonne un Dieu à sa taille.*

— *Avec toi, ce n'est pas facile. Ton histoire est trop répandue. On connaît ta méthode, c'est celle du mé-decin qui distribuerait des pilules empoisonnées pour être appelé au chevet d'un plus grand nombre de ma-lades. Tu plonges tes amis dans le drame afin qu'ils se tournent vers toi en définitive.*

— *Je n'ai pas créé le malheur. Les hommes s'en chargent tous les jours. Depuis ta naissance, tu tisses le tien, inlassablement, autour de toi, en un réseau inextricable.*

— *Depuis ma naissance, je meurs de n'être pas aimé!*

— *Pourquoi t'aimerait-on? Toi-même tu te détestes.*

— *Je meurs d'être inutile. De n'avoir rien à vaincre et rien à dominer.*

— *Domine-toi toi-même et commence par te vain-cre.*

— *Mais je crève justement de tant me vaincre. Mon silence m'étouffe. Ne pas crier mon désespoir, comp-tes-tu cela pour rien?*

— *Pour rien. L'orgueil, plus encore que la pudeur, te pousse à ravaler tes sanglots. Il ne tient qu'à toi de conquérir la paix. J'ai mis la joie à la portée de tous,*

*mais les hommes s'en détournent. Le malheur leur
paraît d'accès plus facile. Et cette pitié pour soi-
même, surtout, dans laquelle ils trouvent si bon de se
vautrer! Quand cesseras-tu de gémir sur ton sort?
Quand comprendras-tu qu'il n'existe pas une telle
chose qu'un malheur qu'on endure?*

— *Que faut-il faire?*

— *Rejeter la souffrance et chercher la joie. Personne ne peut rien pour toi que toi-même.*

— *Hélas! tu dis les mots que je dicte, ceux que me
propose, malgré tout, mon désir d'être heureux. Et je
m'y laisse prendre! Je me laisse séduire par les mots
que j'écris, par les mots que j'invente!*

*Personne, plus que moi, n'envie les artistes. On ne
peut imaginer la chaleur de leurs relations. Je veux
bien que leur amitié ne vaille pas plus que celle des
autres, mais leur sensibilité y ajoute un charme incon-
testable. Qu'importe qu'ils se mangent entre eux comme le reste des hommes, si, entre-temps du moins, ils
se réchauffent à leur flamme commune? Quelle différence entre leur chaleureuse spontanéité et la politesse
acquise des gens du monde, et que l'accueil des premiers est sympathique, comparé aux sourires de commande des autres!*

*Qui me dira quand je mourrai, qui me dira com-
bien d'années encore je dois traîner de misère en misère, de détresse en détresse? Ah! qui m'arrachera malgré moi à ce puits de solitude dont seul je ne parvien-
drai jamais à sortir!*

*Danielle, Danielle, il ne fallait pas me faire signe!*

*Avant le soir où vous m'avez offert votre amitié, je
croyais être seul parce que les autres me rejetaient,
mais je pouvais encore espérer qu'un jour quelqu'un
me tendrait la main et m'aiderait à dénouer ce nœud
qui m'étouffe. Vous êtes venue et je sais maintenant
que le nœud ne peut pas être dénoué. Il est trop tard,*

comprenez-vous, trop tard! Je suis condamné à vivre emprisonné dans ma carcasse, étranglé par un silence qui dure depuis trop longtemps. Il n'y a plus de libération à espérer. Me voici muré entre le doute et la méfiance, entre la crainte et la honte. Je suis lié, enchaîné à moi-même, plus sûrement que Prométhée à son roc. Votre secours est venu trop tard. Il est trop tard pour l'amitié, trop tard pour l'amour. Je suis le pauvre à qui l'on apporte trop tard le pain et l'eau. Danielle, Danielle, pourquoi avez-vous tant tardé à venir?

A qui ferais-je payer les sanglots qui m'étouffent, ce poids si lourd d'une douleur sans répit, ce désespoir qui ne me quitte que pour revenir plus pressant que jamais. A qui ferais-je payer mes nuits d'insomnie, mes nuits d'angoisse? Et ma honte et ma peine? Sur qui dois-je jeter le blâme de ma vie misérable? Sur personne hélas! mais sur cette vie même que j'aurais tant voulu aimer.

Je me résigne... Je ne suis rien. J'accepte de n'être rien. Frappez-moi, méprisez-moi, haïssez-moi, je ne dirai plus un mot. C'est fini de pleurer. Je suis là à mourir. Comment ai-je pu penser une minute, une seconde, que cet enfer pourrait finir et qu'en hurlant il s'éloignerait de moi. J'ai trop crié. Mais c'est fini. Fini l'orgueil. Finie la rage. Finie la lutte. Je suis vaincu, c'est fait; je n'ai plus de fierté, plus de volonté. Tant pis! Tant pis! J'accepte d'être méprisé même par qui je méprise. Que tout arrive ou que rien n'arrive et que la terre, si ça lui plaît, s'arrête de tourner, sans raison comme elle a commencé. La vie, la vie... Ah! mourir!

Souffrir, souffrir encore! Un jour viendra pourtant où j'éclaterai de rage. Ah! pouvoir n'être qu'un volcan qui se lasse un soir de sa résignation et libère ses entrailles en crachant dans l'air tout ce qu'il amassait, depuis des années, de boue, de pierres et de lave! Etre un volcan assez puissant pour ensevelir le monde entier sous le feu de ma haine!

Ta gueule, veau romantique! Assez de cris. Accepte ou meurs.

J'ai trouvé un moyen terme entre l'acceptation et la mort: l'alcool, évasion des ratés... Comment n'y ai-je pas pensé plus tôt, c'était tout indiqué! Les jours passent plus vite. Je ne m'entends plus souffrir.

Boire! Ce n'est pas si bête... Dommage que je ne puisse plus profiter du bar d'Etienne! J'aurais dû commencer cela chez lui. Tout mon argent y passe. J'achète des petites bouteilles que je peux porter sur moi et où je puise mes sourires et une euphorie un peu sotte qui ne manque pas d'agrément. Je ne me dégoûte même plus. La salvation par l'alcool.

Puisque je ne puis être rien de plus que ce que je suis, soyons-le à fond. Mettons au moins de l'envergure dans l'abjection. Eviter avant tout d'être un demi-raté!

Il ne doit pas y avoir en moi l'ombre du plus petit instinct criminel, autrement j'aurais, depuis long-temps, la joie d'être orphelin. Tuer ma mère, comment n'y ai-je jamais pensé?

Qu'est-ce que j'avais à tant brailler! La vie n'est pas si moche... Il suffit simplement de se boucher les yeux, les oreilles et le nez et de se laisser rouler dans la vase en faisant semblant de ne pas s'en apercevoir.

Je glisse, je glisse, je me laisse glisser, je me sens glisser. Pente dangereuse, disent les moralistes. Est-ce que ça souffre, un moraliste?

Etienne referma le cahier et resta un long moment immobile, cherchant à reconstituer la vie de Mathieu, et se reprochant de ne pas avoir secouru une détresse qui aurait dû le frapper par son évidence même.

Une infinité de faits qu'il ne se souvenait pas d'avoir observés remontaient à sa mémoire: attitude craintive de Mathieu enfant, évitant de se tenir à portée de la main maternelle; regards furtifs mêlés de haine et d'envie; gestes sournois d'un être encore jeune qui apprend à dissimuler ses sentiments et à se façonner un visage fermé, une âme secrète; sécheresse de Lucienne, mépris à peine voilé, dureté des mots qu'elle adressait à son fils, phrases coupantes et pleines de signification...

Il s'aperçut, non sans étonnement, que cette animosité entre eux ne le surprenait pas, comme si une partie de lui-même l'avait enregistrée à son insu; une partie de lui-même qui n'avait rien à voir avec la raison, qui était en dehors de l'intelligence, au-delà. Il constata qu'il savait depuis longtemps que Lucienne détestait son fils, rappel vivant et quotidien de sa passion pour le beau Jules, témoin à charge, témoin caricatural d'une aventure où elle avait tout perdu.

« Oui, je savais tout cela. Il aurait suffi d'un peu d'attention de ma part pour tout comprendre. Il aurait suffi d'un peu d'amitié... J'ai laissé ce garçon crever de peine à côté de moi, par indifférence... »

Il s'en voulut de s'être toujours placé vis-à-vis des Normand dans un état de neutralité qui lui avait permis de supporter sans irritation leurs trop fréquentes visites, mais l'avait rendu inapte à saisir leur drame.

« Quand je pense que c'est moi, moi qui me pique de perspicacité, qui ai placé Mathieu dans une banque! Mathieu dans une banque! Imbécile! »

Il ne se pardonnait pas de s'être désintéressé de son filleul et mesurait la densité de son indifférence à l'insouciance avec laquelle il l'avait placé au petit

bonheur, ici ou là, dans un bureau ou dans un autre.
Voilà bien surtout ce qu'il se reprochait comme une
faute grave, non seulement envers Mathieu, mais également envers lui-même; envers lui-même qui avait
la passion de l'ordre, d'un certain ordre abstrait, métaphysique, confinant à l'harmonie universelle.

Cette passion de l'ordre, comme d'ailleurs sa curiosité des réactions humaines, procédaient d'un sens
aigu du bonheur qu'il n'avait jamais cessé de développer en lui, d'une intuition du bonheur qui le poussait
à tendre aussi bien à celui des autres qu'au sien
propre.

Il se leva, éprouvant le besoin de marcher, de sortir surtout, espérant que l'air frais, joint au spectacle de la rue, dissiperait des remords inutiles.

« Que faut-il faire pour Mathieu? songeait-il en se
mêlant aux piétons. N'est-il pas trop tard comme il
le dit lui-même? »

Malheureusement, il ne pouvait plus être question
de cet entretien qu'il avait rêvé d'avoir avec l'auteur
du cahier alors qu'il croyait avoir affaire à un inconnu. Outre qu'une extrême pudeur l'empêchait d'être
lui-même avec ses commensaux — sans doute parce
que l'occasion lui avait toujours manqué de rencontrer dans son entourage une personne susceptible de
le comprendre — il se voyait mal, après la scène de
chantage de l'après-midi, faisant à son filleul l'humiliation de lui apprendre qu'il connaissait sa détresse
intime.

Il devinait sans peine les sentiments qu'il inspirait
au jeune homme: envie, mépris, aversion... Et comment le blâmer, comment ne pas le comprendre?
Qu'avait-il fait pour Mathieu? Rien. Il l'avait laissé
vivre à ses dépens, en parent pauvre, il l'avait laissé
profiter du surplus de sa fortune, mais sans qu'il y ait
là le moindre don de sa part. Mathieu n'avait eu de
lui que ce qu'il avait pris lui-même.

Tout en marchant d'un pas vif, réglé sur le mouvement de ses réflexions, il revenait à la pensée qu'il était sans doute trop tard pour sauver son filleul. La lecture du deuxième cahier, qui marquait un désespoir de plus en plus prononcé et, vers la fin, un renoncement plus inquiétant encore — du reste puisé dans l'alcool — plus le déséquilibre qu'il avait lui-même noté dans toute l'attitude de son filleul, lui faisait craindre qu'il n'y ait plus pour Mathieu de chance possible de bonheur. Pourrait-il jamais oublier qu'il s'était livré à un chantage si profondément contraire à sa nature? Pourrait-il se regarder sans horreur après s'être engagé sur une voie dégradante, lui qui avait déjà une si piètre opinion de lui-même? Pourrait-il s'empêcher, maintenant que le premier pas était fait, de rouler de défaite en déchéance, jusqu'au stage où l'homme arrive enfin, par excès de dégoût, à se débarrasser du dégoût de lui-même?

« Il faudrait que quelqu'un lui parle, que quelqu'un le fasse parler surtout, que quelqu'un le délivre de ses hantises... Mais qui? »

Il songea à Danielle dont Mathieu disait qu'elle lui avait offert son amitié. Avait-elle deviné les remous d'angoisse qui agitaient le jeune homme? Est-ce par pitié qu'elle lui avait tendu la main? Une fille aussi saine que Danielle pouvait-elle éprouver pour un être aussi morbide que Mathieu autre chose que des sentiments de pitié? La pitié de Danielle... » Non, il y a plus, murmura Etienne, ou moins, ou autre chose... » Il fit un pas vers un restaurant d'où il comptait téléphoner à sa nièce, mais il se ravisa aussitôt. Cette démarche lui paraissait prématurée, peut-être même inutile. Avant de livrer un secret qui ne lui appartenait pas, il voulait réfléchir encore, et se convaincre de la nécessité de cette indiscrétion.

Reprenant sa marche, il continua à penser à Danielle, clarté et transparence; Danielle intuition et perception; Danielle qui tantôt semblait avoir l'âge

de la candeur et de la limpidité, et tantôt l'âge de
toutes les connaissances, de toutes les expériences;
Danielle, mélange d'enfance et de maturité, maturité
sans amertume; la maturité d'un être qui aurait appris la vie sans douleur. Que pensait-elle de Mathieu?
Accepterait-elle au besoin de l'aider? L'aider en quoi?
Pouvait-on jamais aider les autres autrement que
d'une façon pratique?

Il grimpa l'escalier qui menait à son appartement
de la rue Champlain, sans avoir trouvé de solution au
problème qui le préoccupait.

« Je ne peux rien pour lui, à cause de tout ce qui
nous sépare et qui pourtant nous aurait unis si j'y
avais fait attention. Je crains d'ailleurs que personne
ne puisse rien pour lui, Danielle pas plus que les
autres... Il voit juste quand il dit que la réponse est
en lui, et en lui seul... »

Restait le domaine pratique. Quitte à lui laisser
croire que son chantage avait porté fruit, il était décidé à trouver à son filleul un nouvel emploi qu'il
aurait soin cette fois de choisir scrupuleusement, afin
que le jeune homme n'y puisât pas de nouvelles sources d'amertume. Le travail, un travail approprié à
ses dons, pourrait peut-être le racheter. Pourquoi
pouvait-il être doué? Dans quelle situation serait-il
sinon heureux du moins pas trop malheureux? Quelles facultés attendaient en lui l'occasion de s'épanouir?...

Une idée jaillit enfin, si claire qu'il s'étonna de ne
pas y avoir pensé auparavant. S'approchant du téléphone, il signala un numéro.

— « Le Matin » répondit, au bout du fil, une voix
dont l'intonation finissait par un point d'interrogation.

— Monsieur Lavallée, s'il vous plaît.  Dites-lui
qu'Etienne Beaulieu veut lui parler.

« Le Matin » était un quotidien dont le tirage, depuis quelques années, n'avait cessé d'augmenter. Jour-

nal de parti à l'origine, il avait peu à peu, sans toutefois renoncer à ses couleurs, étendu son champ
d'action dans tous les domaines. Etienne, qui connaissait bien le directeur, mit immédiatement la conversation sur la politique, disant qu'il ignorait si ses
affaires lui permettraient cette année de souscrire à
la caisse électorale. Cette remarque fut accueillie par
des protestations si vives qu'il consentit bientôt à se
laisser persuader, laissant son interlocuteur convaincu
qu'il cédait à ses instances. Sûr d'obtenir maintenant
ce qu'il voulait, il formula sa requête, requête si petite, comparée aux promesses qu'il venait de faire,
qu'elle fut accueillie avec empressement.

— Tâchez de lui confier une chronique intéressante qui le fera valoir, recommanda Etienne, soucieux
de mettre toutes les chances du côté de Mathieu. C'est
un garçon qui a beaucoup de talent; j'ai l'intention
de suivre sa carrière.

— Je ne peux tout de même pas lui confier l'édito-
rial le premier jour! répondit en riant le directeur.
J'y pense, je pourrais peut-être lui donner la critique
théâtrale? Le critique actuel me supplie depuis un
an de lui passer la chronique financière...

— C'est que... je ne sais pas si mon filleul a fait les
études nécessaires pour être critique! s'exclama Etienne, interloqué par cette étrange distribution des talents.

— Bah! on peut toujours essayer! répondit l'autre,
d'un ton qui en disait long sur l'importance qu'il
attribuait à cette partie des activités de son journal.

Etienne n'insista pas, se rappelant certains passages
du cahier qui lui donnaient à croire que les problèmes
artistiques pouvaient intéresser Mathieu.

— Envoyez-moi votre protégé demain matin, conclut la voix au bout du fil. Au fait, comment s'ap-
pelle-t-il?

— Mathieu Normand, répondit Etienne. Au revoir. Je n'oublierai pas votre obligeance.

Il raccrocha, content de la tournure que prenaient les événements, songeant que Mathieu aurait, pour une fois, l'occasion de se réjouir, à moins qu'il ne soit trop avancé dans la voie du désespoir pour avoir la force de se raccrocher à cette planche de salut.

Reprenant son fauteuil, il chercha à imaginer son filleul satisfait, apaisé, souriant, mais ne réussit qu'à évoquer le Mathieu torturé des cahiers noirs.

« Comment n'ai-je pas deviné immédiatement qu'il s'agissait de lui? Peut-être parce que je ne le voyais pas aussi laid qu'il le dit?... Ou parce que ça m'était égal qu'il le soit?

# CHAPITRE VI

Nicole entra dans le studio avec se visage rayonnant de joie qu'elle avait depuis le soir où Bruno s'était vu forcé de lui promettre un rôle. La semaine s'était passée en coups de téléphone et en visites, si bien que tout le monde savait maintenant que Nicole Beaulieu-Dupré faisait partie de l'Union des Artistes, qu'elle aurait bientôt plusieurs rôles à « créer » et que ce nouveau « hobby » menaçait de prendre tout son temps.

Danielle, qui causait avec quelques interprètes, s'interrompit en la voyant entrer.

—Ah! voici notre vedette! s'exclama-t-elle en riant.

Devinant les taquineries qu'elle aurait à subir, la jeune femme chercha à parer les coups.

—Soyez généreux! s'écria-t-elle avec transport. Ne vous moquez pas de moi, je suis tellement heureuse ce soir.

Ses yeux pétillants d'enthousiasme quêtaient l'approbation avec tant d'humilité et de tendresse que tous, désarmés, renoncèrent, sinon à lui en vouloir, du moins à lui montrer qu'ils lui en voulaient d'avoir forcé leurs rangs grâce à sa fortune. Amicalement accueillie, Nicole eut bientôt l'impression d'avoir fait, toute sa vie, partie d'une troupe de comédiens, grâce à cette faculté d'adaptation qui la caractérisait.

Michelle, qui entrait accompagnée de Bruno, fut la seule à lui tenir tête et à la regarder avec arrogance malgré les sourires pleins de bonne volonté que lui adressait Nicole; une Nicole soucieuse d'être ai-

mable maintenant que son ancienne bonne pouvait
lui parler sur un pied d'égalité.

Bruno distribuait les textes.

— Tu fais Marie, dit-il à sa cousine. Souligne au
crayon chacune de tes répliques.

Nicole rit, délicieusement excitée d'avoir à accomplir ces gestes rituels que dans son imagination elle
s'était vue faire tant de fois.

— Je suppose que je ne dois pas avoir grand'chose
à dire? demanda-t-elle gaiement, levant vers son cousin un regard affectueux.

— C'est ton premier rôle, ne l'oublie pas.

Cette joie l'attendrissait malgré lui.

— On ne t'a pas fait d'ennuis à l'Union? demanda-
t-il aimablement, chassant les vagues remords qui l'envahissaient.

— Mais pas du tout. Je n'ai eu qu'à dire que je
faisais partie de ton programme. Et à payer, évidemment... En somme, c'est plus facile que je ne le croyais
d'être une artiste.

Sourire ambigu de Bruno.

— Oui, oui, je sais, s'écria Nicole, qui avait compris;
je sais qu'il faut plus que ça...

« Quant même, songeait-elle, pouvoir montrer une
carte qui dit qu'on est une artiste, c'est déjà quelque
chose! »

Il continua sa distribution pendant qu'elle tournait
ses feuilles, cherchant le nom de Marie dans la marge.
Huit répliques en tout dont trois ne contenaient qu'un
seul mot. Elle soupira, n'osant protester.

Au fur et à mesure que le sketch se déroulait, elle
constata avec déplaisir qu'elle tenait l'emploi d'une
femme de chambre et qu'elle devait subir les insolen-
ces de Michelle qui mordait dans les mots avec un
plaisir évident. Elle y mettait même une telle férocité
que Danielle s'agita, mal à l'aise, espérant, attendant,
souhaitant une interruption de son frère. A titre de
directeur, il pouvait intervenir d'autant plus facile-

ment que le rôle, joué de cette façon, dénaturait le
sketch. L'attitude de Nicole, pour une fois, ne lui
déplaisait pas. Bien que sa vanité fût cruellement
atteinte, la jeune femme parvenait à faire bonne figure, espérant que son ennemie, en l'accablant de la
sorte, lui attirerait la sympathie générale.

Bruno sentait peser sur lui la désapprobation de sa
sœur. Personne ne savait se taire d'une façon aussi
éloquente que Danielle; aussi évitait-il soigneusement
son regard, puisant dans la fougue d'un amour à ses
débuts le moyen d'excuser Michelle en mettant ses
réactions sur le compte des mauvais traitements
qu'avait dû lui infliger Nicole. Pourtant, il éprouva
le besoin de ménager l'amour-propre de sa cousine en
mentant avec amabilité.

— Je suis content de toi... Essaie toutefois d'enchaî-
ner plus vite. Et articule davantage, on perd des mots.

— C'est qu'elle m'interrompt tout le temps! s'exclama la jeune femme en désignant son ancienne bonne.

— C'est dans le rôle! s'écria Michelle d'un air triomphant.

— Peut-être, concéda Nicole, mais est-il nécessaire
qu'elle crie si fort? Ne joue-t-elle pas une femme du
monde? Je n'ai jamais entendu une femme du monde
parler sur ce ton à une domestique.

Michelle bondit comme une chatte prête à griffer,
et, ponctuant sa remarque de ce rire bruyant et animal qu'elle avait parfois, elle s'exclama:

— C'est vous qui me dites ça? On voit bien que
vous n'avez jamais travaillé pour vous!

Moment de stupeur générale, aussitôt interrompu
par la voix calme de Danielle.

— Je suis de l'avis de Nicole, dit-elle. Michelle met
beaucoup trop de violence dans cette scène.

Bruno se tourna brusquement vers elle, étonné de
la voir intervenir, pour la première fois, entre ses
interprètes et lui.

— Michelle joue son rôle exactement comme il doit être joué, déclara-t-il catégoriquement.

Reprenant son texte, Michelle, triomphante, lança à Danielle un regard plein de défi. Elle n'aimait pas Danielle dont la simplicité lui paraissait manquer de chaleur et semblait condamner l'impétuosité de son propre tempérament; impétuosité qu'elle exagérait d'ailleurs volontiers, tant pour avoir la sensation de vivre plus intensément que pour donner d'elle-même l'impression d'un être dévoré par un feu inextinguible.

A la fois capable d'élan et de calcul, ce n'était pas pas hasard que Michelle était entrée dans la vie du jeune homme, mais suivant un plan bien préparé dont le premier dessein était d'obtenir un rôle à la scène. Malheureusement, la distribution des « Mouches » étaient déjà faite et les répétitions commencées lorsqu'elle avait fait la connaissance de Bruno. Conservant l'espoir que, pour lui plaire, il priverait une interprète de son rôle, elle ne désarmait pas et s'obstinait à apprendre par cœur tous les rôles de femmes, spécialement celui d'Electre que devait jouer Danielle. « Elle sera peut-être malade... »

Au lieu de venir la rejoindre après la répétition générale, comme elle s'y attendait, Bruno, qui voulait être seul, quitta le studio et passa dans la salle de contrôle. Il s'étonnait de ne pas voir apparaître Etienne Beaulieu. Comment expliquer son absence le soir même des débuts de sa fille à la radio? N'était-ce pas dans le but de la voir briller qu'il avait accepté de commanditer ce programme?

La voix de Danielle le fit tressaillir.

— Aurais-tu agi de la même façon si mon oncle avait été ici? demanda-t-elle en s'approchant.

Il s'étonna de la voir penser à Etienne Beaulieu au moment où il s'interrogeait lui-même à son sujet.

— Evidemment! répondit-il avec humeur. Sa présence n'aurait rien changé.

Elle n'eut pas besoin de protester pour qu'il sache qu'elle ne le croyait pas. Agacé, il s'écria:

— Tu m'embêtes avec tes airs de grand inquisiteur! Je n'ai pas de comptes à te rendre. Est-ce toi ou moi qui dirige ici?

— Ce n'est ni toi, ni moi, Bruno; c'est Michelle.

Elle sortit en voyant entrer l'ingénieur qui venait reprendre sa place. De plus en plus mécontent, Bruno la suivit dans le studio.

Mathieu venait d'arriver, accueilli comme un frère par Nicole qui n'en pouvait plus d'être délaissée.

— Méfiez-vous, s'exclama-t-elle gaiement, voici le nouveau critique! Tenons-nous bien!

Avec emphase, elle annonça que le jeune homme était maintenant journaliste et qu'on lui avait confié la chronique artistique du « Matin ». Cette nouvelle souleva un murmure étonné qui mit aussitôt Mathieu sur la défensive.

— Mes félicitations, fit Danielle avec un sourire ironique. Je ne vous connaissais pas ces capacités.

— Vous êtes évidemment bien convaincue que je n'ai pas les qualités requises, n'est-ce pas? Avant même d'avoir vu ce que peux faire?

— C'est juste, admit-elle, attendons.

— Critique! Rien que ça! s'écria Bruno qui profita de l'occasion pour laisser éclater sa mauvaise humeur. Et en quel honneur es-tu bombardé critique, du jour au lendemain? Qu'est-ce que tu as fait pour ça?

Habitué depuis longtemps à imaginer d'avance les mots désagréables qu'on pourrait lui dire, Mathieu avait des réponses toutes prêtes.

— Qu'est-ce que j'ai fait? persifla-t-il de sa voix la plus nasillarde. Rien du tout! C'est-à-dire la même chose que toi pour décrocher ce programme. Il m'a suffi d'obtenir la protection du grand Manitou Etienne Beaulieu, le père de ta nouvelle vedette!

Danielle, indignée, ne donna pas à son frère le temps de protester.

— Vous oubliez que Bruno avait déjà fait ses preuves quand mon oncle lui a offert ce contrat, tandis que vous...

— Tandis que toi, tu n'as aucune expérience, interrompit Bruno pâle de rage.

— Mais il apprendra, dit Nicole qui trouvait tout naturel de voir Mathieu occuper ce nouveau poste.

— C'est ça, railla Julien, il apprendra à nos dépens!

Bruno sentit monter en lui une colère magnifique.

— A nos dépens, tu as le mot! Et nous allons nous tuer à travailler pour un bonhomme qui ne connaît rien du tout, ni à la critique, ni au théâtre! Pour un bonhomme qui apprendra, sur notre dos, son métier de journaliste!

— Et tous les gens qui attendent l'avis des critiques pour savoir s'ils doivent aller au théâtre se fieront à lui! s'exclama Michelle, contente d'accabler un témoin de son ancienne vie.

Tout le monde se mit à parler en même temps, chacun éprouvant le besoin de dire ce qu'il pensait. Le regard de Mathieu alla de l'un à l'autre et ne rencontra que des visages hostiles. Son cœur se mit à battre à un rythme accéléré. Voilà qu'ils se remettaient tous à s'agiter, à vivre à toute allure, à s'enflammer comme il les avait vus faire si souvent. Ce soir, c'était contre lui qu'ils s'emportaient, contre lui qu'ils ne paraissaient jamais voir à l'ordinaire. Voilà enfin qu'ils apprenaient à compter avec lui. « On dirait qu'ils viennent seulement de s'apercevoir que je vis! » Cette agitation qu'il suscitait l'envahit d'une griserie douloureuse.

— Bah! vous vous agitez pour bien peu de chose! dit-il avec désinvolture. D'abord, je ne suis pas le seul critique, et ensuite, le théâtre à Montréal, hein, quelle blague!

Nouvel émoi, nouveau mouvement général de protestation.

— Oui, quelle blague! reprit la voix nasillarde.
Vous ne vous êtes pas encore aperçus que vous êtes les
seuls à vous prendre au sérieux? Au journal, tous les
rédacteurs sont d'avis que personne mieux qu'un amateur ne peut juger des amateurs. Vous m'accorderez
bien le droit de me tromper une fois ou deux comme
tout le monde? Vous seriez mal placés pour me reprocher un échec!

L'aventure d' « Ondine » était encore trop rappro-
chée pour que ces mots n'en réveillent pas toute
l'amertume. La colère de Bruno atteignit son paroxisme.

— Il y a des degrés dans l'amateurisme! En outre,
cette injure commence à être un peu usée. Au moins,
invente tes propres termes puisque tu es placé pour
nous juger.

— Eh bien! je te donne le choix. Que préfères-tu:
Amateurs de talent ou professionnels à la manque?

Ces mots redoublèrent l'indignation générale. Les
voix s'élevèrent, la discussion s'envenima.

— Stand by! Stand by! cria l'annonceur qui entra
en coup de vent au milieu du tumulte. Il ne reste
qu'une minute avant l'émission!

— Silence! ordonna l'ingénieur au micro de la salle
de contrôle en répétant les signaux lumineux. Stand
by!

Brusquement rappelé à ses devoirs, Bruno courut à
son poste et s'empara des écouteurs; chacun se précipita sur son texte tandis que le bruiteur se dépêchait
de vérifier le thème une dernière fois.

— Trop tard, la porte est fermée à clé, souffla Danielle à Mathieu qui voulait sortir.

Résigné, le jeune homme alla s'accouder au piano
où Michelle, qu'il dérangeait, le regarda avec animosité. Le silence s'établit et la paix, une paix tout
extérieure. Thème de l'émission. Le programme commença sans apporter de détente. Personne ne parvenait à se replacer dans l'atmosphère du sketch. Nicole

manqua ses deux premières répliques sans même s'attirer un regard désapprobateur. Presque tous avaient des erreurs à se reprocher.

— Pourri! soupira Bruno, lorsqu'un signal l'eut averti que le contact venait d'être coupé. C'est ce que nous avons fait de plus mauvais.

— C'est toujours la même chose, répondit Julien, quand la générale est bonne, l'émission est mauvaise.

L'annonceur, oubliant les liens qui unissaient Nicole à Etienne Beaulieu s'écria étourdiment:

— Heureusement que le bonhomme n'est pas venu ce soir!

— Mais sa fille est ici! s'écria Michelle. Comptez sur elle pour le prévenir!

Nicole rougit et protesta vivement.

— C'est faux! Je ne dirai rien! Ne t'inquiète pas Bruno!

— Je n'ai rien à cacher! répliqua violemment le jeune homme que tout concourait à irriter. N'oubliez pas que la répétition commence à neuf heures et demie, poursuivit-il en s'adressant aux interprètes qui faisaient partie de la distribution des « Mouches ».

Se tournant vers sa sœur, il ajouta sèchement:

— Je n'ai pas besoin de toi. Je veux faire travailler les groupes.

— Mais, j'ai plusieurs scènes avec les groupes! s'exclama la jeune fille, interloquée.

— Michelle prendra ta place. Elle connaît le rôle aussi bien que toi, dit-il d'un ton ambigu.

Blessée de le voir jouer avec elle ce rôle du directeur qui distribue ou enlève les rôles, Danielle répondit ironiquement:

— Alors, qu'est-ce que tu attends pour le lui donner?

Michelle, attentive, se taisait, le regard vif, prête à sauter sur l'occasion.

— Ne me pousse pas à bout, gronda Bruno. Personne n'est indispensable!

— Eh bien! disons que c'est fait et n'en parlons plus, répliqua-t-elle froidement. Si tu crois que tu vas me faire chanter aussi facilement, tu te trompes. D'ailleurs, j'aurai quelques mots à te dire quand nous serons seuls.

Il dédaigna de répondre et partit, entraînant Michelle qui eut l'intelligence de se taire, comptant bien, dans l'intimité, profiter de l'avantage que Danielle venait lui donner.

A la porte du studio, Nicole, restée seule avec Mathieu, regardait les comédiens s'éloigner dans toutes les directions, disparaissant bientôt sous la neige qui tombait, fine, légère, presque sèche.

— Viens-tu boire un verre avec nous? demanda-t-elle d'une voix humble, presque suppliante à sa cousine qui sortait de l'édifice.

— Je regrette, je vais chez maman, répondit la jeune fille qui s'éloigna rapidement, craignant que Nicole n'insistât pour la suivre.

— Et toi, Mathieu, vas-tu me laisser seule aussi? gémit-elle, prête à pleurer tant l'avait déçue cette soirée qu'elle avait imaginée tout autre.

Il ramena sur elle le regard qui suivait Danielle et railla, sarcastique:

— Ma fille, si tu crois que j'ai les moyens de t'emmener dans les clubs, tu te trompes un peu! Je suis à sec!

— T'occupe pas de ça! dit vivement la jeune femme.

Fouillant dans son sac à main, elle en retira un billet de vingt dollars.

— Tu me le remettras quand tu voudras, dit-elle. Albert est en voyage et les parents sont sortis. Je ne veux pas rentrer à la maison, sois chic, viens avec moi!

Réprimant un mouvement de colère, Mathieu prit l'argent qu'il glissa dans sa poche.

— Me v'la gigolo maintenant! s'exclama-t-il avec un petit rire sec. Et pourquoi pas, après tout? Ça va avec le reste, pas vrai? Où est ton auto?

## CHAPITRE VII

Au « Quartier Latin » le spectacle était commencé lorsqu'il arrivèrent. Mathieu appela aussitôt le garçon.

« Boire, boire, boire! songeait-il, boire aux frais de n'importe qui! Qu'elle paie pour moi puisqu'elle tient à ma compagnie. Assez bizarre, hein, Mathieu, qu'une femme paie pour ta sale tête? »

Nicole regardait défiler les numéros et se taisait. Ce silence finit par étonner le jeune homme. Il n'eut garde de le mentionner, peu soucieux de déclencher l'avalanche des confidences.

Au troisième verre, elle parut sortir de sa rêverie.

— C'est quand même un peu dégoûtant de sa part! Me plaquer là et s'en aller avec mon ancienne bonne!

— Oui, c'est surtout ça qui t'enrage, hein? Voir Juliette occuper la place que tu voulais dans la vie de Bruno.

— Tu crois qu'elle est sa maîtresse?

Mais, devant l'expression ironique de Mathieu, elle ajouta:

— Non pas que... Ah! et puis zut!... J'en ai par-dessus la tête!

Elle vida son verre d'un trait et le déposa sur la table.

— Si tu savais comment il m'a traitée ce soir! Comme si ce n'était pas déjà assez humiliant pour moi de le voir avec elle!

— Pourquoi humiliant? Elle n'est plus à ton service. C'est une artiste maintenant, dit-il avec emphase et, dans ce domaine, c'est toi qui es son inférieure!

— Son inférieure, répéta-t-elle avec amertume. Oui, son inférieure parce que Bruno l'a voulu. Rien ne le forçait à l'employer! Aller jusqu'à me faire tenir le rôle de sa domestique... Tu avoueras que c'est un peu fort!

Des larmes de rage lui montaient aux yeux. Il haussa les épaules, ennuyé de l'entendre se plaindre. Boire à ses frais, passe encore, mais la consoler, non!

— Tu as couru après cette humiliation, dit-il sans ménagement. Tu n'avais qu'à ne pas insister pour te faire donner un rôle dans le sketch même où elle devait jouer. Mais ta nature est ainsi faite que tu cours au devant des rebuffades.

— Moi? dit-elle étonnée.

— Toi, oui... Tu es faite pour être battue, tu ne demandes que ça!

Elle rit, nullement blessée.

— Dis donc, tu vas un peu loin. Je suis plus fière que ça!

— Toi, fière? Oui, ma fille, la fierté des vaches!

Il y mit tant de mépris que cette fois Nicole se fâcha.

— Ecoute, Mathieu, tu dépasses les bornes. Je ne suis pas venue ici pour me faire insulter.

Il se leva.

— Veux-tu rentrer?

Elle eut un geste plein de lassitude.

— Non, je ne veux pas m'en aller, mais faut-il absolument que tu sois détestable? Mon Dieu! qu'est-ce que j'ai bien pu faire pour que tout le monde soit contre moi aujourd'hui?

A nouveau des larmes dans ses yeux; non plus de colère, mais de pitié, de pitié pour elle-même.

— Sois gentil pour moi, si tu savais comme j'ai le cœur gros, ce soir!

— Bon! noyons ça dans l'alcool! dit Mathieu en se rasseyant. Garçon!...

— Un double pour moi, commanda Nicole, il n'y a
rien dans vos verres! Sais-tu, continua-t-elle, en s'appuyant sur le bord de la table, il y a des jours où je
me demande si je ne vais pas envoyer tout ça au diable! Oui, l'art dramatique et tout le bazar! Je commence à en avoir assez d'attendre les bonnes grâces de
Bruno. Et celles des autres! Parce que tu ne le sais
pas... et je ne l'ai pas dit non plus à Bruno, mais j'ai
fait le tour de tous les réalisateurs, de toutes les agences, de tous les postes...

— Et alors?

— Alors rien!

Elle se mit à rire, retrouvant ce mélange de modestie et d'humilité qui désarmait toujours Danielle.

— Je vais finir par croire que je n'ai aucun talent...

« Il serait temps que tu t'en aperçoives! » faillit répondre Mathieu. Mais il se ravisa. Pourquoi gâcher
les rares moments de sincérité de son amie d'enfance?
De sincérité?... Non, de doute passager, tout au plus;
demain, ce soir, dans une heure, dans dix minutes, elle
retrouverait son assurance. Rien ne lui ferait renoncer
au désir de faire parler d'elle, coûte que coûte. Tout
pour attirer l'attention, pour étonner, pour créer une
impression; tout, sauf un effort soutenu dans le travail; tout, sauf la réflexion.

« Elle pourrait peut-être réussir si elle travaillait,
songeait-il en l'observant; elle ne manque pas de dy-
namisme et elle a de la facilité pour extérioriser ses
sentiments. Son tort est de vouloir réussir vite et avec
éclat, sans effort, grâce à ses relations, comme toujours.

Il se demanda si elle n'était pas encore plus à plaindre que lui. Une telle avidité de gloire et si peu de
résultats...

— Je me demande si je ne vais pas essayer autre chose, dit-elle soudain. Ecrire, par exemple... Ça doit
être facile et, au moins, ça ne demande pas d'études.
Papa pourrait peut-être me faire entrer dans un journal, comme toi...

— Mais oui, comme moi, fit Mathieu avec un rire amer, comme moi! Pourquoi pas?

Pas plus à Nicole qu'aux autres il ne venait à l'idée qu'il pouvait être qualifié pour cet emploi que lui avait trouvé Etienne Beaulieu.

« Lui non plus ne doit pas s'attendre à ce que je brille dans le journalisme! Il m'a fait entrer au « Matin » comme il m'avait placé à la banque ou ailleurs, sans discernement, au hasard... »

Il se mit à rire, appelant le garçon pour renouveler la commande.

Cette situation qui l'avait rempli d'espoirs, s'annonçait à peine plus intéressante que les autres. Ses deux premiers articles portant sur des films avaient été coupés de moitié. Au matin du troisième jour, le directeur l'avait fait appeler. Semonce.

— Ne faites pas de zèle, mon ami. Vous avez du talent, mais point trop n'en faut. Tout ce qu'on vous demande, c'est un compte rendu plus ou moins détaillé afin de tenir les lecteurs au courant. Faites le plus d'éloges possible de tout ce que vous voyez. Les annonces de cinéma sont une source de revenus qu'il serait regrettable de perdre pour le simple plaisir de dire la vérité. Le « Matin » est un journal d'informations et non d'idées, tâchez de vous en souvenir.

Ce discours n'avait pas manqué de refroidir l'enthousiasme de Mathieu prêt, pour la première fois de sa vie, à se donner corps et âme à ses nouvelles occupations.

— Qu'est-ce que tu en penses? demandait Nicole. Crois-tu que j'aurais plus de talent pour écrire?

— Ah! ma vieille, je ne sais pas!

Avoir du talent, est-ce que cela comptait? Il s'agissait de gagner sa vie, un point, c'est tout. Puisque la sienne était toute gagnée, pourquoi s'agitait-elle tellement? Ne pouvait-elle se tenir tranquille?

Elle revenait maintenant à Bruno, s'animant jusqu'à élever la voix, l'alcool ayant raison du peu de pudeur qui la retenait.

— Ah! tu ne te trompais pas en disant que je ne l'aurais jamais! s'écria-t-elle découragée. Dieu sait pourtant que j'ai tout essayé! J'ai tout fait pour lui plaire, Mathieu, tout! J'ai cherché à le comprendre, j'ai lu les livres qu'il lisait, j'ai étudié la diction, la phonétique, l'art dramatique; j'ai fait mon possible pour m'améliorer, pour me cultiver; je lui ai fait obtenir un programme à la radio... Je suis même allée jusqu'à penser comme lui sur toute la ligne! Qu'est-ce que ça m'a donné, veux-tu me le dire? Il ne s'occupe pas plus de moi que si je n'existais pas. Quand je pense que je suis même allée jusqu'à aimer la peinture moderne pour lui plaire. Hé ben! qu'il aille au diable avec ses maudites abstractions! Je n'y comprends rien et je trouve ça emmerdant!

Elle éclata de rire, se sentant allégée.

« Ça y est, songea Mathieu, nous plongeons en pleine vulgarité. Encore un verre et elle mettra ses entrailles sur la table. »

Le garçon arrivait, portant un plateau. Mathieu en profita pour régler la note. Les confidences de Nicole continuaient à se déverser sur lui, mais il n'écoutait plus. Sans même toucher son verre, il se leva.

— Allons-nous en.

— Ah! non, tu ne vas pas faire ton Bruno! J'en ai assez de me faire commander par tout le monde!

— Eh! bien reste si ça t'amuse, moi, j'en ai plein le dos.

Voyant qu'il quittait la salle, Nicole vida son verre d'un trait et se leva. Reprise par le souci mondain de sauver la face, elle parvint à marcher sans fléchissement, rejoignant Mathieu sur le trottoir maintenant couvert d'une neige épaisse.

— Tu aurais pu m'attendre, dit-elle en s'accrochant
à son bras pour ne pas tomber.

— Je vais te ramener chez toi, décida Mathieu. Tu
n'es pas en état de conduire. Mais tiens-toi, bon Dieu!

Nicole enfonçait dans la neige et riait, prise d'une
crise d'hilarité incontrôlable. Il l'entraîna vers l'automobile, sans amitié, comme on traîne un paquet.
Devinant, malgré l'ivresse, le peu de considération
qu'elle lui inspirait, Nicole se redressa.

— Je ne connais personne de moins galant que toi!

— Oh! fiche-moi la paix!

Une telle amertume montait en lui qu'il craignait
de n'en jamais voir la fin. Qu'attendait donc son maigre corps pour éclater sous la pression du dégoût qui
l'envahissait?

Il eut de la difficulté à faire démarrer la limousine
dont les roues tournaient à vide. La tête de Nicole
qui s'était endormie roula sur son épaule. Une vague
pitié le retint de la repousser brusquement. Elle
n'était pas heureuse elle non plus, c'était au moins
un point commun. Ainsi endormie, sa présence était
moins désagréable à supporter. Il la redressa légèrement pour lui donner une position plus confortable.
Ouvrant les yeux, elle murmura dans un demi-som-
meil:

— Allô, vous...

Savait-elle seulement à qui elle parlait?

L'automobile roulait sans bruit. Quelques tramways passaient, presque vides. Les piétons étaient
rares, les rues quasi-désertes. Cette neige qui tombait
enveloppait la ville d'un silence ouaté, à la fois triste
et doux.

Danielle! Danielle!

Ce cri montait en lui, s'arrêtant chaque fois au bord
des lèvres; plainte incessante qu'il entendait maintenant à toute heure du jour et de la nuit, en quelque
lieu qu'il fût.

Danielle! Danielle! Danielle!

Pourquoi avait-il laissé cet amour pénétrer en lui?
Comment s'en délivrer maintenant?

Chemin Sainte-Catherine. Ranger l'auto dans le garage. Réveiller Nicole. Simples réflexes.

— Déjà, murmura la jeune femme en bâillant. Il
me semble que nous venons à peine de quitter le club.

— Bonsoir, dit-il. Bonne nuit...

— Tu t'en vas? Non, entre un peu, supplia-t-elle.
Viens boire un « night cap ».

— Si tu veux...

Là ou ailleurs, qu'importe!

Il servit les verres et s'installa sur le sofa. Elle se
laissa tomber près de lui, s'allongeant confortablement, les pieds sur les coussins, la tête sur la poitrine
de Mathieu.

— Je suis malheureuse, tu sais, murmura-t-elle avec
une voix d'enfant.

Il ne répondit pas, se contentant de lui caresser machinalement les cheveux.

Danielle! Danielle! Danielle!

Ce nom qui le hantait, prenait le rythme de son
cœur, de ses artères. Tout en lui, ce soir, vibrait au
nom de Danielle.

Nicole vida son verre et, l'ayant déposé, se blottit
dans les bras du jeune homme, cherchant inconsciemment la chaleur et l'apaisement d'une tendresse, fûtelle passagère. Elle se laissait aller, l'esprit vague, la
tête vide.

Mi-lucide, mi-inconscient, Mathieu se pencha sur la
bouche entr'ouverte et reçut autour de son cou les
bras de Nicole qui se colla à lui dans une pose relachée, alanguie, si rapidement consentante qu'il en
éprouva à la fois excitation et dégoût. Il eut envie de
pousser plus loin les caresses, se demandant si elle y
consentirait, songeant qu'il tenait dans ses bras, pour
la première fois, une femme qu'il ne serait pas obligé
de payer en sortant.

« C'est même elle qui paie pour moi! » se disait-il avec un contentement qui, pour un peu, l'aurait fait rire.

L'idée de posséder Nicole dans le salon de sa marraine lui fournissait une obscure revanche.

« Ta fille, Eugénie! Ta fille, Etienne! Ta femme Albert! Ta femme dans les bras de ce parasite! Hein! faut-il qu'elle soit saoûle! »

— Chéri... murmura-t-elle, soit qu'elle se crût obligée de jouer le jeu, soit qu'une demi-inconscience lui eût fait prendre Mathieu pour un autre.

Etait-elle grise au point de se donner ou se livrait-elle seulement à ces jeux de demi-vierge auxquels, jeune fille, elle se prêtait si volontiers, comme tant d'autres? Les yeux renversés dans les orbites, elle s'abandonnait avec des airs pâmés. Son corps s'enroulait autour du jeune homme, ses ongles s'agrippaient à ses vêtements...

Le silence de la nuit les enveloppait; une douce chaleur régnait dans la pièce. Silence complice, chaleur complice. La souffrance de Mathieu s'apaisait, sa lucidité sombrait dans la complicité des choses.

Aussi aigu qu'un cri de bête, un appel de klaxon déchira soudain le silence. Le jeune homme se redressa, brusquement rendu à la réalité. Pris de nausée, luttant contre le dégoût qui l'envahissait, il repoussa brutalement Nicole, renonçant à savoir jusqu'où irait son consentement, renonçant à cet acte qui l'aurait vengé de toutes les humiliations subies chez les Beaulieu depuis sa plus petite enfance. Quel que soit le prix de cette minute, revanche, satisfaction de l'amour-propre, apaisement momentané des sens, il le rejetait, plutôt que de sombrer dans un avilissement qui enlèverait à la vie sa dernière saveur.

— Qu'est-ce que tu fais? murmura Nicole, les vêtements en désordre, la joue coupée par une mèche de cheveux qui descendait jusqu'au menton.

Il la regarda un moment sans répondre, la bouche déformée par un rictus.

— Tu m'écœures!

Il s'enfuit, poursuivi par un regard étonné, presque hagard. Saisissant à la hâte son manteau et son chapeau, il ouvrit la porte et se pencha au-dessus de la rampe pour cracher.

La neige tombait toujours, doucement, inlassablement, avec lenteur et patience, calme et certitude, à la fois inoffensive et implacable.

Mathieu se mit à marcher, les poings serrés, le cœur tordu par une souffrance qui n'était plus seulement morale, mais qui l'atteignait maintenant jusque dans sa chair.

« Si au moins je pouvais pleurer; pleurer me libérerait peut-être?... »

Mais, il eut honte de cette faiblesse. Depuis des années, malgré ses cris et ses révoltes, il n'avait pas versé une larme. Il songea que la source devait en être tarie en lui. Cette idée lui plut, d'une source de larmes se tarissant dans l'homme.

La douleur, un instant distraite, reprenait. Ce point au cœur qui l'empêchait presque de respirer.

« Il faut en finir, il faut en finir! Pourquoi ne pas en finir? Qu'est-ce qui peut bien encore me retenir à cette vie? Est-ce la lâcheté seulement qui m'empêche d'en finir? »

Un cri sortit soudain de sa bouche, qu'il répéta trois fois.

— Danielle! Danielle! Danielle!

Il s'arrêta, étonné de s'entendre prononcer ce nom à haute voix comme un appel désespéré dans la nuit. Inquiet, il regarda autour de lui, craignant d'avoir été entendu.

L'avenue était déserte.

— Danielle, murmura-t-il tout bas, consciemment cette fois. Danielle... Danielle...

Une détente subite se produisit en lui, comme si
son cœur s'ouvrait, tandis que des larmes abondantes
coulaient de ses yeux, inondant ses joues et libérant
sa poitrine de l'étau qui l'étouffait.

Courant vers une rue transversale où il risquait
moins d'être vu, il alla s'écrouler dans la neige d'un
parterre, sanglotant, délivré, presque heureux.

# CHAPITRE VIII

Danielle en quittant Nicole et Mathieu s'était rendue chez sa mère, comme elle l'avait annoncé à sa cousine. A peine était-elle arrivée, que Marie Cinq-Mars s'empressait de lui demander d'un ton confidentiel:

— Dis-moi, est-il vrai que Bruno soit épris d'une ancienne bonne des Beaulieu?

Danielle sourit, devinant l'effet que cette nouvelle avait dû causer à sa mère.

— Comment avez-vous appris cela?

— Par ta tante, évidemment! Elle doit le tenir de Nicole... Mes pauvres enfants, vous sortez dans un bien drôle de milieu!

Danielle se mit à rire. Elle allait répondre lorsqu'elle aperçut, sur une table, un numéro du « Matin ».

— C'est celui d'aujourd'hui? demanda-t-elle en se levant pour aller le chercher.

— Oui, répondit Madame Cinq-Mars, momentanément distraite de ses préoccupations. Sais-tu que Mathieu Normand est maintenant journaliste?

— Justement, je suis curieuse de voir ce qu'il fait, dit la jeune fille en feuilletant le journal.

— Dis-moi d'abord au sujet de Bruno, ce n'est pas sérieux, j'espère?

Danielle mit un moment avant de répondre, sans interrompre sa lecture.

— Je ne crois pas, maman, vous auriez tort de vous inquiéter.

« Plutôt quelconque, songea-t-elle en terminant l'article, mais on ne peut pas le juger là-dessus. C'est une critique théâtrale que j'aurais aimé lire. »

Elle se rappela, non sans malaise, la façon injuste dont ils avaient accueilli Mathieu au studio. « Il a dû nous trouver ignobles... »

— S'il fallait qu'il l'épouse, continuait Marie Cinq-Mars avec inquiétude, tu vois d'ici le scandale! Qu'est-ce qu'on dirait dans la famille? Et dans le monde?...

Depuis des années, elle redoutait le genre de mariage que feraient ses deux enfants prodigues dont elle disait — car elle ne détestait pas les phrases toutes faites — qu'ils étaient des canards qu'une poule aurait couvés par mégarde.

Danielle riait.

— Bruno marié! C'est inimaginable... Rassurez-vous, le plus qui puisse arriver, c'est que Michelle devienne sa maîtresse.

— Danielle, voilà que tu parles de cela comme d'une chose normale! protesta Madame Cinq-Mars offusquée.

Danielle ne répondit pas, s'émerveillant tout bas de la perpétuelle candeur de sa mère. Tout ce qu'elle aurait pu répondre n'aurait fait que blesser Marie Cinq Mars et la scandaliser. A quoi bon lui enlever des illusions auxquelles elle tenait tant?

— Dommage qu'Henriette et Paul soient au cinéma, dit-elle, profitant d'un silence pour changer de sujet.

Elles causèrent longuement, tendrement, mais sans aucun échange de confidences. Devinant que la répétition se terminerait tard dans la nuit, Danielle demanda la permission de rester à coucher.

— Tiens, tiens, ma petite fille qui revient au bercail, s'écria gaiement Madame Cinq-Mars. Bien sûr, nous allons te préparer un lit dans la bibliothèque. Depuis que ta sœur habite ici avec sa famille, je n'ai malheureusement plus de chambre disponible.

Vers minuit, Marie se pencha pour embrasser sa fille qu'elle venait de border dans son lit.

— Tu devrais venir me voir plus souvent, dit-elle, j'aime tant causer avec toi. Henriette partage plus mes idées, mais avec elle je m'ennuie; elle me ressemble trop...

Elle éteignit la lumière sur les promesses de Danielle et la jeune fille resta seule dans l'obscurité, pensant et repensant aux événements de la soirée. L'attitude de son frère la froissait et l'attristait. « Il s'est conduit comme un idiot, ce soir. Avec Nicole, avec Mathieu, avec moi, avec tout le monde! Cette fille est en train de lui faire perdre la tête! »

Elle se demanda si Bruno confierait son rôle à Michelle? Etait-il amoureux au point de donner à une néophyte, quinze jours avant la première, un texte aussi difficile à jouer? Une chose certaine, c'est qu'il se trompait s'il s'imaginait qu'elle lui redemanderait son rôle! Répétaient-ils encore à l'appartement? Oui, sans doute; et la répétition serait suivie d'une discussion sur les mérites de Sartre et de Camus. Depuis qu'ils avaient commencé à travailler « Les Mouches », un grand mouvement existentialiste avait soulevé toute la troupe. Seuls Danielle et Julien résistaient. Bruno, qui ne faisait jamais rien à moitié et ne pouvait s'empêcher de croire à tout ce qu'il faisait, parlait déjà de monter toutes les pièces de Sartre et se lançait à fond de train dans la philosophie du désespoir. Les autres suivaient, traités « d'existentialistes en fleurs » par Danielle et raillée par Julien qui protestait: « Vous les feriez rire, les existentialistes, avec vos joues roses et vos ventres bien nourris! » Mais ils se faisaient à leur tour traiter de sauvages, de pionniers et même d'Américains, et les discussions reprenaient de plus belle pour continuer souvent jusqu'à l'aurore.

— Evidemment, à ce régime-là, soupirait Danielle, épuisée par les longues veilles et les journées passées dans les studios, à ce régime-là, il ne nous restera plus une goutte de sang dans les veines pour aimer la vie!

Contente d'avoir évité la répétition, elle s'étira dans les draps frais dont les plis n'étaient pas encore effacés. Les incidents qui s'étaient déroulés au studio, ajoutés à sa fatigue, contribuaient à lui faire détester, ce soir, le milieu où elle évoluait depuis huit ans. « J'aurais peut-être mieux fait de me marier, comme Henriette. » songea-t-elle avec lassitude.

Elle s'attarda à se rappeler quelques-unes de ses anciennes amies, épouses et mères, confortablement installées, vivant aux frais de leurs maris une existence sans embûches, à l'abri des coups du sort; et cette vie paisible lui parut soudain contenir tous les éléments du bonheur. « Elles doivent être heureuses, soupira-t-elle avec un vague regret pour cette tranquillité qu'elle ne connaîtrait jamais. J'aurais bien dû les imiter au lieu de me lancer dans une carrière aussi ingrate! »

La conversation de sa mère lui donnait le goût de retrouver ses anciennes relations volontairement abandonnées; de rencontrer des gens « bien nés » comme disait Marie Cinq-Mars qui, malgré sa réclusion, attachait encore tant d'importance aux questions généalogiques. Le visage de Jacques Aubry se présenta soudain à l'esprit de Danielle comme un des spécimens les plus parfaits du genre. Distingué, charmant, agréablement cultivé, plutôt intelligent que sot, jolie fortune, bons principes, catholique, canadien-français, il avait tout pour plaire aux parents les plus exigeants.

Amusée, Danielle sourit en pensant à l'accueil chaleureux que sa mère réserverait à un tel gendre. Comme elle serait ravie de savoir que Jacques avait plusieurs fois invité sa fille à dîner au Café Martin où il mangeait tous les soirs, et comme elle serait déçue d'apprendre que Danielle, à cause de son travail, avait dû refuser!

—Quoi que vous fassiez, mes enfants, n'oubliez jamais à quel milieu vous appartenez, disait-elle. Je

veux bien que vous viviez parmi des artistes, mais ma-
riez-vous dans votre milieu. Evitez, avant tout, d'être
des déclassés!

Danielle revit le visage de Jacques, souriant et mélancolique, aimable et raffiné; et, presque aussitôt, les
traits tourmentés de Mathieu se présentèrent à son
esprit. Elle s'étonna de les opposer l'un à l'autre, mais
cette comparaison lui permit subitement de comprendre l'attrait que Mathieu exerçait sur elle, malgré
son apparence morbide, attrait dont elle cherchait en
vain la signification. « Il est conscient. Voilà, il me
plait parce qu'il est conscient. D'une manière malsaine, peut-être, mais au moins il pense, il regarde,
il cherche! Tandis que Jacques?... Mais je me trompe
peut-être à son sujet?... »

Pourquoi le regard d'Etienne Beaulieu vint-il subitement s'interposer entre les lunettes noires de Mathieu et les yeux gris du jeune financier? Elle se prit
à évoquer ce regard clair et une sensation de paix
descendit en elle.

« Pourquoi n'était-il pas au poste ce soir? Rien de
tout cela ne serait arrivé s'il était venu. Là où il est
il ne peut y avoir de désordre... »

Elle s'endormit, entraînant dans ses rêves ces trois
visages si différents. L'image de Jacques s'effaça peu
à peu, s'estompa et sombra bientôt dans le néant.
Mais celle de Mathieu subsistait tourmentée, grima-
çante, comme un reproche, éveillant un remord qu'elle
ne parvenait pas à dissiper. «Je ne peux rien pour
lui, je ne peux rien pour lui, murmurait-elle agitée,
dans une demi-inconscience. Qu'il me laisse tranquille, je ne peux rien pour lui! » Le regard de son
oncle se substituait à l'angoisse de Mathieu et la paix
revenait. La nuit se passa ainsi entre la quiétude et
l'inquiétude, et Danielle se réveilla le lendemain, aussi
fatiguée que si elle n'avait pas dormi.

Retenue par son travail toute la journée, ce ne
fut qu'à sept heures du soir qu'elle put enfin courir

à l'appartement où elle espérait trouver son frère.
Bruno n'y était pas. Inutile de chercher à le retrouver; personne au monde ne semblait disparaître aussi
complètement dans l'air. Dès que l'on n'était plus
avec lui, il fallait renoncer à l'espoir de l'atteindre
jusqu'à ce que de lui-même il surgisse de l'absence.
« D'ailleurs, songea-t-elle, s'il avait tenu à faire la
paix, il serait venu me rejoindre, car lui savait où
j'étais... » Elle en conclut qu'il avait définitivement
donné son rôle à Michelle et une immense lassitude
l'écrasa. Pleurer ou dormir, elle se demanda ce qui
la tentait le plus. Pourtant, elle opta pour une troisième solution: sortir, aller manger, voir des gens;
éviter surtout de rester seule dans un moment où les
événements menaçaient de la démoraliser.

Songeant à quelques camarades qui dînaient tous
les soirs au même restaurant, elle se mit en route pour
aller les rejoindre; mais elle s'arrêta à mi-chemin, renonçant à son projet.

— Non, pas de ça, murmura-t-elle. Je ne veux pas
entendre parler de théâtre ou de radio, ce soir.

Malgré sa ferveur, Danielle n'avait pour le théâtre
ni la foi, ni le feu sacré qui animaient son frère. Con-
trairement à Bruno, elle pouvait être heureuse au-
delà de la rampe; elle savait même qu'elle pouvait être
heureuse à peu près n'importe où et dans n'importe
quelles circonstances. Tout en elle rejetait le malheur; non seulement le malheur, mais les occasions de
malheur, tout ce qui, de près ou de loin, risquait de
la priver d'un certain état de joie sans lequel la vie
lui paraissait dépourvue de sens et d'intérêt.

Elle se remit à marcher, songeant à ses réflexions
de la veille, et la tentation lui revint de reprendre au
milieu de ses anciennes relations une vie paisible et
exempte de soucis. Le visage de Jacques se présenta
à nouveau, plus attirant cette fois, tel qu'il lui était
apparu dans ce club de nuit lorsqu'il disait à Nicole:
« Ce qui compte, ce n'est pas tellement de lire que

de vivre... de sentir surtout. » Cette phrase ne déno-
tait-elle pas une certaine compréhension de la vie?

« A ma façon, songea Danielle, je ne suis pas loin
d'avoir autant de préjugés que maman; et les préjugés d'artistes ne valent pas mieux que les autres. »

Rassurée par une brève inspection de ses vêtements
dans la glace d'un magasin, elle décida, poussée par
le désir de revoir Jacques, de se rendre au Café Martin. S'il y était, tant mieux, s'il n'y était pas, tant pis,
elle se paierait au moins le luxe d'un bon dîner.

# CHAPITRE IX

Mathieu fut la première personne que Danielle aperçut en ouvrant la porte du Café Martin. Ennuyée, elle songeait à repartir lorsqu'elle constata qu'il mangeait à la même table que Jacques Aubry.

— Mathieu, quelle surprise!... s'exclama-t-elle, un peu honteuse de s'entendre jouer la comédie.

Etonné par une amabilité qui démentait l'animosité de la veille, le jeune homme rougit, cherchant à comprendre, tandis que Jacques, souriant, empressé, invitait aussitôt Danielle à partager leur table.

Satisfaite de la façon dont commençait la soirée, elle s'installa sur la banquette à ses côtés et sourit à Mathieu qui s'étonnait du ton mondain qu'elle affectait subitement. Il eut tôt fait de soupçonner que la présence de son compagnon y était pour quelque chose et se mit à observer la jeune fille derrière l'abri de ses lunettes noires. Assistée par Jacques qui lui conseillait les spécialités de la maison, elle commanda un repas fin, se mit à boire un cocktail rose dont elle parut ravie et écouta avec complaisance une anecdote que lui racontait le jeune financier.

— Comme vous voyez, on paie pour toutes ses expériences! disait-il en terminant son récit.

« Le contraire serait tout aussi vrai. » songea Mathieu qui ne subissait pas l'attrait des lieux communs.

Danielle cependant souriait, acquiesçait, approuvait. Il eut envie de se moquer d'elle, mais il manqua de courage. « Qu'est-ce qu'elle a ce soir? Elle me fait penser à Nicole! » Ce nom lui rappela qu'il avait encore de l'argent à dépenser. Agacé par l'attitude de la jeune fille, il se leva sans s'excuser et se dirigea vers le bar.

Danielle le regarda s'éloigner avec satisfaction, car sa présence lui semblait responsable d'une sorte de malaise qui l'envahissait peu à peu et qui la rendait gauche, apprêtée, presque sotte. « On dirait que je vis au ralenti: je ne ressens rien, j'arrive à peine à parler, je ne suis même pas capable de finir mes phrases... »

Elle fit un effort pour s'animer et écouta le jeune homme qui causait calmement, sans excès d'exubérance, un peu triste à son habitude et, comme elle lui demandait la cause de cette mélancolie chronique, il répondit avec douceur:

— Mais... je ne vois pas comment on peut être autrement. Vivre n'est pas tellement drôle...

— Oh! comment pouvez-vous dire cela! protesta Danielle, il me semble que...

Sa voix lui parut si fausse qu'elle s'arrêta, cherchant à se reprendre plus posément.

— Songez à tout ce qu'il y a de beau et de... enfin...

Incapable de se délivrer du ton superficiel qu'elle avait inconsciemment adopté dès son arrivée, elle s'interrompit une deuxième fois. Impossible de trouver le ton juste, la résonance Danielle; impossible de reprendre son rythme propre, le rythme Danielle.

— Je vous envie d'être gaie, dit Jacques, malheureusement, j'ai une nature un peu sombre...

— Pourquoi?

— Je ne sais pas... je ne vois, dans la vie, aucun sujet de réjouissance.

« Je parie qu'il ne pense pas un mot de ce qu'il dit! » songea la jeune fille sans prendre la peine de protester. Elle se défendit pourtant de le juger trop vite. « Il vaut peut être mieux que ses paroles, lui aussi... »

Comment parvenir à établir entre eux un contact
d'où jaillirait l'étincelle qui rendrait la conversation
simple et facile? Elle enviait l'aisance et le calme de
Jacques que la mélancolie n'empêchait pas d'être galant. Où voulait-il en venir avec ses compliments
pleins de sous-entendus? « Il a l'air de me considérer
comme une bonne fortune possible... Si je ne remets
pas les choses au point tout de suite, nous ne verrons
jamais la fin de cette équivoque. » Prête à tenter un
nouvel effort, elle leva gaiement son verre.

— Buvons à notre rencontre, proposa-t-elle.

— Au heureux hasard qui nous rapproche, répondit-il l'œil en coulisse.

— Ce n'est pas un hasard, dit-elle, réussissant pour
la première fois à être simple, je suis venue ici parce
que j'avais le goût de vous voir et de causer avec vous
sans plus de...

Mais elle s'interrompit brusquement devant l'expression de satisfaction qui s'épanouissait sur le visage
de Jacques, aussi évident que s'il avait dit à haute
voix: « Tiens, tiens, ce sera encore plus facile que je
ne le croyais! » Cela dura l'espace d'une demi-secon-
de, après quoi il reprit la conversation sans faire de
commentaires. Mais ce regard restait gravé dans la
tête de Danielle. Loin de dissiper l'équivoque, elle
n'avait fait que l'aggraver.

« Il est vraiment trop bête! Aussi quelle sottise
d'avoir cru qu'on pouvait parler amicalement avec un
homme du monde! L'amitié entre homme et femme
n'existe pas dans ce milieu. Il ne doit voir dans les
femmes qu'une occasion de faire l'amour. Nous ne
dépasserons pas ce plan ».

Elle jeta un regard de reconnaissance à Mathieu
qui venait les rejoindre. Au lieu de reprendre sa place, il se laissa tomber sur la banquette tout près de la
jeune fille.

— Tableau vivant, dit-il, la Belle et la Bête.

Mais, se relevant aussitôt, il ajouta:

— Seulement, vous n'êtes pas si belle et je ne suis
pas si bête!

Il reprit sa chaise, appelant le garçon pour se faire
servir un autre verre. Sa bouche faisait une drôle de
moue.

« On dirait toujours qu'il va pleurer, songea Danielle, soudain angoissée. C'est difficile d'être heureuse quand il est là... D'ailleurs, ce soir, aussi bien
renoncer à l'être! »

Elle se tourna vers Jacques pour éviter de voir ce
visage ravagé qui accroissait son inquiétude personnelle. Mathieu, rageur, décida de l'attaquer. Il n'en-
durerait pas qu'elle lui tournât ainsi le dos. « La
blesser, la blesser! Qu'elle se souvienne de moi d'une
façon ou d'une autre. Tout plutôt que son indifférence. »

Il l'examina avec acuité, cherchant par quel moyen
il pourrait le plus cruellement l'atteindre. Deviner la
faille dans le caractère des individus, cette partie secrète d'eux-mêmes qui les rendait vulnérables, était
depuis longtemps devenu un jeu pour lui. Quel défaut, quelle faiblesse Danielle mettait-elle le plus
d'ardeur à cacher! Il chercha en vain, surpris de constater que son amour le privait de perspicacité. Restait à l'atteindre dans ses affections. Qui aimait-elle
le plus? Il n'avait jamais entendu dire qu'elle fût
éprise de personne. L'amitié qui l'unissait à son frère?... Il décida de tâter le terrain.

— Bruno sort-il toujours avec sa boniche? demanda-t-il, sarcastique.

Et, se penchant vers Jacques, il ajouta en ricanant:

— Figure-toi que Bruno s'est toqué d'une ancienne
fille de chambre des Beaulieu devenue vedette de la
radio.

Blessée par le ton méprisant de sa voix, Danielle se
tourna brusquement vers lui.

— Et après? Cela heurte sans doute vos petits préjugés mondains?

Mathieu devina qu'il avait frappé juste; il ne restait qu'à continuer dans le même sens.

— Mais pas du tout, chère amie, répondit-il d'un ton badin. Je n'ai aucun parti pris contre les amours « ancillaires »...

Il souligna le mot comme chaque fois qu'il employait une expression susceptible d'être trouvée prétentieuse.

— Vous êtes ignoble, Mathieu! s'exclama la jeune fille avec colère.

« Comme si je ne le savais pas! La blesser, la blesser encore! »

— Qu'elle défend bien son petit frère! Ma foi, elle en est encore plus amoureuse que Michelle! Je m'en doutais depuis longtemps d'ailleurs!

Les mots sortaient de sa bouche presque trop vite, poussés par le désir de faire souffrir à tout prix. Danielle se leva, refusant de répondre, prête à partir.

— Allons, allons, avouez! Entre Bruno et vous, êtes-vous sûre qu'il n'y ait pas plus qu'une affection banale?

Il lui barrait le chemin, la retenant par le bras, tandis qu'il ricanait:

— Je suis abject, n'est-ce pas? N'est-ce pas que je suis abject? N'est-ce pas que vous me détestez? Que vous me haïssez?

— Même pas! Vous êtes une larve et personne ne prend la peine de détester une larve!

Elle voulut le repousser. Mais il la retint, s'accrochant à son bras, tandis que Jacques, trouvant indiscret de se mêler à la conversation, allait réclamer son manteau au vestiaire.

— Attendez! murmura Mathieu.

Une telle expression de souffrance tordait ses traits que Danielle, saisie par une angoisse inexprimable, murmura...

— Qu'est-ce qu'il y a, Mathieu?

Ce visage tourmenté lui était intolérable. Presque aussitôt, d'ailleurs, le jeune homme parut se ressaisir. Rejetant la tête en arrière, il éclata de rire.

— Hein? je vous ai eue! Vous vous êtes laissée prendre! Vous direz que je ne suis pas bon acteur, moi aussi!

Danielle hésita, indécise.

— Mathieu, dit-elle à voix presque basse, Mathieu, vous ne voulez donc pas que nous soyons amis?

Le rire s'arrêta, remplacé par une expression hargneuse. « Encore! songea-t-il, pris de panique. Va-t-elle encore m'ennuyer avec ça? Je n'ai rien à faire de son amitié! »

— Fichez-moi la paix, répondit-il d'une voix contenue, mais qui vibrait de haine. Fichez-moi la paix, comprenez-vous?

Il se mit à rire, à nouveau sarcastique.

— Quant à vos paroles au sujet des larves, le ciel et la terre passeront, comme disait l'autre, avant que je ne les oublie. Vous les regretterez, Danielle.

Elle ne l'écoutait plus, pressée de le quitter. Jacques revenait.

— Tu es idiot, mon vieux, protesta-t-il mollement. Veux-tu me dire ce qui te prend?

— Tu t'en vas? demanda âprement le jeune homme. Tu vas la retrouver?

— Mais, bien sûr! Crois-tu que je la laisserais partir seule après une telle scène? Ce serait d'un grossier!

— Hé! vas-y donc, qui t'en empêche? railla Mathieu en lui tournant le dos pour retourner au bar.

Jacques sortit rapidement et rejoignit la jeune fille qui descendait la rue de la Montagne. Elle l'accueillit sans enthousiasme, refusant d'aller dans un autre club, préférant rester dehors et marcher. Prenant son bras, il se lança pour excuser Mathieu dans une longue explication psychologique de son caractère; explication que Danielle interrompit bientôt, agacée aussi bien par le ton légèrement condescendant que

par le sens des explications qui lui semblait être aux
antipodes de la réalité.

Le ciel était clair, sans lune, mais plein d'étoiles.
Ils s'engagèrent dans des rues inconnues qui menaient
au port. Danielle s'apaisait. Elle ne perdait pas la
sensation pénible d'habiter un corps étranger, de
n'être plus elle-même, mais elle renonçait à en tenir
son compagnon responsable. Ce plaisir de marcher
sans but dans des quartiers ignorés calmait son malaise. Côte à côte, ils s'engagèrent dans une rue étroite
et sombre. Ils n'y avaient pas fait deux pas que Jacques se penchait pour embrasser la jeune fille.
Danielle, interloquée, ne songea même pas à protester.

« Il doit penser que je suis venue ici pour ça! Comme la vie est simple pour lui! Il doit avoir sur les
artistes des idées assez simplettes. Il n'est pas du tout
étonné que je me laisse embrasser, bien moins étonné
que moi! Car enfin, pourquoi est-ce que je le fais?
Ç'aurait été si bien de sa part de ne pas profiter d'une
situation aussi banale, aussi facile... »

Jacques la serra soudain dans ses bras à l'étouffer,
murmurant d'un air convaincu des mots que le quartier lui inspirait sans doute:

— Méfie-toi, tu sais, je suis une brute!

Ces mots, dans sa bouche, sonnaient si faux que
Danielle éclata de rire, d'un rire qu'elle reconnut comme étant bien le sien, d'un rire qui n'appartenait qu'à
elle. Contente de s'être momentanément retrouvée,
elle mit spontanément ses bras autour du cou de Jacques et l'embrassa cette fois de tout son cœur, trouvant bon de s'épanouir sans contrainte.

Mais son intelligence restait lucide.

« Qu'il est drôle! Il a l'air de croire que j'ai choisi
exprès les rues du port comme but de promenade, et
doit conclure que j'ai des goûts pervertis ».

— Viens, dit-il haletant, je te veux, je te veux tout
de suite!

« Voilà! Il est convaincu que ça se fera! Il ne me laisse même pas le choix! C'est dans sa petite tête, une chose entendue, jugée, décidée! »

Irritée, elle se dégagea et se remit à marcher. Comment se débarrasser de lui maintenant? Quelle raison lui donner? Ne pas lui dire surtout qu'il se trompait à son sujet, rien qui, de près ou de loin, pût ressembler à la vérité, puisque de toute évidence il ne cherchait pas la vérité. Quel mensonge fallait-il inventer? Un joli mensonge, susceptible de lui plaire...

L'assurance tranquille de Jacques, qui semblait n'avoir aucun doute sur l'issue de la soirée, la fit à nouveau bafouiller.

— Voyez-vous... si je vous suivais ce soir, je... je sens que je me mettrais à vous aimer et je...

Elle s'interrompit, interdite, rougissant jusqu'à la racine des cheveux, tandis qu'elle s'écriait:

— Non! Non! C'est faux! Je ne sais pas pourquoi j'ai dit ça!

Elle recommença à se sentir humiliée, diminuée, perdue, se cherchant et ne se trouvant pas. Jamais elle n'avait éprouvé aussi longtemps un malaise semblable. Tout ce qu'il y avait de vrai en elle protestait contre la fausseté de sa voix, contre la fausseté de ses gestes, contre la fausseté de ses paroles, contre la fausseté de toute son attitude. Plus le temps passait, moins s'effaçait l'odieuse sensation de ne plus savoir ce qu'elle pensait ni ce qu'elle était. «Je suis sûre que je m'analyse trop, je ne parviens pas à m'oublier. Je me regarde vivre, je m'écoute parler, c'est affreux! On ne peut pas vivre et se regarder vivre! Je veux vivre! »

Elle eut un regard de rancœur vers Jacques qui, avec assurance, calme et certitude, sans interrogation ni perplexité, cherchait à la prendre dans ses bras.

— Mais laissez-moi, voyons! protesta-t-elle avec colère.

Il parut si surpris qu'elle ne put s'empêcher de rire. « Evidemment, il ne comprend pas! Son idée est déjà faite, pourquoi la reviserait-il? Que j'accepte ou que je refuse, cela ne changera rien; je ne serai jamais autre chose pour lui qu'une femme qui s'amuse à l'occasion. » Il ne lui restait qu'à se justifier ou à se taire. « Non, je ne m'abaisserai pas à me justifier parce qu'un imbécile se trompe à mon sujet. Tant pis pour lui ou tant pis pour moi! »

Ils passaient devant une de ces maisons de chambres dont la ville est pleine. Une maison bon marché, complaisante. Danielle prit la main de Jacques.

— Venez, dit-elle soudain avec brusquerie.

C'était une chambre médiocrement meublée, mais propre. On ne pouvait rien imaginer de plus banal. Malgré ses efforts, Danielle n'arrivait pas à comprendre ce qu'elle faisait dans les bras de ce jeune homme que sa mère eût si volontiers accepté pour gendre et auquel elle était prête à se donner comme la dernière des filles, dans un décor qui en avait vu bien d'autres.

Il portait au cou une médaille suspendue à une chaîne d'or. Toute l'enfance catholique de Danielle se réveilla pour protester.

— Pourquoi cette médaille? demanda-t-elle brusquement.

Mais elle dut faire un si violent effort sur elle-même, pour se retenir de casser la chaîne, qu'elle n'entendit pas la réponse de Jacques qui l'attirait contre lui. Baisers. Caresses. La pensée de Danielle veillait toujours; lucide, terriblement lucide.

« Que je suis bête de m'étonner... Cette médaille complète tellement bien son personnage de petit bourgeois en goguette, mais qui vit en bons termes avec l'Eglise; dans quelque temps, il ira se confesser, sans doute à l'occasion de Pâques, et tout sera dit. Il recommencera comme neuf! »

Cet acte dont elle attendait inconsciemment une réponse, presque une délivrance, tendait à perdre Jacques. En ce moment il faisait une chose défendue, un péché. Ni le premier, ni le dernier, sans doute. Elle

se demanda comment sa conscience pouvait s'accom-
moder de ces arrangements avec le Ciel. « Il a probablement une maîtresse, une femme mariée, je suppose,
c'est tellement plus commode. Il doit être charmant
pour le mari. Un de ces trios parfaits... Un jour, ils
se sépareront et Jacques formera, avec d'autres couples, de nouveaux trios parfaits, jusqu'au jour où il se
rangera à son tour, passant cette fois dans la catégorie
des maris. Alors, sans doute, il reviendra à la religion
d'une manière plus fidèle; il aura des enfants auxquels
ils transmettra honnêtement les mensonges qu'il tient
lui-même de ses parents; il vivra dignement, en ci-
toyen honorable et honoré, et sera pleinement justifié
de porter cette médaille, car, alors, il ne péchera plus...

Mais elle cessa brusquement de raisonner sur Jacques, éblouie soudain par la lumière qui se faisait en
elle, éclairant ses gestes et lui donnant, pour se juger,
une clairvoyance implacable. « Je lui reproche sa conduite, songea-t-elle bouleversée, mais qu'est-ce que je
fais moi-même? Qu'est-ce que je fais ici, dans les bras
d'un homme que je n'aime pas, que je ne désire même
pas, qui ne m'est rien du tout et que je ne suis pas
loin de mépriser? Qu'est-ce que je fais en ce moment,
sinon pécher contre moi-même? Je n'aime même pas
ce que je fais! Lui se donne, au moins, moi je ne fais
que me prêter complaisamment; me prêter à un acte
auquel ni mon corps, ni mon cœur, ni mon esprit
n'accordent leur adhésion! »

Par quelle faiblesse inattendue, par quel consentement inexplicable en était-elle arrivée à cet acte auquel même sa chair restait insensible? D'un mouvement violent, elle chercha à se dégager de l'étreinte;
mais Jacques, au paroxysme de l'extase physique, la
seule qu'il serait jamais appelé à connaître, la retint
contre lui.

Il dormait lorsqu'elle sortit de la salle de bains, tout
habillée, prête à partir. Sans se préoccuper de lui,
elle se recoiffa devant la glace, fébrile mais déjà pres-

que rassérénée, car elle commençait à se retrouver peu
à peu. Au moment de quitter la chambre, elle se pencha vers le visage lisse et uni où seule la moustache
mettait une ombre, et le contempla avec lucidité.
Comme il semblait candide ainsi, endormi dans ses
préjugés! Il vivrait et mourrait sans avoir compris,
traînant, dans sa tombe, ce vague ennui qu'il prenait
pour de la tristesse. Un désir irrésistible d'entendre
sa propre voix poussa Danielle à le réveiller.

— Jacques, dit-elle...

C'était bien sa voix de tous les jours.

— Jacques, avez-vous l'intention de rester ici? Le
jour se lève...

Il ouvrit les yeux et sourit, nullement étonné de se
réveiller dans cette chambre de hasard et de la trouver
près de lui. Devant ce regard paisible, Danielle se
remit à bafouiller comme avant, exactement comme
avant. Et à mentir...

— Écoute, je... je ne sais plus où nous sommes... et
j'ai... j'ai peur de sortir seule dans ce quartier...

Toute son attitude mentait, mais ce mensonge
n'avait plus d'importance, car elle savait maintenant
que seule la présence de Jacques était responsable de
cet étrange malaise qui ne l'avait pas quittée de la soirée; sa présence et la certitude tranquille, humiliante
qu'il avait eue d'une Danielle consentante, d'une Danielle occasion de plaisir.

Il la ramena en taxi, jeta sur la maison qu'elle habitait un regard d'une discrétion éloquente — la maison,
le quartier, tout confirmait son opinion — et repartit,
non sans lui avoir dit quelques phrases aimables, tout
à fait dans la note.

Danielle resta un long moment immobile, regardant
disparaître la voiture.

— L'imbécile! Oh! l'imbécile!

Mais elle se mit à rire, car elle reprenait conscience
d'elle-même et retrouvait son rythme personnel, sa
manière d'être, tout ce dont elle avait été privée pen-

dant des heures. Cette soirée, elle le sentait, n'entamait rien en elle, cette soirée n'appartenait pas à sa vie; elle en rejetait et en reniait tous les gestes, n'en voulant retenir que l'enseignement. Elle comprenait, elle savait maintenant que s'il lui avait été impossible d'être elle-même, c'est qu'elle n'avait cessé de se regarder à travers l'idée que Jacques se faisait d'elle, comme on se regarde sans se reconnaître dans un miroir déformant.

« Que l'opinion de Jacques ait pu me troubler au point de m'amener à faire une chose aussi incompatible avec ma nature, c'est ça surtout qu'il faut que je retienne. »

Elle ne songea plus à se révolter contre les idées préconçues du jeune homme, ni à s'étonner du jugement, si humiliant soit-il, qu'il avait porté sur elle à priori, sans la connaître. Ce n'était pas lui qu'il fallait blâmer, mais elle seule qui avait eu la naïveté de croire, dans un moment de lassitude, que ce milieu, volontairement abandonné huit ans plus tôt, la rendrait aujourd'hui plus heureuse que jadis. Avec quelle acuité elle reconnaissait, cette nuit, à quel point elle avait eu raison de chercher ailleurs son climat.

— Il n'y a rien à attendre d'eux, murmura-t-elle, rien que des phrases toutes faites, des sentiments de surface; aucune compréhension, aucune sensibilité véritable, aucune curiosité de la vie... Des certitudes, rien de plus que des certitudes.

Le visage d'Etienne Beaulieu lui apparut aussitôt comme un reproche, et celui de Mathieu, et celui de Bruno...

— Oui, sans doute, il y a des exceptions, heureusement qu'il y a des exceptions! Mais à l'avenir, j'attendrai qu'elles viennent à moi... Quant aux autres, qu'ils gardent leurs chaînes, fussent-elles en or et portant médailles!

Grimpant allégrement les escaliers, elle se déshabilla à la hâte, pressée de dormir maintenant qu'elle avait retrouvé sa sérénité, une sérénité enrichie par l'enseignement de cette soirée inattendue.

« Et l'autre qui dit qu'on paie pour toutes ses expériences! »

S'approchant de la fenêtre, elle l'ouvrit toute grande et, levant les bras vers l'aube, elle rendit grâces au ciel dans le fond de son cœur, de ce que Danielle était redevenue Danielle.

# CHAPITRE X

Il n'était pas loin de midi lorsque Danielle s'éveilla. Bruno dormait encore. Le samedi était le jour de la grande paresse. La jeune fille pourtant n'hésita pas à se lever et courut réveiller son frère.

— Rend-moi mon rôle, Bruno, je veux jouer Electre!

A demi-endormi, il s'étira et fit entendre un grognement amusé.

— S'pèce de folle...

— Tu ne l'as pas donné à Michelle?

Il eut un geste de protestation et bâilla à se décrocher la mâchoire.

— Tu sais bien qu'elle n'est pas prête pour un rôle aussi lourd.

— Et si elle avait été prête... commença Danielle qui se ravisa aussitôt et ajouta vivement: Non, non, laisse, ça n'a rien à voir!

— Si j'avais pensé qu'elle ait pu le jouer mieux que toi... Tu n'es pas parfaite dans ce rôle. D'abord tu n'y crois pas, et...

Elle l'interrompit fougueusement.

— J'y croirai! Tu sais bien que sur la scène j'arrive à croire ce que je veux! Je le jouerai si bien que personne ne se trompera sur la personnalité d'Electre! Personne, je te le jure!

Il s'accouda dans son lit pour mieux la regarder, cherchant à comprendre ce qui pouvait subitement lui donner tant d'assurance. Comme il subissait facilement l'influence des autres, il trouva tout naturel de demander après un moment:

— Qu'est-ce que tu as fait hier soir? Qui as-tu vu?...

Mais Danielle se mit à rire et se déroba à ses questions.

— La vie est belle, Bruno, la vie est belle, c'est tout ce que je puis te dire.

Il n'insista pas, habitué à sa réserve.

— Alors, c'est la paix entre nous? demanda-t-il.

— Oui, c'est la paix...

Elle sourit en ajoutant.

— Ce qui ne m'empêche pas de trouver que tu as bien mal agi avec Nicole!

— Oui, hein, crois-tu? J'ai été d'un vache!... Mais Nicole!...

Il eut un geste d'insouciance.

— Et avec Mathieu, reprit Danielle, et ça c'est plus grave.

Il se redressa vivement.

— Ah! pardon, là, je t'arrête! Nous retombons dans le domaine du théâtre et tu ne me feras jamais croire...

Mais Danielle ne l'écoutait pas. Songeant à la soirée précédente, elle s'étonnait de constater que les seuls moment où elle était parvenue à s'exprimer sans fausseté étaient ceux de son incartade avec Mathieu. Si blessantes soient-elles, les injures du jeune homme avaient au moins eu l'effet de lui rendre sa liberté habituelle. Comment ne s'en était-elle pas avisée sur le champ?

« Au moins, il m'a attaquée avec des armes contre lesquelles il existe des moyens de défense. »

Une sorte de reconnaissance l'empêcha de rejeter l'image de Mathieu comme elle le faisait d'habitude, et la poussa même à évoquer avec regret son visage tourmenté. Pourquoi Mathieu attaquait-il toujours? Pourquoi était-il si sarcastique, si volontairement méchant? Car on ne pouvait pas, comme ses Jacques, l'accuser d'inconscience. Chacune de ses injures semblait voulue, calculée, pesée; chacune d'elles atteignait son but qui était de blesser, d'humilier, de ternir.

« Qu'est-ce qu'on a bien pu lui faire pour qu'il soit si hargneux? »

Elle chercha à se rappeler ce qu'elle savait de la vie du jeune homme et dut reconnaître qu'elle n'en connaissait que les grandes lignes; c'est-à-dire qu'il était pauvre et qu'il vivait plus ou moins aux crochets des Beaulieu. Comment pouvait-il accepter cet état de parasite? Peut-être n'en souffrait-il pas tellement... Mais alors qu'est-ce qui le rendait si malheureux?

— Un garçon comme Mathieu, qui est un illettré, poursuivait Bruno, ne peut écrire que des âneries.

— Illettré! Tu vas un peu fort!

— Mais ça se voit bien! T'a-t-il déjà parlé d'un livre qu'il avait lu? D'une pièce à laquelle il avait assisté? D'un concert qu'il avait entendu! D'une peinture qu'il aurait admirée? Dieu sait pourtant que nous avons souvent discuté devant lui des sujets de ce genre!

— Et s'il préfère se taire?

— C'est qu'il n'a rien à dire!

— Ce n'est pas prouvé! riposta Danielle qui songea aussitôt à Etienne Beaulieu.

Ennuyée de ne rien trouver de mieux, elle ajouta avec une évidente mauvaise foi:

— D'ailleurs, il n'y a pas que les arts! Les sciences l'intéressent peut-être davantage...

— Avec ça que ça l'autoriserait à se transformer du jour au lendemain en critique dramatique!

Danielle se mit à rire, désarmée.

— C'est juste! Mais donne lui au moins le bénéfice du doute jusqu'à ce que tu l'aies vu à l'œuvre.

Bruno allait répondre lorsque le timbre de la porte d'entrée résonna, mettant fin à la discussion. Nicole parut dans l'embrasure, souriante, la main tendue. Cachant son ennui, Danielle fit un effort pour la recevoir aimablement, car elle tenait à lui faire oublier la scène du studio. Bruno, dans le même but, manifesta une chaleur à laquelle il n'avait pas habitué sa cousine.

Le visage de Nicole s'épanouit. C'était décidément un beau jour. N'avait-elle pas eu la satisfaction quelques heures plus tôt d'être appelée par un metteur en ondes qui avait un rôle à lui confier? Enfin, ses démarches portaient fruits. Allégresse!

— Hein! Qu'est-ce que tu dis de ça? demanda-t-elle défiant Bruno du regard.

— Je suis ravi pour toi, répondit-il sans sourciller. Tu vois que j'avais raison de te conseiller d'étudier.

Elle le regarda avec rancœur. Il aurait été si simple à Bruno de la lancer s'il l'avait voulu! Depuis sa mésaventure, c'est avec animosité qu'elle pensait à son cousin qui sciemment avait cherché à la rabaisser devant les comédiens. Cette humiliation qu'elle ruminait depuis deux jours, l'avait presque amenée à renoncer à la radio pour ne plus s'occuper que de théâtre. Pourquoi ne fonderait-elle pas sa propre troupe? Troupe d'amateurs, bien entendu, car elle n'aurait pas la sottise de s'entourer de professionnels.

Le souvenir de la pièce qu'elle avait montée quelques années plus tôt persistait à la hanter malgré l'obstination de Bruno à prétendre que cette représentation avait dû être mauvaise. Qu'en savait-il, puisqu'il n'avait pas été témoin de cette première expérience? Quoi qu'il en dise, cette pièce avait bien attiré deux cents personnes qui avaient payé leurs billets et qui avaient parues satisfaites de leur soirée. Quant aux critiques des journaux, elle se souvenait d'en avoir lues de plus cruelles concernant des mises en scènes dirigées par des artistes. Au lendemain d'« Ondine », notamment. Bruno était bien mal placé pour se montrer si sévère! Au diable, Bruno!... Puisqu'il n'y avait rien à attendre, ni de lui, ni des autres réalisateurs, elle n'avait qu'à voler de ses propres ailes. Rien ne l'empêchait, surtout maintenant que ses connaissances artistiques étaient plus étendues, d'organiser un spectacle dont elle serait l'âme dirigeante.

Elle hésitait pourtant, doutant de ses dons, lorsqu'on lui avait proposé ce rôle inespéré. Il n'en fallait pas davantage pour la faire grimper au pinacle de
l'optimisme. Décidée à mener de front ses deux car-
rières, le théâtre et la radio, elle s'était aussitôt rendue
chez les Cinq-Mars afin de leur donner un échantillon
de la nouvelle personnalité qu'elle comptait adopter
à l'avenir. Bien qu'elle jugea plus prudent de tenir
secrètes des ambitions qui lui auraient valu les sarcasmes de Bruno, elle tenait néanmoins à lui faire
comprendre qu'elle n'accepterait plus d'être dominée
par lui.

— Ça continue la répétition des « Mouches »? demanda-t-elle.

— Plus que jamais! Il ne reste que douze jours et
comme nous ne pourrons pas jouer sur la scène avant
la générale, je veux que tout soit au point.

— Evidemment, tu ne tiens pas à subir un nouvel
échec! dit-elle contente de lui rappeler qu'il n'était
pas invulnérable.

Elle n'entendit pas la réponse, car son imagination
qui travaillait toujours à la vitesse d'une machine venait de lui suggérer deux excellents partis à tirer des
activités de ses cousins.

— Ecoute, je veux t'aider, déclara-t-elle vivement.
Laisse-moi organiser une grande réception le soir de
la première.

— Non, non, interrompit Danielle, tu nous as déjà
trop reçus.

— Mais cette fois, je veux y mettre de l'envergure.
Vous vous plaignez toujours que l'élite de la société
ne s'intéresse pas au théâtre; mon rêve serait de déclencher un grand mouvement sympathique à votre
cause, quelque chose comme ce qui a été fait pour
lancer les Concerts Symphoniques...

— Ça ne prendra pas, répondit Danielle. C'était
possible pour la musique à cause des artistes invités.

« L'élite », comme tu dis, ne se dérangera pas pour des Canadiens français.

Bruno réfléchissait.

—L'idée de Nicole a du bon...

Contente de se sentir appuyée, la jeune femme entreprit de le convaincre avec d'autant plus de zèle que cette réception servait ses plans. Son idée était d'inviter non seulement des gens du monde, mais également toutes les personnalités du théâtre et de la radio, tant pour montrer à ses connaissances qu'elle avait ses coudées franches dans les milieux artistiques que pour impressionner les artistes par le côté brillant de ses relations.

—Tu ne te sers pas assez de tes relations, Bruno, déclara-t-elle avec autorité. Mais compte sur moi!...

Certaine de les avoir convaincus qu'elle leur rendait un grand service, elle songea qu'il leur serait difficile de lui refuser la petite faveur qu'elle comptait leur demander. Il fallait d'abord remettre la conversation sur la pièce.

—Dis donc, Bruno, s'exclama-t-elle, je viens seulement de lire « Les Mouches »... Sais-tu que tu en as du culot de monter ça! Tu n'as pas peur de la censure?

—Une autre! s'écria Danielle amusée. C'est ce que tout le monde nous dit! Les avis sont d'ailleurs partagés...

Bruno hocha la tête.

—C'est un risque, je l'avoue, mais pas si grand qu'on le pense. La province a évolué, tu sais...

—Oui, mais... le clergé?

—Le clergé aussi. La pièce ne le vise pas d'ailleurs. C'est Jupiter qui est en cause...

—Ne jouons pas sur les mots, répondit Danielle en riant.

—En effet, dit Nicole, je ne sais pas comment tu vas t'en tirer!

— Veux-tu parier avec moi que si la critique ne relève pas le caractère métaphysique de la pièce, il n'y aura pas de protestations?

Nicole se mit à rire.

— Je ne parierai rien du tout, parce que je l'espère autant que toi.

Songeant que le moment était venu de formuler sa demande, elle glissa négligemment:

— Est-ce que ça t'ennuierait beaucoup si j'assistais aux répétitions? J'aimerais bien voir ce que ça donne...

Le jeune homme ne cacha pas son ennui. Où voulaient-ils donc en venir, le père et la fille, avec leur manie de suivre les répétitions?

— Si tu veux, soupira-t-il, mais je ne vois pas en quoi ça peut t'amuser!

— Mais tout m'intéresse dans le théâtre! s'écria-t-elle avec enthousiasme. Même les plus petits détails... A propos, Michelle fait-elle partie de la distribution?

— Non, répondit-il, encore mécontent, mais je te préviens que si tu ne l'invites pas le soir de la première, je n'irai pas chez toi.

— Mais, c'est très embêtant! Comment veux-tu que je la reçoive dans une maison où elle a travaillé comme bonne!

— Alors, renonçons à la réception! déclara-t-il, d'autant plus catégoriquement qu'il était sûr de voir Nicole protester.

— Bon, bon, j'inviterai Michelle! soupira Nicole. C'est maman qui va pousser des cris, par exemple!

Les jours qui suivirent furent des jours de grande activité. Nicole ne voulait rien négliger pour faire de cette réception un événement dont tout le monde parlerait et, dans ce but, passait la plus grande partie de son temps à téléphoner et à préparer des menus élaborés, ce qui ne l'empêchait pas de se rendre tous les soirs à l'appartement des Cinq-Mars où avaient lieu les répétitions.

Elle arrivait tôt et s'installait commodément, regardant de tous ses yeux, écoutant de toutes ses oreilles, prenant des notes, interrogeant Bruno dans les moments de détente et ne perdant aucun détail. Son œil vif croyait tout voir et tout enregistrer. « Je saurai ce qu'il faut faire quand je fonderai ma troupe » songeait-elle. Cette façon d'apprendre lui semblait mille fois plus agréable que les cours d'art dramatique quelle avait suivis jusqu'à ce jour. « Au moins ici nous travaillons dans le vif! Nous sommes en pleine action! »

Le soir de la première arriva enfin. Les trois coups résonnèrent dans la salle, établissant le silence et la pièce commença. Le premier acte souleva peu d'enthousiasme. Le public semblait désemparé par l'atmosphère de la pièce qui ne ressemblait en rien à ce qu'on l'avait habitué à voir. Mais le contact peu à peu s'établissait.

Mathieu, dans la salle, se déchirait le cœur à admirer Danielle. Il savait que, ce soir-même, il se vengerait des paroles cruelles qu'elle lui avait dites; il savait qu'à partir de ce jour elle ne lui offrirait jamais plus son amitié. « Larve! » avait-elle dit. « Vous êtes une larve... » L'écho de ces mots pour toujours résonnait dans sa tête. Jamais sa mère, même au cours de leurs plus violentes querelles, n'avait trouvé une injure aussi humiliante. « Larve! » Dès demain, elle apprendrait qu'à l'avenir il lui faudrait se méfier des larves. Et son frère également, et cette Juliette, si hautaine depuis qu'elle s'appelait Michelle; toute la troupe devrait apprendre désormais à compter avec lui. Pour la première fois de sa vie, Mathieu Normand, à vingt-huit ans, se préparait à poser un acte qui aurait des répercussions. Puisque personne ne l'appelait à construire, il démolirait.

La pièce se déroulait parfaitement, sans erreur, sans accroc, sans la moindre faute. Bruno, cette fois, avait tout prévu.

Le rideau se referma sur la dernière scène. Le silence persista pendant quelques secondes encore avant d'être déchiré par les applaudissements des spectateurs. Les acteurs saluaient.

Mathieu se hâta de partir, car il venait d'apercevoir Nicole qui se dirigeait vers la sortie, pressée de rentrer chez elle avant l'arrivée de ses invités. Il atteignit la porte quelques secondes avant elle et disparut.

# CHAPITRE XI

Mathieu n'eut pas à réfléchir longuement pour comprendre que le moyen le plus sûr de nuire à la troupe était de souligner le caractère immoral et anti-religieux de la pièce. Une fois lancé le cri d'alarme qui éveillerait les bonnes âmes, l'écho s'en répercuterait dans tous les milieux bien pensants de la ville; il n'y aurait plus, alors, qu'à se croiser les bras et à laisser agir les autres.

Il hésita pourtant devant la tentation, répugnant à jouer le jeu des conformistes, craignant de dépasser son but et d'atteindre, à travers les Cinq-Mars, tous ceux qui tendaient, comme eux, à une liberté d'esprit, d'action et de paroles encore si mal assurée dans la province.

Mais la haine était en lui; et le désir de forcer les autres à constater son existence, pour la craindre, sinon pour la respecter. Quel autre moyen avait-il à sa disposition? Impossible de critiquer la manière dont la pièce avait été jouée et présentée: tout lui avait plu. Puisque Bruno était, cette fois, inattaquable sur le plan esthétique, il ne lui restait à démolir que les idées de la pièce.

Décidé à écrire un article qui ferait réfléchir Danielle sur les possibilités des « larves », il commença sa critique par une série d'appréciations, soulignant certains jeux de scène, relevant jusqu'à des nuances d'interprétation qui l'avaient particulièrement ému, afin de prouver à Bruno qu'aucune de ses intentions n'avait échappé à sa sensibilité aussi bien qu'à son jugement. Puis il attaqua la pièce.

Simple jeu. N'importe quel Canadien français intelligent, élevé dans un milieu bien pensant, ayant passé par un ou deux collèges de la ville ou de la campagne, aurait su aussi bien que lui quel point il était important de faire ressortir pour attirer sur la représentation les foudres du clergé. Ne suffisait-il pas de mentionner que son autorité était directement menacée, que cette pièce était un défi à Dieu et à son Eglise, et qu'à ce titre elle devrait être promptement supprimée comme tout ce qui, de près ou de loin, risquait d'attenter à un ordre religieux et moral, qui, dans les époques inquiétantes et troublées que nous traversons, etc., etc. Développer ce thème...

Courbé sur sa machine à écrire, Mathieu travaillait avec fièvre. Tant pis s'il faisait le jeu des esprits étroits; tant pis s'il servait une cause à laquelle il n'avait jamais cru; tant pis s'il s'avilissait... « Ils me forcent à faire ce que je fais. Leur mépris me force à agir. J'aurais pu travailler dans leur sens, mais ils me rejettent. Ils me rejettent, alors je démolis. Comment les forcer autrement à me respecter? »

Vers deux heures du matin, après avoir plusieurs fois revu et corrigé son article, il le porta au rédacteur et sortit du journal.

Il pleuvait. Une pluie presque chaude qui délayait la neige, sur les trottoirs et dans la rue. La montagne disparaissait dans le brouillard qui descendait sur la ville. Pressé de rentrer chez lui et de puiser dans l'alcool un sommeil qui valait mieux que la souffrance, Mathieu héla un taxi. « Ne plus penser, ne plus penser! Boire, dormir! »

Chez les Beaulieu, Nicole qui n'oubliait pas son but, s'ingéniait à présenter ses invités les uns aux autres, à flatter les journalistes et à mettre en évidence les directeurs de troupes et les metteurs en ondes. Elle réussit si bien à mêler les groupes qu'une atmosphère libre et gaie s'établit rapidement.

Son exubérance n'était jamais aussi en valeur que lorsqu'elle devait ainsi se dépenser au profit de tous. Passant rapidement d'un groupe à l'autre, elle donnait l'impression d'une femme charmante et spirituelle. Bruno la félicita.

— Et! dis donc! protesta-t-elle vivement, c'est un peu mon métier de recevoir, tu sais. Je ne suis pas un fiasco sur toute la ligne!

— Comment se fait-il que Mathieu ne soit pas ici? s'étonna Danielle qui des yeux cherchait le jeune homme. J'aurais aimé savoir ce qu'il pense de la pièce.

Nicole qui se souvenait des propos humiliants de son ami d'enfance, répondit avec rancœur:

— Il est toujours saoûl depuis quelque temps, j'ai préféré ne pas l'inviter. Tu ne vas pas m'en vouloir; c'est le seul critique que je n'aie pas demandé!

Curieuse de connaître l'opinion de ses cousins afin d'y conformer la sienne, elle demanda:

— Qu'est-ce que vous pensez de ses articles?

Bruno haussa les épaules.

— Je n'ai lu de lui que des comptes rendus de films. Rien de transcendant d'ailleurs!

— Mais tout le monde ne peut pas être transcendant! protesta la jeune femme qui se sentait toujours visée par cette intransigeance.

Etienne Beaulieu, qui écoutait un peu à l'écart, s'approcha.

— Je serais curieux de savoir s'il a du talent?

« Il aimerait sans doute être justifié d'avoir lancé Mathieu dans le journalisme, » songea Bruno qui ne pardonnait pas encore cette initiative à son oncle.

Voyant que son frère se taisait, Danielle demanda:

— Vous-mêmes, qu'en pensez-vous?

Etienne sourit.

— T'avouerai-je que je ne connais rien dans ce domaine? J'ai l'impression qu'il est très doué, mais je n'ai pas la compétence nécessaire pour en juger.

Nicole eut une moue contrariée, gênée d'entendre
son père avouer son ignorance devant des connaisseurs.
Prenant le bras de Bruno, elle l'entraîna vers la salle
à manger, comme si elle n'avait rien entendu.

Danielle et son oncle continuèrent seuls la conversation.

— Une pièce comme celle de ce soir lui permettrait-
elle de donner la mesure de son talent, si toutefois il
en a? demanda-t-il.

— Certainement; et plus qu'une autre, à cause de
toutes les idées qui y sont débattues.

Etienne mit sa main sur le bras de la jeune fille.

— Alors, puis-je compter sur toi pour m'éclairer?
Dès que tu auras lu son article, veux-tu me téléphoner
pour me donner ton avis?

— Volontiers, répondit Danielle, contente d'avoir
enfin un lien qui lui permettrait de se rapprocher de
son oncle. Vous vous intéressez donc à Mathieu?

Il la regarda avec attention.

— Toi aussi?

— Il n'est pas heureux, n'est-ce pas?

— Non, dit-il simplement, il n'est pas heureux...

— Pourrait-il l'être?

— C'est aussi ce que je me demande...

Eugénie, très affairée, les interrompit pour demander à son mari d'aller vérifier des caisses de champa-
gne que les domestiques venaient de monter de la cave
et qui ne contenaient pas le vin qu'elle désirait servir.
Danielle le vit s'éloigner à regret.

— Puis-je vous être de quelque utilité à titre de
membre de la famille, ma tante? demanda-t-elle.

— Pas du tout, ma petite fille, tu es ici pour t'amuser. D'ailleurs, à part cet incident, tout va très bien.

Elle s'éloigna, un peu lourde, mais charmante, mul-
tipliant les sourires. Passant devant Michelle qui semblait chercher quelqu'un elle s'arrêta, prenant son
parti de cet étrange milieu qui confondait les classes.

— Vous cherchez quelqu'un, mon enfant? demanda-t-elle avec grâce.

Michelle, saisie, demeura un instant interloquée.

— Je me demande où est Bruno, je ne le vois nulle part, dit-elle.

— Il entrait dans la salle à manger il y a quelques minutes, répondit Eugénie, suivez-moi, nous allons bien le trouver.

Elles s'éloignèrent en causant sur un pied d'égalité.

Danielle, qui avait suivi la scène, ne put s'empêcher de rire.

« Ma tante est mûre pour le socialisme. Seulement, il ne faudrait pas qu'elle le sache! »

Elle aperçut Jacques Aubry qui lui souriait de loin, faisant mine de s'approcher, mais elle se hâta de répondre à son sourire et de s'éloigner au bras de Julien qui venait la rejoindre.

Une odeur étrange, qu'il ne reconnut pas tout de suite, saisit Mathieu à la gorge, dès son entrée dans l'appartement. Il retint mal une exclamation de surprise à la vue de sa mère qui venait à lui, tout habillée.

— Vous n'êtes pas encore couchée? demanda-t-il, accrochant son manteau à la patère. Qu'est-ce que ça sent?... Je ne reconnais pas cette odeur...

— L'éther, répondit-elle.

— Vous avez été malade?

Elle eut un sourire ambigu.

— Pas moi...

— Qui alors? s'étonna-t-il.

— Ton père...

Brusquement troublé, Mathieu, qui se préparait à enlever ses caoutchoucs, se redressa et dut s'appuyer au mur, envahi par une émotion qui lui coupait les jambes.

— Mon père...? Il est ici?...

— Il est revenu.

Il y avait dans la voix de Lucienne une telle intensité de triomphe mal contenu, que, malgré son émoi,
Mathieu s'étonna.

— Ça vous fait donc tellement plaisir?

La voix de sa mère redevint immédiatement neutre.

— J'ai toujours su qu'il reviendrait, dit-elle.

Il ne l'entendait plus, cherchant à se ressaisir. Cette
nouvelle le stupéfiait, le bouleversait. Depuis tant
d'années, il avait cessé de penser à son père... Enfant,
combien de fois n'avait-il pas pleuré de rage à la pensée de ce père inconnu qui l'avait abandonné?

— Il est malade? demanda-t-il.

— Paralysé...

— Paralysé! Mais alors, comment?...

— Il était à l'hôpital depuis près de deux ans. On
a fait des recherches pour lui trouver une famille et
l'on a fini par me rejoindre.

— Où est-il?

— Dans ta chambre.

Il eut un geste de protestation. Sa chambre était le
seul endroit du monde où il pouvait avoir la paix à
l'abri du regard d'autrui et des méchancetés de sa mère, le seul endroit du monde où il enlevait ses lunettes
noires. La porte fermée à double tour, il y passait
des heures, à lire, à écrire ou à se tourmenter; maintenant, à boire... Voilà qu'on lui volait jusqu'à sa solitude. Ce père qui ne l'avait jamais aimé...

Il entra dans le salon sans lumière et se laissa choir
dans un fauteuil. Lucienne, qui l'avait suivi, demanda, presque inquiète:

— C'est tout l'effet que ça te fait? Tu ne demandes
même pas à le voir?

Il se rejeta en arrière avec un mouvement brusque,
prêt à résister.

— Non!... Non, je ne tiens pas à le voir... Vous
avouerez que cette nouvelle est assez surprenante!
Laissez-moi m'y habituer...

Tant pour se libérer de l'émotion qui l'étreignait que pour le plaisir de blesser sa mère, il ajouta, sarcastique:

— Le beau Jules, moi, au fond, je m'en fous! Ce n'est pas moi qui l'ai aimé, ni moi qu'il a plaqué.

Elle se détourna en silence, rejoignant le coin le plus obscur de la pièce.

— Vous ne pouviez pas le laisser crever à l'hôpital?

La réponse mit un peu de temps à venir.

— Mon devoir est de le garder et de le soigner.

« C'est ce qu'elle dit, mais qu'est-ce qu'elle pense? »

Il se pencha pour la voir; l'ombre masquait le visage de Lucienne.

— Ce genre de phrase ne vous ressemble pas, railla-t-il. Vous n'avez rien d'une sœur de charité.

Elle s'avança soudain vers lui, d'un pas résolu.

— Viens le voir.

Il la repoussa.

— Pas encore... Je veux connaître les détails. D'où venait-il quand on l'a transporté à l'hôpital?

— Il était déjà paralysé. On l'a trouvé dans une chambre sordide, seul, étendu sur un lit. La logeuse a prévenu la police, qui l'a fait hospitaliser... Il habitait cette maison depuis une semaine seulement.

— Et avant?...

— Personne ne le sait...

— Il n'a donc rien dit?

— Il ne parle pas, répondit-elle en tournant la tête. Il ne parlera plus jamais...

Elle fit une pause avant d'ajouter avec indifférence:

— Mais il entend... et il voit.

— Il a toute sa lucidité?

— Presque toujours...

Mathieu, perplexe, cherchait à comprendre l'attitude de sa mère. Cette indifférence était-elle naturelle ou voulue? Ce calme inusité, surtout dans une circonstance semblable, ne laissait pas de le surprendre. Que cache-t-elle donc? Sa rage d'être forcée mainte-

nant de soigner par devoir un homme qui l'a si mal
traitée? Son dépit de le retrouver ruiné? Comment
expliquer alors cet accent de triomphe qu'elle avait
tantôt? Il chercha à se rappeler une photographie de
son père qu'Eugénie Beaulieu, conservatrice par nature, gardait dans son boudoir, sorte de temple fami-
lial où l'on retrouvait, suspendus aux murs, tous les
vivants et les morts de son entourage. « Le beau
Jules », comme tout le monde l'appelait, brillait dans
son cadre, au milieu des autres, de toute la splendeur
d'une jeunesse insolente et insoucieuse de l'avenir.

Pris soudain d'une ardente curiosité, Mathieu se
leva.

— Je veux le voir, dit-il fébrilement.

Lucienne eut un mouvement presque joyeux.

— Viens...

Elle passa la première, marchant d'un pas léger. Sa
longue silhouette, habituellement si rigide, semblait
tout animée. Il l'arrêta au moment où elle allait ouvrir la porte, cachant mal un trouble subit, déjà prêt
à renoncer à cette rencontre.

— Attendez, murmura-t-il, il dort peut-être...

— Bah! il a toute la journée pour dormir, il n'a que
ça à faire.

Elle avait trop désiré cette minute pour accepter de
la retarder. La lumière jaillit dans la petite pièce. Les
jambes molles, luttant mal contre une émotion gran-
dissante, Mathieu se surprit à penser:

« S'il me regardait avec amitié... une petite lueur
d'amitié, si petite soit-elle, je lui pardonnerais tout... »

Mais il s'arrêta sur le seuil, retenant son souffle, saisi d'horreur et de dégoût.

L'œil hagard sorti de l'orbite, le front presque entiè-
rement privé de sourcils, le visage blême, les cheveux
clairsemés laissaient voir le crâne, la peau boursouf-
flée, la lèvre épaisse et molle, d'une couleur malsaine,
indéfinissable, Jules Normand n'appartenait pas encore à la mort et pourtant la vie, déjà, l'avait rejeté.

Mathieu, figé dans une immobilité dont il eut été
incapable de sortir, ne parvenait pas à détacher son
regard de l'homme dont on lui avait, depuis sa naissance, vanté le charme et la beauté.

— Ça?... Ça, le beau Jules? murmura-t-il d'une voix
éteinte.

Si bas qu'il ait parlé, le malade sembla l'avoir entendu, car il ouvrit les yeux. Lucienne s'approcha de
lui avec un sourire où se mêlait le triomphe, la haine
et le mépris.

— Oui, c'est ça le beau Jules, railla-t-elle. C'est ça.
Elle se mit à rire.

— Tu vois ce qu'il est devenu? Cette bête malade,
à moitié pourrie!

— Taisez-vous, balbutia Mathieu, il vous entend
peut-être...

Cette fois, le rire de Lucienne monta, sarcastique.

— Mais, c'est bien ce que je veux! Je veux qu'il
sache où le plaisir l'a mené... Hein, Mathieu, quel
père je t'ai donné! Alcoolique, syphilitique, paralyti-
que... Tu en as de la chance, mon garçon!

Son rire ne s'arrêtait plus.

— Taisez-vous, oh! taisez-vous! Il fallait le laisser
là-bas... Pourquoi l'avoir ramené ici?

Une lueur dure brilla dans les yeux de Lucienne
tandis qu'elle répondait d'une voix étouffée:

— Es-tu fou? Il m'appartient!

Elle se tut aussitôt, craignant d'en avoir trop dit.
Quelques secondes passèrent. Sûre d'elle-même maintenant, Lucienne reprit:

— Viens, Mathieu, viens faire la connaissance de ton
père. Tu vois bien qu'il ne peut pas se retourner.
Approche un peu pour qu'il te voie...

Il fit quelques pas, mais voulut reculer avant d'atteindre le lit. Lucienne dut le tirer par la manche.

— Viens, viens, dit-elle doucement.

Il s'avança, le cœur soulevé de dégoût, et se pencha
vers les yeux privés de cils, y cherchant un signe de

conscience, une lueur qui lui permettrait d'espérer
que l'intelligence, que l'esprit vivaient toujours dans
ce corps en voie de décomposition. Mais qu'y avait-il
d'autre que la démence dans ce regard? Démence et
abêtissement...

Lucienne se courbait aussi, parlant d'une voix claire,
prenant soin de bien scander ses mots.

— C'est ton fils, Jules, le vois-tu? C'est Mathieu,
ton fils...

Elle reprenait sa phrase, la répétant avec insistance,
cherchant à en faire pénétrer le sens dans le cerveau
de son mari.

— C'est ton fils, comprends-tu? C'est ton fils...

Exaspérée, elle le secoua par les épaules. Une expression de douleur crispa les traits du malade, tandis
que sa bouche se tordait, proférant des sons rauques
qui n'avaient rien d'humain.

— Laissez-le... vous voyez bien qu'il ne comprend
pas! Vous lui faites mal...

Elle se redressa, brûlant d'une haine désespérée
qu'il fallait assouvir.

— Je veux qu'il comprenne! Le médecin dit qu'il
a presque toujours sa raison et que ces crises de démence sont brèves... Attends, ça va passer... Ne t'en
vas pas, ça va passer...

Sa voix tremblait à la fois de fureur et de découragement. Brisée par toutes les émotions qu'elle avait
éprouvées dans la journée, épuisée par cette dernière
scène, elle parvenait de moins à moins à contenir l'intensité des sentiments qui l'agitaient.

— C'est ma vengeance, comprends-tu, c'est ma vengeance... Il faut qu'il te voie, qu'il sache qui tu es...
que c'est tout ce qu'il m'a laissé...

Les sanglots l'étouffaient; elle s'arrêta, employant
ce qu'il lui restait d'énergie à se ressaisir. Derrière
elle, Jules continuait à râler. Mathieu se redressa, en
proie à un désespoir qui annihilait sa volonté de penser. Il fit un pas vers la porte, mais Lucienne, plus

vive que lui, courut la fermer violemment, s'y adossant pour empêcher le jeune homme de passer. Le
visage inondé de larmes qui s'insinuaient dans les
rides, elle s'exclama d'une voix à la fois impérieuse et
suppliante:

— Reste! Reste encore, Mathieu... Ce ne sera pas
long... Cet après-midi, il comprenait très bien tout ce
que je lui disais. Reste, ne t'en vas pas... Si tu restes,
je serai bonne pour toi... je ne t'ennuierai plus!
Reste... je veux qu'il te voie! C'est ma seule vengeance... je l'ai attendue si longtemps.. ne me l'enlève pas!

Elle sanglotait, impuissante maintenant à jouer un
rôle, renonçant à mentir, implorant, sans orgueil, le
secours même de sa victime.

Mathieu resta un moment immobile, envahi par
une multitude de pensées incohérentes. Mais une
idée se présenta soudain qui balaya toutes les autres:
Partir... Partir...! Partir! Ce mot emplissait sa tête,
martelait ses tempes: Partir!... Des images passaient
devant ses yeux: rues interminables, bois sans orée,
champs sans limites, plaines sans fin, routes à perte
de vue. Partir!...

N'obéissant plus qu'à son instinct, il repoussa brutalement sa mère, quitta la pièce et courut vers la
porte en saisissant son manteau au vol. Même dehors,
sous la pluie, il continua à courir, sans réfléchir, droit
devant lui, fuyant, fuyant toujours...

# CHAPITRE XII

La pluie continue: une pluie qui ne cessera jamais. Mathieu court. Où aller?... Où aller pour ne plus souffrir? Où aller pour oublier?

« Qu'est-ce que je fuis? Qu'est-ce que je fuis? C'est ridicule de tant courir... Si loin que j'aille, il sera toujours mon père, elle sera toujours ma mère... et je serai toujours ce que je suis... Alors pourquoi courir? Qu'est-ce que je fuis? Qu'est-ce que je crois fuir? »

Mais il court toujours. Ses lunettes noires, embuées d'eau, le forcent pourtant à s'arrêter. Il les enlève et se remet en marche, d'un pas normal qui devient bientôt un pas traînant, car il devine maintenant où cette nuit le conduit.

« Il n'y a pas d'autre but, pas d'autre solution... »

Il essaie de penser froidement à sa mort, mais ne parvient qu'à gémir:

— J'aurais tant voulu aimer la vie... Pourquoi me rejette-t-elle?

Il cherche encore, mais en vain, une autre issue à son désespoir. « Si au moins j'entrevoyais une petite espérance, un moyen, si petit soit-il, d'être heureux un jour, mais je ne vois rien. Il n'y a rien à espérer, rien à attendre, ni des autres, ni de moi... » Son existence se déroule devant lui; souvenirs d'enfance, souvenirs d'adolescence; larmes, révoltes, haine, colère, angoisse, accablement, rien d'autre! Il passe en revue les emplois qu'il a tenus depuis dix ans, les journées de parasitisme chez les Beaulieu, les retours au bercail, les repas lugubres en face de Lucienne, les soirées solitaires à ruminer, dans sa chambre, ses raisons de souf-

frir: haine encore, derniers soubresauts de rébellion,
amertume, dégoût, mépris, haine encore, haine toujours. Enfin l'alcool, l'alcool qui tue en lui les derniers vestiges de fierté, l'alcool abrutissant...

— Il y a aussi cette solution, ricana-t-il. J'ai le choix
entre mourir et devenir comme mon père!

Mais cette idée provoque en lui un tel dégoût que
le rire se fige sur ses lèvres. « Danielle! » gémit-il dans
un appel désespéré. « Danielle! » Il songe qu'il aurait
dû lui écrire. Ce qu'il n'osait avouer de vive voix,
peut-être aurait-il pu l'écrire? Mais qu'aurait-elle compris de son tourment? Le mal remonte trop loin dans
son enfance. Il aurait fallu lui envoyer toutes les pages qu'il a noircies de notes depuis tant d'années. Il
songe soudain à ses deux derniers cahiers dont il ne
s'explique pas la disparition. Que sont-ils devenus?
Où les a-t-il égarés? Quelqu'un les a-t-il lus? Danielle
seule les comprendrait, Danielle seule, qui peut-être a
deviné sa détresse. Danielle, Danielle...

— *Répare le mal que tu as voulu faire. Meurs si tu
veux, mais ne laisse pas de saletés derrière toi.*

Mathieu, étonné, s'arrête brusquement saisi par cette voix dont il se croyait délivré et qui vient de se
réveiller au plus profond de lui-même, après des mois
de silence. Va-t-il feindre de ne pas l'entendre, ou raisonner avec elle comme il avait coutume de le faire?

— Il est trop tard! murmure-t-il. L'article est écrit...

— *Ne le laisse pas publier. Cours au journal! Dé-
pêche-toi!*

Le retour de cette voix après tout ce qu'il a fait
pour la rendre silencieuse, le bouleverse autant que
le retour d'un ami; un ami qui le connaîtrait mieux
qu'il ne se connaît lui-même.

Courant vers un poste de taxi, il donne l'adresse du
« Matin ». Trois heures... Arrivera-t-il à temps?... Il
ne faut pas que cette critique soit publiée, il ne faut
pas laisser à Danielle l'impression que sa dernière pensée a été dictée par la haine. Fébrile, il pousse le

chauffeur à redoubler de vitesse. « Si j'arrive à temps, je ne ferai paraître que la première partie, celle des éloges... »

Surpris de le voir entrer en coup de vent dans son bureau, le secrétaire de rédaction s'offusque:

— Qu'est-ce qui vous prend?

— Excusez-moi, bafouille Mathieu à bout de souffle. J'étais pressé de reprendre mon texte afin de...

— Allons donc! Vous savez bien qu'il est sous presse en ce moment!

Accablé, le jeune homme se laisse tomber sur une chaise.

— En êtes-vous certain?

Un regard soupçonneux l'examine.

— Etes-vous saoûl? Oubliez-vous que le journal sort à cinq heures?

Mathieu, découragé, reste silencieux et immobile, mais l'image de Danielle revenant à son esprit, l'incite à se lever et à courir à l'imprimerie. Arrêtant un contremaître qui passe, il l'interroge, haletant:

— La page sept est-elle passée?

— Elle est sous presse. On vient de la commencer.

— Arrêtez les machines! s'écrit Mathieu d'une voix désespérée.

Le contremaître le regarde, les bras ballants, inquiet, presque gêné, soupçonnant le nouveau journaliste d'avoir perdu la raison.

— Le directeur est le seul qui...

Mathieu s'emporte et lui coupe la parole.

— Faites ce que je vous dis! J'en prends toute la responsabilité. Dépêchez-vous!

« Il ne faut pas les contrarier, songe l'autre en l'entraînant vers la sortie. »

— C'est bon, mon vieux, c'est bon, je ferai ça pour vous, mais rapportez-moi d'abord un ordre du patron.

Comprenant sa pensée, Mathieu se dégage, irrité. Il est le premier à se rendre compte de l'énormité de ses exigences, mais que lui importent, ce soir, les résultats de sa conduite?

Déjà prévenu, le secrétaire de rédaction le reçoit mal.

— Voulez-vous me dire ce qui vous prend de donner des ordres ici? Vous êtes employé pour écrire et non pour commander.

Mathieu s'entête.

— Je veux mon article.

— Il était excellent, votre article; je l'ai lu, soyez tranquille. Allez vous coucher, vous avez trop bu. Et ne remettez jamais les pieds au journal dans cet état. Le directeur en a renvoyé d'autres pour des fautes moins...

Le directeur! Mathieu ne retient que ce mot et repart, toujours courant. Trop surexcité pour attendre l'ascenseur, il descend les marches par grandes enjambées et traverse le hall à toute allure. Sur le trottoir, pourtant, il s'arrête, saisi par l'absurdité de sa démarche. Jamais le directeur ne consentira à le recevoir à pareille heure et, si toutefois il le faisait, ce serait pour le soupçonner, comme les autres, d'être en proie à l'ivresse ou à la folie.

Atterré, il s'adosse à la vitrine d'un marchand d'objets de piété. Les yeux fermés, écrasé, submergé par trop d'émotions, il croit voir Danielle lui sourire.

— Pardon, Danielle, murmure-t-il tout bas, pardon... vous voyez, ce n'était pas possible. Pour cela aussi il est trop tard.

Cette image pourtant lui donne un surcroît d'énergie et le redresse. Il vient de penser que son parrain, qui a réussi si rapidement à le faire entrer au « Matin », doit avoir des intérêts dans l'affaire. Peut-être qu'en le faisant chanter un peu...

Il se hâte vers un restaurant et s'engouffre dans une cabine téléphonique. La réception de Nicole lui donne lieu d'espérer qu'Etienne Beaulieu, malgré l'heure tardive, n'ait pu aller dormir. Une voix inconnue s'enquiert au bout du fil. Il entend la musique et des rires.

« Ça continue... Danielle est peut-être encore-là... Si elle savait tout le mal que... »

— Allô?...

Cherchant à retrouver le ton désinvolte qui lui a si bien réussi quelques semaines plus tôt, le jeune homme commence:

— Allô, parrain? Je regrette de vous déranger au milieu de vos réjouissances...

L'industriel ne manifeste aucune surprise et demande simplement:

— Qu'est-ce que je peux faire pour toi?

— Je... heu... Il faudrait que ce soit vite fait! bredouille Mathieu, décontenancé par la simplicité de cet accueil.

— Mais encore?...

— Il s'agit d'arrêter la publication de ma critique sur « Les Mouches »...

— Qu'est-ce qui t'en empêche?

Le jeune homme, qui s'est ressaisi, se met à rire. Son petit rire sec des jours de haine.

— Le secrétaire de rédaction, figurez-vous! L'article est sous presse et le bonhomme refuse d'arrêter les machines pour me faire plaisir.

Malgré ses efforts pour être sarcastique, l'inquiétude domine sa voix. Il le constate et cherche à se reprendre.

— J'avais pensé... Il faudrait que vous appeliez le directeur et que vous le forciez à intervenir.

Etienne s'exclame:

— Mon pauvre enfant, il n'y consentira jamais. Tu sais ce que ça représente. Il faudra recommencer la page et...

— Il le faut! Qu'il le fasse! ordonne Mathieu à bout de ressources. Si vous refusez de l'appeler, je vous préviens que j'avertirai marraine au sujet de...

— Assez, assez, Mathieu.

La voix plus douce reprend.

— Tu ne comprends donc pas que je suis prêt à t'aider?

Cet accent de tendresse brise Mathieu qui n'avait prévu que protestations. Il sent des sanglots lui monter à la gorge et parvient mal à les refouler.

— Il faudrait, commence-t-il, il faudrait...

Mais il laisse sa phrase inachevée, envahi par une amertume qui le prive de tous ses instincts de lutte.

— Ah! tant pis! murmure-t-il. C'est trop compliqué... Ça n'a peut-être pas tant d'importance. Laissez faire.

Etienne Beaulieu s'inquiète.

— Attends Mathieu... où es-tu en ce moment?

— Oh! laissez, laissez, merci parrain.

— Mathieu? Mathieu, attends!... Allô Mathieu?... Mathieu?...

Mais le jeune homme a raccroché et sanglote, les coudes appuyés sur la planchette du téléphone. Cette phrase de son parrain, la tendresse de sa voix se confondent déjà dans son cœur avec les paroles de Danielle.

« Lui non plus ne me détestait pas... Il n'a même pas eu l'air de me mépriser... »

Comme l'amitié de Danielle, cette tendresse se révélait trop tard. Trop tard... Tout est venu trop tard.

Ses sanglots le dépouillent du reste de haine et de rancœur qui subsistait en lui. Essuyant ses larmes, il sort de la cabine et boit un café au comptoir. Il s'aperçoit dans la glace de la « fontaine », les traits tirés, les yeux battus, et esquisse le geste rapide de reprendre ses lunettes noires, mais il hausse les épaules. « Ça n'a plus d'importance. Plus rien n'a d'importance. »

Le brouillard à nouveau le pénètre, et la pluie. Mathieu songe à sa mort et parvient à l'envisager calmement, froidement. Quel moyen choisir? Il n'a à sa disposition que les moyens des pauvres: le train qui

passe, la noyade, le saut du haut d'un édifice... Plutôt
la noyade, au petit jour, du côté de Lachine où les
rapides bouillonnent même en hiver. D'ici là, marcher, épuiser ce qui lui reste de forces jusqu'à être vidé
de toute résistance, jusqu'à ce que la mort devienne
aussi invitante que le sommeil. Il monte la rue Bleury,
regarde les vitrines, s'arrêtant sans cause et repartant
sans but.

Agacé par le son aigu des tramways crissant sur les
rails mouillés, il s'engage sur l'Avenue des Pins, mais
la traverse bientôt, tenté par le Mont-Royal que le
brouillard enveloppe de mystère.

« Dernière ballade d'un condamné. Le temps de
monter à l'observatoire, de redescendre et le jour se
lèvera. Ce sera le moment... »

La nuit est douce, malgré la pluie. Mathieu ne sent
pas l'humidité qui alourdit ses vêtements; tout au plus
la constate-t-il machinalement, sans en souffrir. Ici,
comme ailleurs, des flaques d'eau se creusent dans la
neige, mais la route est praticable. Il monte lentement,
se retournant de temps à autre pour voir la ville qui
disparaît à ses pieds. Des zones de brume se dissolvent
et se reforment sur son passage. Un escalier se dresse
soudain devant lui, dont les marches se perdent dans
les nuages, reliant la terre au ciel.

— L'échelle de Jacob! Je trouverai peut-être des
anges pour m'accueillir là-haut.

La lumière de la croix perce à travers les nuages
auréolant la montagne d'une vapeur rose, légère,
mousseuse, qui se gonfle et s'élève, se plie et se détend,
s'enroule et s'allonge, avec des mouvements imprécis
d'écharpe vaporeuse.

Indifférent au jeu de la brume qui crée autour de
lui une atmosphère de roman anglais, Mathieu gravit
l'escalier, poursuivi, torturé par le souvenir de son
père. Cet homme, qu'il a toujours imaginé vivant
d'amour et de joie et qui n'a jamais cessé de représenter à ses yeux le symbole même de la beauté et de la

liberté, n'a donc inconsciemment tendu qu'à sa des-
truction? Sa fin ressemble à celle des mélodrames hon-
nêtes. Il n'arrive pas à comprendre qu'ayant tenu en
mains tous les éléments du bonheur le beau Jules n'ait
abouti qu'à la déchéance.

La vie austère de Lucienne s'impose à lui, par anti-
thèse. Vie de femme pauvre, mais digne, avec tout ce
que le rapprochement de ces attributs comporte de
privations et d'ennui, d'économie et de travail, de courage et d'énergie. Entre le plaisir et le devoir, sa mère
a choisi le devoir. Aussi n'est-elle pas aujourd'hui
paralysée, alcoolique et syphilitique; mais est-elle plus
heureuse? A-t-elle jamais été heureuse?

« Faut-il conclure que ni le devoir, ni le plaisir ne
mènent au bonheur? Mais alors, qu'est-ce qui y mène?
Y arrive-t-on jamais? Existe-t-il seulement? »

Mathieu soudain éclate de rire.

« A deux pas du suicide, j'ergote encore sur le bonheur! Faut-il que j'en aie rêvé! Il n'y a pas de bonheur, pauvre fou, pas de bonheur! Accepterais-tu de
mourir s'il existait?»

Dernières marches. Mathieu reprend sa route vers
le sommet, mais doit bientôt s'arrêter devant un énor-
me amas de pierres qui s'entassent les unes par-dessus
les autres, s'appuyant au rocher dont elles se sont dé-
tachées. Rebrousser chemin? Il songe à ce qui l'attend au pied de la montagne...

« Pas encore... Pas avant l'aube! »

S'approchant de la pente, il l'examine soigneusement. Ses yeux habitués à la nuit constatent sans peine la hauteur du rocher. Trente à trente-cinq pieds...
Il n'y aurait qu'à l'escalader et à redescendre de l'autre côté. D'abord étudier le terrain, trouver un endroit accessible. Ici?... Là, plutôt; aucun danger. La
neige dans laquelle il enfonce protège sa montée et
lui permet de contourner le rocher sans difficulté,
mais pour s'apercevoir que celui-ci continue de plus

en plus abrupt. Le risque est trop grand. Il décide
de revenir sur ses pas et s'étonne d'avoir tant de peine
à reprendre en sens inverse le chemin qu'il vient de
parcourir. La neige, piétinée, amollie par la pluie,
glisse maintenant sous ses pieds. Mathieu s'inquiète,
devient fébrile. De secondes en secondes le danger lui
paraît plus grand. Chacun de ses gestes menace de le
jeter contre le sol. Oubliant qu'il a choisi d'en finir
cette nuit même avec une vie qui ne lui offre pas d'autre issue que le désespoir, il s'agrippe de toutes ses
forces aux racines d'un arbuste. Une terreur animale
le colle au versant, traqué, immobile, épouvanté. Affo-
lement. Panique.

« Je vais me tuer! Je vais me tuer! »

— *Calme-toi! Si tu as peur, tu es foutu! Domine-
toi!*

Lutter contre la peur, oui, lutter contre la peur,
c'est l'essentiel! Il faut lutter contre la peur! Rester
calme malgré tout. J'y arriverai! J'y arriverai! Il
faut que j'y arrive! Je n'ai pas peur! Je n'ai pas
peur!... Le tumulte de son cœur s'apaise peu à peu.
La lucidité revient, et le courage. En pleine possession
de ses moyens, il se prépare à repartir et tâte soigneusement l'endroit où il doit poser les pieds. Le risque
lui semble si grand que l'angoisse renaît aussitôt. Je
suis fini! Je n'en sortirai pas! Je suis fini! Regard
désespéré vers le sommet. La partie supérieure de la
pente lui paraît soudain moins escarpée qu'il ne
l'avait cru et lui rappelle qu'il n'a eu tout à l'heure
aucune difficulté à monter. Puisqu'il n'arrive pas à
descendre, il faut continuer à grimper. Toujours ac-
croché à l'arbuste, il enlève ses gants afin d'avoir les
mains libres. Ascension. C'est ce qu'il fallait faire.
J'aurais dû y penser plus tôt. Ça sera plus long, mais
c'est plus sûr. Plus sûr, c'est à voir! La neige imbibée
d'eau le supporte mal et entraîne plusieurs fois dans
sa chute ce poids qui la repousse vers le sol.

« Je vais me tuer! Je vais me tuer! »

*— Reprends-toi! Recommence! Ne lâche pas! Ta
vie est en jeu; défends-la*

Un sursaut d'énergie le force chaque fois à repartir,
à reprendre le terrain perdu, à poursuivre la lutte, à
triompher coûte que coûte.

« Non, je ne tomberai pas! Non, je ne mourrai pas!
Pas ici... Pas comme ça... Quand je voudrai! Quand
je serai prêt! Pas ici... Pas ici! »

Tout le sert maintenant: la moindre aspérité, le
plus petit arbuste. Rien ne lui échappe. Il joue des
pieds et des mains, il invente des ruses, il rampe, il se
traîne, il lutte, il se bat. Vivre! Vivre à tout prix!

Le sommet se rapproche. Il entrevoit la délivrance.
Son corps s'épuise et tremble, mais une force intérieure le domine et l'entraîne. Tout ce qu'il y a en lui de
combatif, les moindres cellules vivantes de son cerveau, de ses artères, de ses muscles, s'acharnent à le
sauver.

Encore dix pieds... Encore cinq pieds... Un brouillard épais l'enveloppe pendant de longues secondes
d'un voile impalpable qui lui cache les obstacles et le
force à s'arrêter jusqu'à ce que la brume se dissolve.
Son regard aveuglé par la pluie qui persiste, cherche
à nouveau des points d'appui. Enfin, sa main s'agrippe à un bouleau dont les racines plongent en terrain
horizontal; enfin il parvient à se hisser sur le sol et à
ramper dans la neige, assez loin pour se sentir en sécurité; enfin il peut se laisser choir à plat ventre, la
tête en feu, et renoncer à la lutte.

Le ciel et la terre tournent autour de lui tandis
qu'il reste étendu, écrasé, prostré, à bout de forces.
Pourtant une sensation étrange le pénètre peu à peu.
Sensation de joie, de joie si grande qu'elle domine
son épuisement et le tient en éveil. Joie et triomphe.
Agité, il se redresse, jambes molles et mains tremblan-
tes, et s'appuie à un arbre, bouleversé par toutes les
sensations qui s'emparent subitement de lui.

— Mais qu'est-ce que j'ai? murmure-t-il avec étonnement. Qu'est-ce qui m'arrive?

Le visage ruisselant de pluie, il éclate de rire, d'un rire mêlé de larmes. Il sent bien que ces larmes le libèrent, le délivrent, mais de quoi? Quelle est la source de l'exaltation qui l'anime subitement?

— Qu'est-ce qui m'arrive? répète-t-il en proie à une exubérance qu'il n'a jamais connue. Qu'est-ce qui m'arrive?

La ville à ses pieds disparaît. Perdues dans le brouillard, les affiches lumineuses allument partout des feux de Bengale multicolores dont les vapeurs s'élèvent et semblent monter vers lui. Une impression de puissance s'empare de Mathieu. Renonçant à s'analyser, il s'abandonne sans contrainte au lyrisme d'une joie neuve qui efface en lui toute trace de fatigue antérieure, balaie les vaines rancunes et chasse le désespoir. Son corps lui semble subitement léger, détaché de la terre, soulevé, emporté vers des mondes meilleurs où la misère et la mort n'existeraient pas. Cette joie le ravit, le transporte.

— Je vis!... J'aurais pu crever, mais je vis!... J'ai triomphé! Tout seul! J'ai triomphé! Ma vie est à moi!

Seule l'idée de sa mort parvient à réveiller Mathieu d'un accès de délire et de transcendance qui lui semblait devoir toujours durer. Un frisson l'agite, tandis qu'il repousse violemment toute pensée de suicide.

« Non! Non, je ne mourrai pas! Je ne suis pas sorti d'ici pour aller mourir ailleurs! Je veux vivre! »

Son enthousiasme retombe pourtant à la pensée de ce qui l'attend. Vivre comment? Vivre de quoi? Il ne voit pas de réponse. Tout ce qu'il sait, tout ce qu'il sent, c'est qu'il traînera longtemps avant d'avoir le courage d'en finir avec une vie qu'il a si âprement défendue. Le désenchantement succède à la frénésie, la prostration, au lyrisme; un si grand accablement l'abat qu'il trouve à peine la force de chercher un autre chemin pour redescendre à la ville.

L'aube se lève, une aube plus froide que la nuit, qui alourdit la pluie et la transforme en neige.

Mathieu, au pied de la montagne, s'écrase dans un taxi.

— Conduisez-moi à une maison de chambres, n'importe laquelle, dit-il au chauffeur.

— Je vais vous emmener chez mon frère qui tient une pension sur la rue Marianne, ça fait-y votre affaire?

— N'importe où, soupire Mathieu, n'importe où.

L'humidité et le froid le font maintenant souffrir; ses vêtements trempés le glacent. Il entre, claquant des dents, soutenu par le chauffeur qu'il paie sans même s'en rendre compte. Le propriétaire, un obèse souriant et hospitalier, lui fait boire un cordial et lui propose de faire sécher ses vêtements pendant qu'il dormira. Mathieu s'écroule sur le lit sans répondre et sombre dans un sommeil lourd.

Vers quatre heures de l'après-midi, le patron, inquiet, vient frapper à sa porte.

— J'ai pensé que vous seriez peut-être obligé de sortir...

— Non, soupire Mathieu, laissez-moi dormir.

Mais il ne retrouve plus son sommeil et la faim le pousse à se lever.

Il appelle, surpris de ne pas trouver ses vêtements qu'une femme lui rapporte bientôt.

— Mon mari vous a déshabillé. Y avait peur que vous preniez du mal avec votre linge mouillé.

Peu habitué aux prévenances, Mathieu, aussitôt seul, fouille ses poches, surpris d'y retrouver la somme qu'il croit y avoir laissée la veille. Il rougit de ses soupçons, mais se dépêche de railler, par habitude.

« Du bon monde, comme dit ma marraine! »

Il enfile à la hâte ses vêtements froissés, passe tout juste sa main en éventail dans ses cheveux défaits, remercie son hôte, paie et s'en va.

Dehors, l'hiver est revenu, plus froid, par contraste. On a répandu du sable partout sur les trottoirs et dans les rues. Affaibli par la faim, Mathieu entre dans le premier restaurant qu'il trouve: une petite salle pauvre et triste où la peinture s'écaille sur les meubles. Assise derrière la caisse, une fille maigre, ornée d'une indéfrisable bon marché et chaussée de savates, écoute en louchant l'épisode d'un roman-fleuve radiophonique.

Mathieu hausse les épaules.

« Hé quoi! Cette médiocrité est à la mesure de ma vie! Je devrais me sentir ici comme chez moi. Rien de ce qui est morne et miteux ne devrait m'être étranger. »

Et, comme il n'est pas fâché de ce qu'il vient de penser, il fait un sourire volontairement niais à la servante qui lui tend un menu graisseux.

— Un steak et des frites, commande-t-il, repoussant la feuille. Faites vite, je meurs de faim.

La vue du comptoir où s'empilent les journaux le pousse à la rappeler.

— Dites donc, vous n'auriez pas un numéro du « Matin » à me vendre?

Page cinq, page six, page sept... La critique de Mathieu ne se trouve nulle part. On l'a remplacée par deux photos de Danielle et Bruno au-dessous desquelles une note de la rédaction explique que, par suite de circonstances incontrôlables, le journal se voit dans l'impossibilité de parler de la représentation et assure ses lecteurs qu'ils trouveront dans le numéro du lendemain tous les détails concernant la pièce.

« Il a réussi, songe Mathieu, il a réussi à leur faire reprendre la page. Le journal a dû sortir en retard... »

Un soupir de reconnaissance envers son parrain s'échappe de sa poitrine tandis qu'il croit entendre encore l'accent de tendresse qui l'a tant ému la veille. Mais il se sent mal à l'aise. Cette marque d'affection incompréhensible le trouble et l'agite tellement que l'ancienne méfiance, la vieille méfiance de tous les jours, se réveille bientôt. « Pourquoi a-t-il fait cela? Quel est son intérêt? Comment croire que j'inspire à mon parrain une amitié assez grande pour justifier une démarche aussi importante? Pourquoi m'aimerait-il? Ce n'est pas possible. Il devrait plutôt me mépriser! A-t-il eu pitié de moi? Je ne veux pas qu'on ait pitié de moi! »

La fille maigre revient, apportant une assiette et des ustensiles.

— Thé, café ou lait? demande-t-elle, un poing sur la hanche.

— Café. Apportez-le tout de suite.

Il mange avec appétit, bien que le steak soit trop cuit et que les frites ruissellent de graisse. A la radio, les voix des acteurs se taisent, remplacées par celle de l'annonceur qui commente un programme musical. « Que faire maintenant? songe Mathieu. Comment gagner ma vie? » Il n'est pas question de retourner au « Matin » où il devine bien qu'il serait mal reçu. Chercher une fois de plus l'appui d'Etienne Beaulieu? Non, la meilleure façon de lui prouver sa reconnaissance — au cas où il lui en devrait — est encore de ne plus l'importuner. Il faudra donc qu'à l'avenir il se tire d'affaire sans l'aide de personne. Quant à sa mère...

« Celle-là, que le diable l'emporte! Vivre entre elle et le beau Jules, non merci! Elle aussi, il faudra bien qu'elle se débrouille toute seule. D'ailleurs, Eugénie est là; et tant qu'à faire, les Beaulieu se chargeront bien aussi de mon père... »

Le visage du malade qu'il revoit sur l'oreiller, met fin à son cynisme et l'accable à nouveau. Il a beau faire, ce visage lui coupe l'appétit. Impossible de finir son repas. Pris de nausée, il repousse son assiette et rage intérieurement.

« Ah! j'aurais dû mourir aussi! Quelle bêtise d'avoir survécu à cette nuit! »

Accablé, il ramasse le journal et parcourt la colonne des emplois. Rien d'intéressant pour lui, aucun travail pour lequel il soit qualifié.

— A quoi suis-je bon? murmure-t-il avec amertume, reprenant inconsciemment la formule des jours de chômage. Je ne suis qu'un raté!

Découragement. Prostration. Regret de ne pas avoir profité de l'occasion qu'il a eue la nuit précédente d'en finir une fois pour toutes avec le malheur. Quelle force secrète a bien pu le pousser à déployer tant d'énergie pour sauver ce corps inutile, ce corps caricatural, ce corps qu'il faut nourrir, soigner, vêtir, ce corps doué d'un cœur écorché, ulcéré? Puisque de

toute évidence, la mort est pour lui la seule solution
possible, la seule sortie de secours, pourquoi l'avoir
repoussée quand elle s'est présentée?

L'exaltation qui a suivi sa victoire lui semble aujourd'hui ridicule, dérisoire. Pourtant il n'a pas le
courage d'en renier le souvenir et cherche même à
l'évoquer lorsqu'il tressaille soudain, brusquement
saisi par les premiers accords de la grande Toccate
et Fugue de Bach.

Inconscient de ce qui lui arrive, Mathieu se sent
vibrer de la tête aux pieds, libéré de ses chaînes. De
nouveau l'envahissent les sensations exaltantes qui
l'ont assailli la veille sur le sommet de la montagne.
Redressant ses épaules, il se met à respirer librement,
largement, tandis que son corps aussi bien que son
esprit tend à absorber cette musique qui le pénètre
de ses ondes.

Autour de lui tout semble se transformer, comme
si une lumière implacable avait pulvérisé les meubles
et les murs de l'établissement. Seules triomphent les
grandes vagues sonores qui viennent à lui du fond
des siècles pour changer cette heure d'amertume en
joie profonde, pour le forcer à réagir contre un accablement stérile, pour lui prouver que la joie est à sa
portée, pour lui assurer qu'il est capable de lutte,
capable d'amour, capable de générosité, capable de
tout ce qui conduit au bonheur.

« C'est la joie, songe-t-il, si ému qu'il a peine à retenir ses larmes. C'est la joie... Je la reconnais maintenant. C'est ce que j'ai éprouvé cette nuit... Deux fois
en si peu de temps... C'est donc qu'il y a en moi tout
ce qu'il faut pour l'accueillir, c'est donc qu'elle ne
m'est pas plus étrangère que ce morne restaurant auquel je m'associais tantôt! C'est donc qu'il y a place
en moi pour la joie!

Il se sent baigné dans une atmosphère si pure, si
sereine, qu'il croit respirer l'air des hautes cimes et
recevoir en pleine figure le souffle d'un grand vent

qui a raison de toutes ses incertitudes. La lumière se
fait en lui, éclairant les grandes lignes de sa vie.

« Oui, j'avais raison de chercher ailleurs! Ce n'est
pas vrai ce qu'elle disait que j'étais né pour la médiocrité! C'est elle qui me trompait avec ses phrases idio-
tes et creuses! Elle et les autres... Ils m'ont tous trompé!

Un mouvement de colère le soulève contre sa mère,
contre ce répertoire acrimonieux dont elle a assaison-
né son enfance.

— Quand on est né pour un petit pain... né pour
souffrir... né pour la misère... S'il y a du bonheur, il
n'est pas pour nous... Tu n'as pas été créé pour faire
ce qui te plaît... Nous ne sommes pas sur la terre
pour être heureux... Le bonheur n'est pas de ce monde... Vie de malheur... Vie injuste... Ah! sale vie!...

Et au collège, ne lui a-t-on pas appris la même ran-
gaine sur un ton différent, sur un rythme grégorien?

— L'homme condamné à souffrir pour réparer le
premier péché, portant dès sa naissance le poids d'une
faute qu'il n'a pas commise... La triste condition
humaine... La pauvre humanité ployant sous le poids
de la douleur... Satan qui veille, la tentation qui rô-
de, partout le mal, le péché... Souffrez donc pour
expier... Il faut souffrir pour mériter le ciel... Offrez
vos douleurs au bon Dieu... pliez le front, courbez la
tête, repentez-vous...

Jamais il n'avait été question de joie; tout, au contraire, tendait à l'abolir et à faire ramper les âmes
vers le confessionnal. Tout au plus parlait-on de plaisirs innocents, jamais rien qui puisse exalter les enfants et leur faire désirer des bonheurs plus grands.
On l'avait donc trompé toute sa vie? Cette joie qu'il
avait depuis si longtemps pressentie, ce bonheur auquel malgré tout il avait toujours cru existaient donc
en définitive? Il fallait bien que le bonheur existe
puisqu'à deux reprises une sensation puissante l'avait

soulevé au-dessus de lui-même, vers un état de joie pure, presque absolue.

Evidemment, il ne pouvait être question de vivre dans un paroxysme perpétuel, mais ne pouvait-il au moins espérer une espèce de sérénité confinant au bonheur, une paix profonde qui le mettrait à l'abri du désespoir auquel son éducation l'avait poussé? Comment, comment, comment atteindre cette sérénité?

*Cherche, cherche en toi. C'est en toi qu'il faut regarder! Tu le sais, tu l'as toujours su.*

Cette voix qui jaillissait par moments, secrète, intime, au plus profond de son être, en savait-elle plus long, sur le bonheur, que sa raison? Sur son bonheur?... S'il avait toujours suivi ses avertissements au lieu de les repousser, serait-il aujourd'hui plus heureux? Ne semblait-elle pas provenir du meilleur de lui-même, de la partie la plus vraie, la plus pure, la seule qui comptât: celle qui doit dominer, diriger, unifier? Cette voix n'était-elle pas dictée, tantôt par une intuition profonde qui savait, avant son intelligence et mieux qu'elle ce qui lui convenait essentiellement, tantôt par une conscience immanente qui le guidait vers le bien, un bien qui ne pouvait être que source de joie? Ne procédaient-elles pas l'une et l'autre, intuition et conscience, d'un désir, d'une volonté d'unification? Ne tendaient-elles pas également à coordonner les meilleurs éléments de l'être en vue de former une entité? En suivant à la lettre leurs ordres intimes, si pénibles soient-ils parfois, n'arriverait-il pas enfin à l'épanouissement total de toutes ses facultés, c'est-à-dire à la joie?

« Puisque tout le reste m'a trompé, rien ne m'empêche d'essayer maintenant d'être heureux à ma façon... Puisque je sais aujourd'hui à quoi m'en tenir sur leur enseignement fondé sur la souffrance, il n'y a qu'à le rejeter et chercher ailleurs... »

La fille maigre lui apporte la note, Mathieu paie et sourit.

Cette note qu'il vient de régler lui rappelle qu'il doit gagner sa vie, mais sans le décourager. « Gagner sa vie... Comment la gagner? » Il réfléchit, cherchant un moyen qui lui permettrait de se faire assez d'argent pour ne pas être à la merci des autres, tout en lui laissant du temps pour réfléchir. Une inspiration traverse son esprit.

« Pourquoi chercher à Montréal? Qu'est-ce qui m'empêche de partir? De chercher un emploi à la campagne, par exemple? N'importe quoi pour le moment. Ce que je veux surtout, c'est la tranquillité. »

Enthousiasmé par cette idée, il reprend la colonne des offres d'emploi. Rien ne concerne la campagne; il vaudrait mieux aller voir sur place. La page publicitaire des hôtels et pensions des Laurentides attire soudain son attention. « Qu'est-ce qui m'empêcherait de travailler dans un hôtel à titre de comptable ou de caissier? » Intéressé, il parcourt les réclames. Tous les villages sont en vedette: Mont-Rolland, Sainte-Adèle, Piedmont, Val-David, Ivry, Mont-Tremblant... Mathieu rêve, imaginant les montagnes blanches de neige et les grands espaces des lacs gelés; les bois pleins de sapins verts et partout le silence, les horizons estompés, apaisants...

« Val-Morin: Camp des Athlètes. Centre de culture physique », lit-il au bas de la page. « Voilà ce qui me ferait tous les biens en ce moment. Val-Morin... C'est joli Val-Morin. » Il se souvient d'y être passé un jour en automobile avec les Beaulieu. D'autres hôtels annoncent leurs chambres dans le même village, et aussi des pensions de familles.

« C'est là que j'irai d'abord, décide-t-il, poussé par un désir vague qu'il ne s'explique pas mais qu'il croit bon de suivre.

Il compte son argent. Treize dollars et des sous... « Pas de quoi faire des folies, mais tant pis. Il faudra bien que je m'arrange. » Mû par un optimisme qu'il n'a jamais éprouvé avant ce jour, il se lève et regarde autour de lui. Privé de musique, le restaurant est redevenu ce qu'il était: un établissement bon marché, médiocre, sans âme, inexistant. Et pourtant, Mathieu le regarde avec tendresse, comme si c'était à lui qu'il devait sa libération.

# TROISIEME PARTIE

# CHAPITRE PREMIER

Le soleil brille; un beau soleil de mars, plein de vigueur et d'exubérance. Aucun souffle de vent n'agite l'air. Le ciel est pur et lumineux jusqu'à l'aveuglement.

La route monte, contournant le Mont-Sauvage. Mathieu, en nage, enlève son manteau qu'il jette sur ses épaules et s'arrête pour reprendre son souffle. Arrivé la veille, il a passé la nuit dans une pension recommandée par le chef de gare et se dirige à cette heure vers un hôtel auquel il compte offrir ses services de comptable. Pour la première fois de sa vie, il voudrait ne pas douter du succès et repousse vigoureusement les pensées qui risqueraient de compromettre son nouvel état d'esprit.

« Je n'ai qu'à me présenter avec assurance; sans honte ni crainte, sans prétention ni timidité. Etre calme et confiant me paraît plus important que de préparer des phrases. Je me demande si je serai capable d'y arriver... Pour bien des gens ce serait facile. Bruno, par exemple, réussirait ça en un tour de main! Si j'avais au moins une réussite du genre à mon actif, ou si, encore, j'étais physiquement un peu moins moche... J'ai beau me sentir différent aujourd'hui, il n'empêche que j'ai toujours la même tête et le même corps et la même apparence répugnante... Non! si je pars avec cette idée je suis foutu d'avance! Il faut avant tout vouloir et avoir confiance en soi. Supprimer le doute qui a failli me perdre... Il ne s'agit plus « d'être ou de ne pas être »; puisque je renonce au suicide et que je décide de vivre, il s'agit de croire ou

de ne pas croire. Je choisis de croire. Il faut que je
me force à croire en moi, même à l'encontre de tout
raisonnement. Cela seul me sauvera. Croire jusqu'à
la bêtise, pousser la confiance jusqu'à l'absurde! »

Un cri d'avertissement interrompt le monologue de
Mathieu qui s'empresse de reculer. Un skieur passe
devant lui, à peine vêtu d'un maillot de bain, traverse
à toute allure la route qui coupe la pente et rejoint
l'autre versant en soulevant derrière lui un nuage de
neige.

Le jeune homme, stupéfait, le regarde fuir, lorsqu'un nouveau cri le force à se garer. Un deuxième
skieur, demi-nu, file devant lui comme une flèche.
Un troisième, puis un quatrième et un cinquième, à
tour de rôle, surgissent du bois et se poursuivent comme des bêtes en chasse. Ils dévalent sous les yeux de
Mathieu qu'ils éclaboussent de leur beauté et continuent leur course, le regard fixe, les muscles tendus,
offrant au soleil des corps glorieux, invulnérables,
triomphants.

— Qu'est-ce que c'est que ces demi-dieux! murmure
le jeune homme sidéré. Ils ne me feront pas croire
qu'ils ont chaud en maillot de bain à cette saison!

Le souvenir de cette vision ne cesse de l'enchanter
et de le tourmenter. Il y pense encore malgré lui au
moment de pénétrer dans l'hôtel auquel il compte offrir ses services. Que ce hall est sombre lorsqu'on
arrive de la lumière! Un homme s'approche.

— Oui, Monsieur? Vous désirez?...

Constatant qu'il a oublié de se préparer une entrée
en matière, Mathieu, désemparé, bredouille:

— Heu... Je voudrais... Avez-vous de la bière?...

On le fait passer au bar, où il essaie de se ressaisir.
Un garçon apporte une bouteille, Mathieu, songeant
à l'interroger sur la maison, le retient; mais son esprit
s'évade vers d'autres préoccupations.

— J'ai vu tantôt des skieurs en maillot de bain...

— Ça doit être les gars du Camp des Athlètes.

Mathieu revoit dans sa tête l'annonce du journal, tandis que l'autre poursuit:

— Ils font ça tous les ans. Le mois de mars est pas aussitôt commencé qu'on les voit déjà s'étaler au soleil.

— A qui appartient le Camp des Athlètes?

— A Émile Rochat, un Suisse... C'est un ancien lutteur qui a été plusieurs fois champion du monde.

— Vous le connaissez?

— Ben certain! Ça fait quasiment une trentaine d'années qu'il vit à Val-Morin. J'étais pas né qu'il avait déjà son hôtel.

— Comment est-il?

Le garçon hésite, cherchant une définition.

— C'est un drôle d'homme... Y a surtout le sport qui l'intéresse. Il passe ses journées sur des skis.

— Oui, mais quelle sorte de caractère?...

Voyant que l'autre hésite, il essaie de l'aider.

— Est-il menteur, malhonnête, grossier?...

— Oh! non, non, non! C'est un homme qui en impose... mais qui est ben aimable. Il a fait beaucoup pour le ski. C'est lui qui...

Il repart sur ce sujet, se sentant plus à l'aise dans le concret que dans l'abstrait; trouvant plus facile d'énumérer les faits et gestes de Rochat que ses vices ou ses vertus.

— Il est ben extraordinaire pour un homme de quatre-vingts ans passés!

— Quatre-vingts ans! s'étonne Mathieu.

— Pour être franc, personne en est sûr; mais les vieux du village disent ça. A le voir on le croirait jamais. En ski, tenez, il a presquement l'air d'un jeune homme. Même que ses clients, ben des fois, ont peur de le suivre dans les *trails*.

— Quoi, même les athlètes?...

Le garçon proteste:

— Oh! y a pas rien que des athlètes qui vont là. La plupart du temps c'est du monde ordinaire, comme vous pis moi, qui veulent se refaire une santé.

Mathieu, pensif, ne répond pas. Vidant son verre, il se lève et sort sans demander à voir le patron de l'établissement. Sa décision est prise. C'est Rochat qu'il veut connaître. C'est à Rochat qu'il offrira d'abord ses services.

« Je sais maintenant pourquoi je suis venu ici, songe-t-il en redescendant la route, c'est la réclame du Camp des Athlètes qui m'a attiré, même si je faisais semblant de ne pas m'en apercevoir. C'est là que je veux vivre. »

Il s'arrête au bas de la pente pour demander à un passant de lui indiquer l'hôtel de Rochat.

— Par la route, c'est à deux milles à peu près; par le lac, un demi-mille. Si vous êtes à pied, prenez la route, ça marche mieux.

Mathieu suit ce conseil et marche d'un pas qui a la fermeté de ses résolutions. Près du but, pourtant, la fatigue le force à ralentir. La fatigue ou le doute? Tourmenté, indécis, il s'arrête, s'adossant à un banc de neige.

« De quoi aurais-je l'air dans un camp de culture physique? soupire-t-il. C'est ridicule de m'imaginer que je pourrai être heureux parmi une bande de fier-à-bras! »

— *Sauras-tu jamais ce que tu veux? Il n'y a pas deux minutes, tu rêvais d'une vie sportive. Décide-toi!*

« Je veux changer, voilà ce que je veux! J'en ai assez de l'intelligence, du raisonnement, de la littérature! Pour ce que ça m'a donné!... Je veux être heureux!

— *Qui t'en empêche? Si les joies spirituelles ou intellectuelles ne te suffisent pas, cherche ton bonheur ailleurs.*

— Dans un camp de culture physique, par exemple, ricane Mathieu à mi-voix.

— *Pourquoi pas? Si ton corps te fait souffrir, corrige-le, améliore-le, transforme-le, mais fais-le sans honte. Sans honte, comprends-tu?*

Mathieu soupire et se remet à marcher, mais d'un pas qui manque de conviction. Devant le Camp des Athlètes, il s'arrête de nouveau, malheureux à l'idée de pénétrer dans la grande maison formée de rallonges, où logent les skieurs qu'il admirait tantôt.

« Ils vont rire de moi. Je serai ridicule! »

— *Tu t'occupes trop des autres. Seul compte ce qui est bon pour toi.*

« Je sens si bien les humiliations que j'aurai à subir! »

— *Profites-en pour dominer ton orgueil. Oui ou non, veux-tu être heureux?*

Mathieu se décide brusquement à monter les marches; il ouvre la porte et pénètre dans une grande salle éclairée par d'immenses fenêtres qui occupent deux pans de mur. Le silence règne. Personne ne vient à sa rencontre. Content d'être seul, le jeune homme jette autour de lui un regard curieux.

La maison ne lui semble ni belle ni neuve. Les planchers sans tapis sont usés, inégaux. Une table de ping pong mal équarrie, des chaises laurentiennes vertes et rouges, quelques fauteuils aux cretonnes défraîchies, un long comptoir brun et un bahut sans style, garnissent la pièce. Aucune idée d'ensemble ne paraît avoir présidé au choix des meubles qui ont dû s'ajouter d'année en année. Etonné de ne voir personne, le jeune homme pénètre dans une autre salle également vide, meublée aussi rudimentairement que la première. Elles sont l'une et l'autre chauffées par des poêles de fonte entourés d'un écran de tôle. Le tout au premier abord semble délabré, médiocre et serait triste sans les multiples fenêtres où s'encadre le paysage et les photographies qui animent les murs.

Ces photographies représentent des athlètes imitant plus ou moins fidèlement les poses des modèles anti-

ques. Toute la statuaire de la Grèce et de Rome dé-
file sous les yeux de Mathieu: tireurs à l'arc, disco-
boles, coureurs, éphèbes, etc. Une figure revient plus
souvent que les autres; celle d'un homme d'une cin-
quantaine d'années: un corps aux proportions harmo-
nieuses, aux muscles longs et souples. Le cou, solide
et droit, supporte une tête de sénateur romain dont le
profil se découpe toujours impeccablement sur des
fonds de scènes choisis pour le faire valoir.

« Emile Rochat, sans doute. Des anciennes photos,
du moins s'il est aussi vieux qu'on le dit... Il doit être
vaniteux, et soucieux de sa ligne, comme une femme! »

Il l'examine soigneusement, le détestant d'avance,
prévoyant le regard de mépris que l'ancien lutteur ne
manquera pas de jeter sur lui.

Plus loin, une affiche, représentant un skieur en
maillot de bain au sommet d'une montagne, invite
les amateurs: « Désirez-vous la santé, le bonheur et la
joie de vivre? Unissez-vous à nous! Faites partie du
Club Alpin! » D'autres photographies encore... Bai-
gneurs et baigneuses, boxeurs et lutteurs, bombant le
torse et cambrant les reins, semblent sourire à la vie
avec satisfaction.

Mathieu, dans ce royaume du muscle, croit assister
à sa propre condamnation et se sent envahi par un
accès de haine et d'envie qui crispe ses traits. Un
grand miroir lui renvoie son image de pied en cap et
lui permet de détester une fois de plus son corps
osseux, malingre et triste, ses épaules voûtées et sa
poitrine creuse, son teint brouillé et son visage morne, sans âge et sans beauté. Découragé, il soupire avec
rancœur:

— Qu'est-ce que je fais ici? Qu'est-ce que je suis
venu chercher ici, sinon une occasion de faire rire de
moi?

Un instinct de fuite le pousse vers la porte. Il va
sortir lorsqu'une voix l'interpelle.

— Vous cherchez quelqu'un, Monsieur?

Une jeune fille s'avance, en culotte de ski. Brune, jolie, vive...

Mathieu hésite à répondre.

— Je cherchais... Monsieur Rochat est-il ici?

— Non, il est sorti. Tout le monde fait du ski à cette heure.

Elle tourne la tête pour consulter l'horloge.

— Midi et quart... Il devrait rentrer d'une minute à l'autre. Voulez-vous l'attendre?

— Non, non, je reviendrai, répond vivement le jeune homme, soulagé de pouvoir remettre cette entrevue à plus tard.

La porte d'entrée s'ouvre derrière lui.

— Le voici! Monsieur Rochat, quelqu'un pour vous.

— Merci Lucie... En quoi puis-je vous être utile, Monsieur?

Mathieu se retourne et reconnaît sans peine, malgré les vêtements, la longue silhouette reproduite sur les murs. En chair et en os, il paraît plus grand encore, plus imposant, plus fort. « Quatre-vingts ans, songe Mathieu, quelle blague! Soixante au plus et même, ce n'est pas sûr! Qu'est-ce que je vais lui dire maintenant? »...

— Je passais devant le Camp des Athlètes, alors, je... j'ai pensé...

— A visiter la maison peut-être? demande l'ancien lutteur en souriant.

Son regard bleu, limpide, ne contient aucune ironie. Mathieu, rassuré, reprend:

— Non... heu... Je voulais vous demander... Vous n'avez pas besoin d'un comptable?

Rochat enlève son béret basque, découvrant des cheveux blancs qui ne parviennent pas à vieillir un visage lisse, à peine ridé autour des yeux.

— Non, pas en ce moment.

— Ah... Et vous avez, je suppose, tous les employés
qu'il vous faut?

— Je le crois... Vous cherchez un emploi?

— C'est-à-dire que...

*Vas-y, parle! Dis tout ce que tu as à dire. Décide-
toi!*

— C'est-à-dire que je voudrais...

Il se jette soudainement dans les mots avec précipi-
tation.

— J'aurais voulu faire de la culture physique...
Vous devez bien vous apercevoir que j'en ai grandement besoin! Comme je n'ai pas d'argent, j'avais
pensé qu'en travaillant pour vous, j'arriverais à me
tirer d'affaire. Vous comprenez?...

Bien sûr, il comprend. Il est déjà plus intéressé.
Ses yeux, attentifs, fouillent le nouveau venu.

— C'est dans un but spécial que vous voulez vous
entraîner? En vue d'un sport particulier?

— Non, non, c'est pour... pour ma santé.

— Vous êtes malade?

— Non, mais... enfin c'est... Je pourrais être plus
fort, plus...

Il se met à rire, gauchement. L'autre se tait, pensif,
poursuivant son examen.

— Attendez-moi ici, dit-il soudain en s'éloignant.

Plus léger, depuis qu'il a avoué son but, le jeune
homme reprend confiance en lui. « Il faut qu'il me
garde ici! Je veux rester ici! » Mais Rochat revient
et s'excuse...

— Je regrette, à l'heure actuelle le personnel est au
complet. Revenez me voir au début de l'été, peut-être
qu'à ce moment-là...

— C'est maintenant que je veux rester, proteste-t-il
d'un voix pressante. Vous ne comprenez pas! Il faut
que je commence tout de suite... J'ai besoin de vos
conseils, comprenez-vous? Je sens, je suis sûr que vous
êtes... que vous pouvez m'aider!

Le regard bleu le pénètre, perplexe et sérieux, sans opposition apparente.

— Je ne sais pas comment vous dire, poursuit Mathieu avec force. C'est moralement aussi bien que physiquement que j'ai besoin de vous! Il faut que je fasse... que je change! Il faut à tout prix que je change! Croyez-moi, je n'obéis pas à une fantaisie ou à un caprice en venant vous voir... C'est sérieux... Il faut que vous me gardiez ici!

Il s'arrête en rougissant et n'ose plus continuer. Jamais il n'a tant révélé de lui-même. L'homme se tait toujours. Son attention n'a pas un moment quitté Mathieu.

— Vous êtes obligé de porter ces lunettes noires? demande-t-il subitement.

Le jeune homme rougit davantage.

— Oui... Non! Non, rien ne m'y force.

— Alors, pourquoi les gardez-vous dans la maison? Vous affaiblissez votre vue inutilement et en plus ça vous donne l'air malsain...

Il s'approche et les enlève lui-même doucement, les rendant à Mathieu dont les paupières se mettent à clignoter.

— Vous les portez depuis longtemps?

— Depuis une dizaine d'années.

— Ordre du médecin?

— Heu... Non... Timidité! Je me sentais à l'abri derrière elles. Il me semblait...

— Prenez l'habitude de vous en passer petit à petit. Il ne faut pas forcer les muscles. Laissez vos yeux se réhabituer doucement à la lumière.

Le calme de cette voix et ce regard apaisant continuent à pacifier le jeune homme qui reprend:

— Je veux rester ici... Trouvez-moi un travail quelconque! N'importe quoi! Je travaillerai pour rien, si vous acceptez de vous occuper de moi...

Emile Rochat sourit. Ce que Mathieu lui demande, il l'a fait si souvent pour d'autres. Et si souvent pour récolter l'ingratitude. Mais comment refuser d'aider un garçon qui a un besoin si évident de son expérience. Il s'approche de Mathieu et le palpe, tâtant les épaules, les bras, la poitrine...

— C'est bien ça... Scoliose, atrophie thoracique... Avec des exercices appropriés, ça revient facilement. Vous êtes étonnament courbé pour un jeune homme. Quel âge?

— Vingt-cinq ans.

— Vous n'avez jamais fait de culture physique?

— Jamais.

— Aucun sport?

— Aucun... sauf la marche.

L'athlète hausse les épaules.

— L'équivalent de rien! La marche n'est profitable qu'à ceux qui font d'autres exercices. La marche seulement, et sur terrain plat, ça ne vaut pas cher...

Il parle longuement, expliquant le jeu des muscles, leur rôle et leur importance; déplorant le peu de cas qu'en font les hommes et surtout la place minime qu'occupe leur développement dans l'éducation des enfants.

— Regardez-vous, mon pauvre ami, et regardez-moi! Je pourrais être votre grand-père et pourtant... Ah! la la! Je vous défie à n'importe quel sport qui exige un peu d'endurance!

— Oh, je sais bien, proteste Mathieu, humilié, je sais bien que je ne pourrai jamais me comparer à vous!

Rochat secoue énergiquement la tête.

— C'est une question d'entraînement! A moins qu'il ne s'agisse d'un infirme ou d'un sujet atteint d'une maladie incurable; dans le cas d'un sujet normal, si mal foutu soit-il, obèse ou squelettique, je me charge en cinq ou six mois d'en faire un athlète et de lui donner la base d'une santé qui durera toute sa vie. S'il ne fait pas d'excès par la suite évidemment.

Le jeune homme qui avait compté par années s'étonne. L'ancien lutteur l'entraîne vers le mur.

— Regardez, dit-il, indiquant une photographie. Ce garçon, tenez... Il pesait trois cent quatre-vingts livres quand il est arrivé. Depuis, il a été plusieurs fois champion de lutte... Celui-ci était moins gros, mais vous auriez dû le voir! De la chair molle et flasque. Celui-ci, un maigrichon dans votre genre... Je crois même qu'il était plus maigre que vous. Vous voyez qu'il a pris du poids! Celui-là...

Il s'attarde devant chaque athlète, s'animant à les décrire tels qu'il les a connus. Ses yeux rient et pétillent de malice, mais la bonté domine en lui et une certaine douceur, douceur séduisante des êtres forts. Mathieu, hypnotisé, le suit et au lieu de railler, comme il n'aurait pas manqué de le faire en d'autres temps, s'étonne, admire, applaudit et s'exclame:

— En six mois, c'est incroyable! Mais alors pourquoi y a-t-il tant d'hommes laids?

Rochat penche vers lui son profil de sénateur romain.

— Vous les trouvez laids vous aussi? Hein, croyez-vous! Il suffit de prendre un tramway pour en sortir dégoûté. Quelle pauvre humanité! Quand on pense qu'il suffirait d'un peu d'énergie pour faire ressortir la beauté qui sommeille dans tous ces corps! Une demi-heure de culture physique tous les jours et ce serait suffisant pour en faire des êtres sains, agréables à voir. Une demi-heure, qu'est-ce que c'est? Hé bien pour la plupart des hommes c'est encore trop. La paresse, l'apathie, la mollesse...

Il s'arrête un moment et reprend avec conviction.

— Le monde est formé de vaincus. Les vainqueurs sont rares mais croyez-moi, mon petit, il vaut mieux être dans leurs rangs!

Mathieu acquiesce.

— Je commence seulement à le comprendre.

Rochat le regarde avec amitié et reprend:

— Dans votre cas, comme il ne s'agit pas de vous préparer pour la lutte ou la boxe, ça ne prendra même pas six mois. A condition que vous soyez prêt à collaborer évidemment, parce que si vous êtes un fainéant, la vie entière n'y suffirait pas.

— Je suis prêt, s'écrie Mathieu avec spontanéité.

Une lueur vive éclaire le visage de l'athlète.

— Vous en êtes sûr? Ça vaudrait la peine... Mais je vous préviens, ça demande de l'énergie, de la persévérance... Les plus enthousiastes se dégonflent souvent au bout de quinze jours!

Protestations de Mathieu, qui se sent prêt à tous les serments.

— En retour, j'accepte de faire toutes les besognes que vous voudrez me confier.

— Alors c'est entendu.

Il regarde son nouveau disciple et lui sourit d'un sourire déjà affectueux.

— Vous verrez, c'est passionnant quand on y met toute sa volonté. Il y a une grande joie à façonner un corps, à le modeler, à équilibrer les lignes et les masses jusqu'à ce qu'on arrive à en dégager la beauté...

Son regard s'anime d'une flamme bleue. Une telle force se dégage de toute sa personne que Mathieu, subjugué, retrouve la docilité de l'enfance pour remettre son sort entre les mains de ce maître qui accepte de le diriger.

## CHAPITRE II

Bruno entre en coup de vent dans la loge où sa sœur achève de se démaquiller.

— Lis ça! dit-il brusquement en lui tendant une lettre.

— Qu'est-ce que c'est?

— Une interdiction de jouer « Les Mouches » à Québec, ni plus ni moins!

— Qui t'a remis cette lettre? s'étonne la jeune fille. Comment se fait-il... A quoi est-ce dû?...

— A une critique de « La Ligne droite » reproduite avec commentaires dans un journal québécois, gronde-t-il. Dire que cette critique m'avait paru anodine!

Penchée sur les feuillets, Danielle laisse passer l'orage.

— Voilà comment on force un peuple jeune à rester jeune! clame Bruno. En le privant de tout ce qui serait susceptible de le rendre adulte!

Colère factice qui le laisse embarrassé, mécontent aussi bien de l'allure emphatique de ses paroles que du sourire qui retrousse, malgré lui, le coin de ses lèvres. Pourquoi les occasions qu'il aurait de se prendre au sérieux lui donnent-elles immanquablement envie de rire? C'est chaque fois la même chose: S'agit-il d'agir en homme et d'opter pour une attitude définie, toujours un démon familier s'agite en lui, l'empêchant de jouer le jeu des « grandes personnes ». D'où vient que cette lettre si grave ne lui inspire que des réactions légères et qu'il doive se forcer pour en

paraître affecté? Matériellement il a pourtant tout
à y perdre...

Danielle s'esclaffe.

— Le ton de la lettre est d'un ridicule!

— N'est-ce pas? fait Bruno dont le visage s'éclaire.
Ça doit être pour ça que je n'arrivais pas à m'en
formaliser!

— Il nous reste encore Trois-Rivières, reprend-elle,
amusée. Si tu n'as pas peur de te faire lyncher...

Elle ne parvient pas non plus à éprouver de véritables regrets. L'essentiel avant tout était de monter
la pièce et de la jouer; de transposer un rêve dans la
réalité, cette réalité dût-elle être éphémère. Si dé-
cevante soit-elle, cette interdiction entre dans le domaine des ennuis acceptables et n'a rien de compa-
rable à la faillite d'« Ondine », d'« Ondine » morte
avant de naître.

— C'est au point de vue financier surtout que c'est
vexant, soupire Bruno, renonçant à jouer la colère,
mais ça, je commence à en avoir l'habitude.

— D'autant plus que cette fois tu n'as pas à te
plaindre, proteste Danielle, tu ne perds pas un sou.
Tu disais même...

Elle s'interrompt, surprise à la vue d'Etienne Beaulieu qui apparaît sur le seuil de la porte. S'empres-
sant d'aller à sa rencontre, elle l'accueille avec chaleur tandis que Bruno, ennuyé de ne plus pouvoir
parler de théâtre, cherche une excuse pour disparaître.

— J'ai des ordres à donner aux machinistes, bredouille-t-il en s'éloignant. A moins que vous n'ayez
à me parler de choses particulières...?

Son sourire forcé amuse Etienne qui répond aimablement:

— Non, pas à toi, mais à Danielle...

— Alors, au revoir. A plus tard...

— Vous étiez dans la salle ce soir? demande la
jeune fille en refermant la porte.

— Non, j'arrive seulement. J'ai pensé que c'était le seul endroit où je pourrais te rejoindre. Je viens...

— Au sujet de Mathieu, n'est-ce pas? interroge-t-elle vivement. Vous pourrez peut-être me dire pourquoi il n'a pas fait une critique de la pièce? Il est pourtant venu à la première, je le sais...

— Il a écrit une critique; mais elle n'a pas été publiée.

Et comme Danielle s'étonne, il ajoute:

— Il a insisté pour la reprendre après l'avoir donnée au rédacteur. Veux-tu la lire? Je l'ai sur moi...

Perplexe, elle examine la feuille qu'il lui tend.

— Mais c'est une page du « Matin »? Comment se fait-il...

Etienne hésite.

— On a repris la page à la dernière minute, dit-il brièvement, peu soucieux de donner plus de détails sur l'affaire. Ignorante de la marche d'un journal, Danielle accepte facilement sa réponse.

— Mais c'est très bien! s'exclame-t-elle après avoir lu quelques lignes. Et très élogieux! J'attendais tout autre chose!

Le mutisme de son oncle l'intrigue et la pousse à reprendre sa lecture. Elle lit jusqu'au bout sans autre interruption. Les deux derniers paragraphes, malgré leur caractère attentatoire, la laissent silencieuse. C'est Etienne qui parle le premier:

— Qu'en penses-tu?

Elle ne répond pas tout de suite.

— Qu'est-ce qui a poussé Mathieu à retirer sa critique, le savez-vous? demande-t-elle enfin. Pourquoi, l'ayant écrite, a-t-il renoncé à la faire publier?

— A cause de toi, je suppose, répond Etienne. Mais se souvenant qu'il n'a appris l'amour de son filleul pour Danielle qu'en lisant le deuxième cahier de Mathieu, il ajoute vivement:

— Et à cause de Bruno... à cause de toute la troupe...

— Ou de lui-même tout simplement? suggère Danielle, rêveuse.

— Je suis convaincu qu'il ne pense pas un mot des derniers paragraphes.

— Ni des premiers, peut-être?... Il ne les a sans doute faits si élogieux que pour donner plus de poids à sa conclusion. J'essayerais de le voir demain, ajoute-t-elle, j'en saurai peut-être davantage.

Etienne hoche la tête d'un air dubitatif.

— Je doute que tu y parviennes. Il semble avoir disparu...

— Disparu! s'exclame-t-elle, que voulez-vous dire?

— Personne ne l'a vu, ni chez lui, ni au journal; et comme on ne lui connaît pas d'amis... A propos, sais-tu que son père est revenu?

Cette nouvelle laisse Danielle indifférente. Elle connaît par sa mère les tribulation de Lucienne, mais n'y a jamais prêté qu'une oreille distraite. Une fois de plus le visage de Mathieu se présente à sa mémoire, tel qu'elle l'a vu au Café Martin après les mots humiliants qu'elle lui a dits: « Je n'oublierai pas vos paroles, Danielle »... Non il ne les avait pas oubliées. Cette critique, il ne pouvait l'avoir écrite que dans un but de vengeance.

— J'aurais préféré qu'il laissât publier cette saleté!

Etonné par cette réaction qu'il n'avait pas prévue, Etienne interroge:

— Pourquoi cela?

— Cela me donnerait au moins l'impression que nous sommes quittes! Vous ne savez pas comment nous l'avons reçu, au studio, quand Nicole nous a appris qu'il était devenu journaliste? Vous ne pouvez pas vous figurer à quel point nous avons été sarcastiques et méprisants... Il fallait le voir se défendre, d'ailleurs!... Vous comprenez, avec un autre ça n'aurait peut-être pas eu tant d'importance; mais avec lui!... Et ce que je lui ai dit le lendemain... Songez que j'ai été jusqu'à le traiter de larve!

Bouleversée, elle se lève, va ouvrir la porte et appelle:

— Bruno! Viens ici!

Reprenant sa place, elle s'assoit devant la glace où se réfléchit son inquiétude.

— Je veux qu'il sache lui aussi!

— Qu'est-ce qui te fait croire que vos paroles pouvaient l'atteindre plus cruellement qu'un autre?

Mais elle hausse les épaules, brusquement, sans grâce, trop préoccupée pour mettre des formes.

— Je ne sais pas, comment voulez-vous que je sache? Il y a des êtres que l'on sent, que l'on devine presque en les voyant... Je ne connais rien de Mathieu, sinon qu'il a toujours été désagréable envers moi comme envers tout le monde, et pourtant je sens qu'il pourrait être tout autre... Je suis même certaine que nous pourrions très bien nous entendre s'il voulait s'en donner la peine... Tenez, si je vous disais...

Elle s'arrête, cherchant ses mots, mais secoue bientôt la tête:

— Comment voulez-vous que je vous explique ce qui n'a rien à voir avec l'intelligence, ce qui est uniquement du domaine de l'intuition...

L'âpreté de sa voix l'étonne soudain, et comme elle n'est pas coutumière de ces accès d'humeur, elle s'excuse aussitôt:

— C'est bête de prendre un ton aussi rogue avec vous qui n'y pouvez rien. C'est la faute de Mathieu, je crois... Il m'enrage, ou, voilà le mot, il m'enrage depuis que je le connais!

Elle se tait, renonçant à définir l'étrange malaise qui l'envahit chaque fois qu'elle se trouve en présence du jeune homme. A quoi tient ce malaise? « Je me sens toujours coupable quand il est là... Mais coupable de quoi? Voilà ce que je voudrais bien savoir! »

— Pourquoi tiens-tu tellement à te sentir responsable de ce qui lui arrive? demande Etienne, comme
s'il avait suivi sa pensée.

Désarmée, elle se tourne vers lui, retrouvant son
regard lumineux.

— Vous devinez tout, dit-elle en souriant.

— Tu comprends, n'est-ce pas, que j'ai l'intention
de retrouver Mathieu, ou du moins d'essayer de le
retrouver? Si j'y parvenais, et que je t'apprenais un
jour qu'il a besoin de toi, serais-tu prête à l'aider?

Danielle, surprise, ébauche un mouvement instinctif de recul. Rien ne lui déplaît et ne l'effraie davantage que les promesses engageant l'avenir. Sait-
elle ce qu'elle sera quand on lui rappellera ses promesses? En outre, s'engager en faveur de Mathieu...

— Je ne sais pas, proteste-t-elle en rougissant, s'il
s'agissait de l'aider maintenant, je ne dis pas... mais
dans quelques semaines, dans un mois, c'est autre
chose! J'aimerais oublier Mathieu... Si je pouvais le
rayer complètement de ma mémoire, soyez sûr que je
n'hésiterais pas à le faire.

Et comme Etienne se tait et qu'elle craint de le
décevoir, elle s'exclame, irritée:

— Voulez-vous me dire pourquoi je m'acharnerais
à sauver un garçon qui n'a aucune envie de sortir
de son marasme, et dont la seule vue m'empêche
d'être heureuse? Comprenez-vous cela, je n'arrive pas
à être heureuse lorsque je suis dans la même pièce
que lui. Sa présence m'étouffe!

— Oui, je comprends cela, répond doucement
Etienne. Pourquoi cherches-tu à te défendre?

La colère de Danielle s'apaise; mais non son inquiétude.

— Parce que je tiens à votre amitié, dit-elle, et j'ai
peur de la perdre en vous refusant d'aider Mathieu.

Etienne, au lieu de répondre, plonge son regard
dans les yeux de la jeune fille; ces yeux habituelle-

ment si clairs et que Mathieu trouvait trop limpides:
« J'ai eu tort, songe-t-il, j'ai eu tort de lui demander
cela. Elle sait mieux que moi, mieux que personne ce
qui est bon pour elle. En fuyant Mathieu, elle est
logique avec elle-même. Tout en elle va vers la santé, le soleil, la lumière, la vie... Elle possède surabon-
damment tout ce que Mathieu désire, tout ce vers
quoi il tend de toutes ses forces. Pauvre Mathieu, on
l'a plongé dans les ténèbres, mais il était fait pour la
clarté lui aussi!... Et pourtant de quel droit et au
nom de quoi, moi qui ne crois pas au sacrifice, de-
manderais-je à Danielle de lui sacrifier une parcelle
de sa joie? »

— Excuse-moi, dit-il soudain avec toute la spontanéité dont il est capable, excuse-moi de t'avoir demandé cela. Non, tu n'as pas à t'occuper de rescaper Mathieu. Tu ne lui dois rien. Ni à lui, ni à personne;
et si tu peux refuser de l'aider sans te sentir diminuée,
tu aurais tort de ne pas le faire.

Danielle va répondre, mais la porte s'ouvre et Bruno s'avance.

— Tu m'as appelé?

Elle reprend sur sa table de toilette la page du
« Matin ».

— Voilà ce que je voulais te faire lire, dit-elle en
lui montrant la critique. Et ne crains rien, l'article
n'a pas été publié.

Le nom de Mathieu au bas de la colonne, pousse
Bruno à poser des questions dont il oublie comme
toujours d'écouter les réponses. Etienne et Danielle
se taisent, curieux de voir sa réaction. Rassurée par
les paroles de son oncle, la jeune fille se sent plus
légère. Non, son refus d'aider Mathieu ne la diminue
pas. Tant pis pour Mathieu! Le monde est plein de
Mathieu, mais elle n'a pas créé le monde. La vie
deviendrait vite odieuse s'il fallait se charger de la
détresse des autres. Oui, tant pis pour Mathieu...

Essaie-t-il seulement d'être heureux? Il est si malsain!
Il y a tout à parier qu'il se complait dans le malheur...
« Je ne peux rien pour lui. Il faudra que je me le
répète aussi souvent et aussi longtemps que je ne serai
pas délivrée de la hantise qu'il m'inspire. »

— Eh bien, Bruno? demande-t-elle en voyant son
frère froisser la page du journal, d'une main nerveuse.

— C'est dégoûtant! s'exclame-t-il énergiquement.
Et je suis enchanté que le « Matin! » ait refusé de publier cette saleté. Ce journal est mieux dirigé que je
ne le croyais.

— Mais tu n'y es pas du tout! proteste Danielle,
irritée, c'est Mathieu lui-même qui s'est ravisé au
dernier moment, n'est-ce pas, mon oncle?

— En effet.

— Vous croyez? s'étonne Bruno. Au fait, c'est bien
possible qu'il ait eu peur de se faire des ennemis,
ajoute-t-il, indifférent au problème de Mathieu. En
tout cas, l'important, c'est que l'article n'ait pas été
publié.

Son attitude insouciante indigne Danielle. Pourquoi faut-il que tout le monde soit injuste envers Mathieu? Pourquoi la force-t-on toujours à intervenir
en sa faveur? Comment arrivera-t-elle jamais à être
indifférente au sujet de Mathieu, si on l'oblige toujours à le défendre?

— Tu te trompes, Bruno! répond-elle avec colère.
Ce qui compte avant tout, c'est que Mathieu ait refusé de son plein gré de faire publier cet article, malgré toutes les raisons qu'il avait de se venger de nous.

— Se venger de nous?...

Bruno, qui a déjà oublié la scène du studio, s'étonne sincèrement. La réponse de Danielle ne parvient
pas à le troubler.

— Bah! ça n'a aucune importance! Il a compris la

pièce et, à mes yeux, c'est tout ce qui compte. Oublions le reste et allons manger.

Il mettrait même volontiers la page dans sa poche si Etienne, soucieux de ne pas laisser d'armes contre son filleul, ne la lui réclamait aussitôt.

— Nous partons dans quelques minutes, Danielle, viens-tu avec nous? demande le jeune homme.

— Non, répond-elle avec humeur. Et, songeant aux cris que son frère aurait poussés si la critique de Mathieu avait été publiée, elle ajoute avec sécheresse:

— Je n'ai pas envie de te voir ce soir.

Bruno qui allait sortir, se retourne et la regarde avec compassion.

— Tu as l'air fatigué, mon pauvre chou, tu ferais mieux d'aller te coucher. N'oublie pas que nous jouons en matinée demain!

Il tourne les talons et disparaît tandis qu'elle hausse les épaules en soupirant:

— Une bombe atomique nous tomberait sur la tête qu'il trouverait encore le moyen de m'annoncer qu'il y a une matinée demain!

Etienne sourit.

— Il sait ce qu'il veut, et il sait où il va. Que peux-tu demander de plus à un être humain?

— Vous pensez encore à Mathieu?

L'industriel se met à rire.

— Beaucoup moins que toi, à ce que je vois. Non je ne pensais pas à lui particulièrement.

La jeune fille se tait, pensive.

— Vous voyez, dit-elle après un silence, il n'y a pas seulement moi, tout le monde est injuste envers lui!

— Oui, répond-il paisiblement, mais ce n'est la faute de personne.

Elle rit soudain en le regardant.

— Vous saviez bien, n'est-ce pas, que finalement j'accepterais de l'aider? Que je n'ai même pas le

choix, que pour être en paix avec moi-même je dois
accepter?

Il rit aussi, de tous ses yeux.

— C'est vrai, confesse-t-il. Ce que je ne savais pas,
c'est que je n'avais pas le droit de te le demander.
Mais puisque tu acceptes...

# CHAPITRE III

Ignorant de l'intérêt qu'il inspirait à Danielle aussi bien qu'à son parrain, Mathieu, plus convaincu que jamais de sa solitude, cherchait à s'adapter tant bien que mal à la vie du Camp des Athlètes. Adaptation qui ne s'opérait pas sans douleur.

Dès sept heures et demie du matin, il se faisait réveiller comme tout le monde par François, l'instructeur de culture physique, qui traversait les corridors en hurlant sans pitié, d'une voix de stentor: « All aboard! En voiture! En avant pour le train de santé! All aboard! » Cet appel strident provoquait le premier branle-bas du jour. Les portes aussitôt claquaient, l'eau des douches coulait; les uns sifflaient, les autres chantaient. Impossible de dormir, il n'y avait qu'à se lever.

A huit heures, au son d'un phonographe à manivelle, tous les pensionnaires, hommes, femmes, enfants et vieillards, se livraient énergiquement aux joies de la culture physique.

Emile Rochat, comme tous les athlètes du Camp, commençait sa journée bien avant les clients et avait déjà une heure d'exercices à son acquis lorsqu'il pénétrait dans la grande salle, souriant, en pleine forme, jaugeant d'un coup d'œil le degré d'énergie de chaque personne. Seuls l'intéressaient les gens de bonne volonté qui avaient à cœur de suivre ses conseils. A ceux-là, il réservait des trésors de patience et de douceur. Sans jamais se fâcher, avec calme, sérénité, et une grande politesse qui tenait au respect que lui inspiraient les êtres soucieux de s'améliorer, il recom-

mençait le même geste, donnant l'exemple, encoura-
geant, stimulant, irrésistible. Un tel déploiement
d'énergie ne pouvait manquer d'enflammer Mathieu,
surpris de se voir l'objet d'une attention aussi passionnée.

— Vous ne fumez pas, j'espère? demande l'athlète
au moment où le jeune homme pénétrait dans sa salle
à manger après sa première séance de culture physique.

— Oui, je fume, répondit Mathieu, mal à l'aise,
devant le regard bleu qui s'attristait soudain.

— Ah mon petit, si vous voulez vous faire des muscles, il faut lâcher la cigarette. C'est un poison!

Il commença aussitôt un petit discours sur les mé-
faits du tabac, élevant la voix pour que les autres
puissent également se pénétrer de ses paroles. Un
silence se fit. Quand Rochat parlait tout le monde se
taisait.

— Ce n'est pas seulement pour votre santé d'ailleurs
que vous devriez cesser de fumer, conclut-il, mais également pour éprouver votre volonté. Croyez-moi, il
n'y a pas d'obstacles dans la vie pour un homme qui
sait se dominer. Remarquez que la plupart des gens
ne suivent pas mes conseils. Ma foi, tant pis pour
eux! Il y a des gens pour lesquels il n'y a rien à faire!

Il eut un geste vif pour rejeter les imbéciles qui pré-
féraient un plaisir malsain à la rigueur pertinente de
son enseignement; et telle était la puissance d'attraction qui se dégageait de lui que les habitués de la
maison, même ceux qui ne se destinaient pas à l'athlé-
tisme, écrasèrent furtivement leur cigarette avant
d'aller se mettre à table. Mathieu, qui s'était étonné
la veille de la rapidité avec laquelle il avait subi l'ascendant de Rochat, constatait qu'il n'était pas le seul
à être subjugué.

Un léger remous semblait se former dans l'air, dès
que l'ancien lutteur entrait dans une pièce. Les conversations aussitôt changeaient, toutes les têtes se tour-

naient vers lui. Il parlait, il interrogeait; on l'écoutait, on lui répondait. Les plus déterminés à lui résister retrouvaient au bout de quelques jours des attitudes d'écoliers, soit pour se soumettre, soit pour faire en cachette ce qu'ils n'osaient faire en sa présence. Plus ou moins consciemment, chacun cherchait à protéger son individualité contre cette individualité trop forte qui assujettissait toutes les autres.

Rochat, enfermé dans son intégrité, ne soupçonnait rien. Une certaine candeur due à sa franchise le privait de méfiance. Comment aurait-il pu soupçonner les autres de le tromper, lui qui ne pouvait vivre que librement, au grand jour, et qui se sentait impuissant à déguiser sa pensée? Il s'étonnait même qu'on pût lui reprocher son inflexibilité de caractère. Pourquoi devrait-il, lui qui savait si bien ce qu'il voulait, s'adapter à des êtres faibles, instables dans leurs désirs, limités dans leurs ambitions et dominés avant tout par des impulsions passagères? Consciemment ou non, ce que les pensionnaires revenaient tous chercher au Camp, d'année en année, c'était une discipline que, livrés à eux-mêmes, ils n'avaient pas le courage de s'imposer.

Les occupations que Mathieu aurait à remplir pour mériter sa pension furent déterminées le soir même de son arrivée par Mademoiselle Randier, qui gérait les finances de l'établissement et assumait la plus grande partie des responsabilités. C'était une femme infatigable, toujours souriante, modeste au point de croire, ou de paraître croire, que son dévouement n'avait rien que de normal, et qui se moquait plus volontiers d'elle-même que des autres.

— Vous irez chercher le courrier deux fois par jour au bureau de poste, dit-elle à Mathieu. Vous serez également chargé de faire les emplettes et de rapporter de la gare les colis qui arriveront par le train.

Elle dissimula l'inquiétude que lui inspiraient les frêles épaules du jeune homme et repoussa la vision d'un Mathieu croulant sous le poids du havresac. Son expérience des hommes lui ayant appris depuis longtemps à ne jamais paraître douter de la force masculine, elle ajouta, mentant allègrement:

— Le garçon qui faisait cela avant vous employait une traîne-sauvage lorsque les paquets étaient trop lourds. Vous pourrez en faire autant. En outre, après les tempêtes de neige, vous nettoierez les balcons et les escaliers. Aux fins de semaine, quand il y aura beaucoup de monde, vous pourrez aussi donner un coup de main pour la vaisselle. Comme vous êtes surtout appelé à vivre la vie des pensionnaires, vous mangerez avec eux.

Devant l'air étonné du jeune homme, elle ajouta avec un sourire charmant qui ne manquait pas d'humour:

— Vous savez, ici, nous faisons tous partie d'une grande famille. Le Camp, c'est la maison de tout le monde. Les employés sont nos amis aussi bien que les pensionnaires. Soyez donc très à l'aise...

Rien n'était plus cordial en effet que l'atmosphère de cette maison où triomphaient la santé, l'entente et la bonne humeur. Les domestiques, traités sur un pied d'égalité, se mêlaient aux clients recrutés dans toutes les classes de la société et ne portaient aucun uniforme spécial. Cette absence de hiérarchie enlevait aux travaux les plus vils leur caractère humiliant.

Les grandes salles sans beauté avaient l'avantage d'être des pièces où chacun s'épanouissait sans contrainte. On pouvait s'y asseoir sur les tables, allonger ses pieds sur les meubles, s'accrocher aux chambranles des portes et s'y livrer à toutes sortes d'exercices; ce dont personne ne se privait, car la maison, primitivement construite pour l'été, était froide et difficile à chauffer.

Forcé, au début de son séjour, de se limiter à une quantité restreinte de mouvements violents, Mathieu

passait son temps à grelotter aussi bien le jour que
la nuit.

« Je ne resterai pas ici! Je ne resterai pas ici! » ra-
geait-il tout bas.

« Je ne resterai pas ici! » Cette phrase qu'il répétait
à tout instant menaçait de devenir le leitmotiv de sa
vie sportive. Ce brusque changement d'existence exi-
geait de sa volonté mal exercée un effort constant, si
pénible à soutenir que le découragement s'emparait de
lui à cœur de jour. Mais Rochat veillait, exécrable-
ment énergique, abominablement stimulant. Et Mathieu restait.

Non seulement il restait; mais il subissait à son
insu l'ambiance de son nouveau milieu. Lui qui avait
si souvent poursuivi Bernard Beaulieu de ses plaisanteries les plus cruelles se passionnait maintenant pour
les exploits des culturistes et suivait avec excitation
les progrès de son corps.

Bien qu'il ne leur adressât jamais la parole et qu'il
évitât soigneusement de se trouver sur leur passage,
il ne pouvait s'empêcher d'envier la stature impres-
sionnante de certains athlètes qui venaient de temps
à autre à l'hôtel. On les voyait surtout aux repas, car
ils se tenaient plus particulièrement avec Rochat ou
les athlètes du Camp, et se mêlaient peu aux pensionnaires qu'ils regardaient volontiers avec condescendance. Agacé par leurs airs de supériorité, Mathieu
avait peine à retenir les sarcasmes que lui inspirait la
satisfaction de ces demi-dieux qui, les biceps tressail-
lants, passaient de longs moments à admirer devant
les miroirs la cambrure de leurs reins.

« Des taureaux d'exposition! raillait tout bas Mathieu, employant à les observer toute l'acuité de son
esprit. Muscles d'acier et tête de pioche! Je ne me
trompais pas en les qualifiant de demi-dieux. Ils ne
sont qu'à moitié développés. »

Aucun d'eux ne lui semblait avoir la simplicité et
la personnalité de Rochat. Avant tout, ils étaient sa-

tisfaits de leur musculature et ne pensaient qu'à leur corps. Regardé par eux, Mathieu se sentait diminuer à vue d'œil et devait mettre toute son énergie à rester silencieux.

— Tu parles d'une blague! s'était exclamé un boxeur en voyant Rochat faire subir au jeune homme des exercices de redressement de la colonne vertébrale.

Mathieu, qui avait entendu, s'était arrêté, blanc de rage.

— Bah! laissez donc! avait protesté l'ancien lutteur. Ce garçon était obèse, il y a deux ans, et mou comme une guenille... Dans quelques mois, vous serez à même de leur répondre par les poings si ça vous amuse.

Maîtrisant sa colère, Mathieu avait repris ses exercices; mais il n'oubliait pas.

« Je ne suis pas plus à ma place ici qu'ailleurs, je n'ai de place nulle part, sauf parmi les ratés! Les intellectuels ratés, la pire espèce! Je ne veux pas être un raté! »

— *Ce qui te manque surtout, c'est la persévérance. Quand tu seras fort, moralement et physiquement, tu ne craindras pas d'aimer les autres.*

« Je détesterai toujours les autres! »

— *Pas quand tu auras cessé de les envier.*

« Oh! je sais bien, c'est toujours ma vanité qui est en cause. »

— *Apprends à être simple.*

« Etre simple!... Simple, je ne pourrai l'être que le jour où je serai l'égal des autres, sinon leur supérieur! »

Il soupirait encore, se ressaisissait, tentait des efforts pour se rapprocher de ses semblables; mais ne trouvait le courage de se mêler aux pensionnaires qu'aux heures où le sport et la culture physique l'exigeaient; encore ces démonstrations collectives lui demandaient-elles un renoncement sans borne.

Une semaine après son arrivée, Mathieu s'était décidé à écrire à sa mère pour lui demander de lui

adresser quelques effets dont il avait besoin. Il reçut
peu après deux valises contenant tout ce qu'il possé-
dait: vêtements d'hiver et d'été, livres, cahiers, etc...
Craignant de la voir surgir au Camp des Athlètes, il
avait eu soin de ne mentionner que le nom de la
station, ajoutant qu'il comptait partir sous peu pour
les Etats-Unis. Lucienne ne devait pas tenir à le revoir, car aucun mot n'accompagnait l'envoi.

« Et moi qui craignais qu'elle ne me supplie de revenir! Elle a dû apitoyer les Beaulieu qui auront
accepté de régler toutes ses dépenses. Tant mieux!
Qu'elle se débrouille avec son moribond. »

Il repoussa une pensée de pitié pour son père obligé
de supporter les assauts cruels de Lucienne.

« Bah! qu'ils s'arrangent ensemble, cela ne me regarde pas! »

Hormis l'image de Danielle, tout ce qui concernait
son passé lui était si odieux que le moins pénible de
ses souvenirs lui donnait la nausée. « Je veux oublier
tout cela et me refaire complètement... Si ardu que
soit le présent, il ne contient aucun élément malsain.
Au moins, ici, je n'ai pas à rougir de ma conduite;
moralement, je n'ai pas de reproches à me faire, ou du
moins presque pas... C'est une lutte du matin au soir;
lutte contre ma paresse, contre la crainte du ridicule,
contre la vanité, l'envie, la colère... Lutte, lutte, lutte
continuelle! Mais je remporte quelques victoires sur
moi-même, et, si petites soient-elles, ça m'encourage.
Etre méprisé par les autres est moins pénible que
d'avoir à se mépriser soi-même. »

Le temps passait. L'hiver, pourtant, gardait encore
des réserves de neige, qui tombaient de jour en jour
moins fréquentes, mais aussi abondantes. Rochat, décidé à initier Mathieu au ski, avait, dès les premiers
jours, pourvu le jeune homme d'un accoutrement de
skieur, composé d'articles empruntés à gauche et à
droite.

Enthousiasmé, rêvant déjà de performances semblables à celles qui l'avaient ébloui, Mathieu s'était efforcé d'oublier les vêtements trop grands dont il était affublé pour écouter consciencieusement les instructions de son professeur.

— Pliez les genoux, rentrez le ventre, tenez le haut du corps droit... Avancez la spatule du ski amont, penchez l'épaule gauche... Pesez davantage sur la carre interne du ski aval... Ne regardez pas la neige, levez la tête, penchez-vous en avant... Recommençons!... Tomber ne veut rien dire, il faut tomber souvent pour apprendre. Allez-y. Pliez les genoux, rentrez le ventre..

« Je ne resterai pas ici! Je ne resterai pas ici! »

Bon gré, mal gré, il avait appris. Sa santé s'améliorait, il gagnait du poids, sa résistance s'accroîssait. S'il se couchait le soir aussi fatigué que les premiers jours, c'est que Rochat intensifiait peu à peu son entraînement.

Finies les nuits d'angoisse et d'insomnie. Dès neuf heures, Mathieu s'effondrait sur son lit, épuisé, sombrant presque aussitôt dans le sommeil, après un bref monologue intérieur, toujours le même:

« Ouf! je suis crevé! Une brute! Voilà ce que je suis en passe de devenir! Je ne pense plus, je ne réfléchis plus; Rochat le fait pour moi... Je suis un ilote; il commande et j'obéis... J'oublie jusqu'à Danielle! Je ne la retrouve même plus dans mes rêves. Il n'y a pas de place pour elle dans mon sommeil de brute... Sommeil de brute... oui, ça doit être ça un sommeil de brute... »

# CHAPITRE IV

## CAHIER DE MATHIEU

*Dormir, manger, faire du sport... Drôle de vie! Ce corps si longtemps négligé prend sa revanche de l'indifférence où il a été laissé. L'esprit ne compte plus, je n'agis que par réflexe. Jamais je n'ai été aussi sain physiquement et aussi vide moralement.*

*Fumer! Fumer! Ce désir me poursuit. Force et bêtise de l'habitude. Qu'une si petite chose suffise à me désaxer! Après tant de nobles angoisses, en être arrivé à me tourmenter pour une cigarette!*

### INTOXICATION

*Mon esprit s'en va, mon esprit est parti,*
*mon esprit ne revient plus!*
*Où donc est-il allé? Perdu, évaporé, dissout*
*dans la fumée, dans la fumée des cigarettes*
*qu'hier encore j'aspirais à la journée.*
*Esprit, esprit, reviendras-tu?*
*Pourquoi reviendrait-il? Les heures passent,*
*monotones, monotones et sans hâte,*
*atones et sans couleur; les jours passent,*
*éternels, éternels et sans heurts,*
*sans joies et sans douleurs.*
*Esprit, esprit, reviendras-tu?*
*Torpeur, arrêt de la vie, temps suspendu, langueur...*
*Ai-je tout perdu? Où est la vérité? Qu'importe!*
*Tête vide, corps inutile, tout s'évapore.*

*Ouate, fumée, nuage, seules réalités*
*d'un cerveau désaffecté.*
*Cigarette, cigarette! poison subtil*
*dont je humais sans le savoir*
*l'indispensabilité!*
*Fumer n'est rien, qui donc y pense?*
*C'est ne pas fumer qui est tout.*
*S'habituer à ce vide, à cette absence,*
*porter le poids du jour en cherchant quelque chose*
*qu'il faut à tout prix éviter de trouver...*
*Et mon esprit parti, c'est trop!*
*Est-ce trop vraiment?*
*Qu'ai-je aujourd'hui besoin d'esprit?*
*Esprit, esprit, ne reviens pas;*
*que ferait de ta lucidité*
*ce corps encore intoxiqué?*
*Que tout se passe ainsi en sourdine, c'est bien.*
*Torpeur, langueur, désir confus, malaise,*
*absence de goût et de dégoût,*
*absence de larmes et de courage,*
*absence de tout...*

*Monologue Rochat:* — *Ah! les neurasthéniques,*
*qu'on me les amène, je me charge de les délivrer de*
*leurs toxines! Il n'y a pas d'angoisse métaphysique*
*dont je ne parviendrais à triompher par sudation!*
*Disparues, les vaines craintes, guéri, le doute; fini, le*
*désespoir! Mais allez donc dire cela aux névrosés! Ils*
*préfèrent cent fois leurs miasmes morbides... Rien*
*ne leur paraît moins romantique que la santé.*
*Que penserais-je de cela moi-même, si je n'étais*
*trop fatigué pour réfléchir?*

*C'est difficile quand on est aussi mal foutu que je*
*le suis, et conscient de l'être, de vivre parmi des athlè-*
*tes dont chacune des attitudes aurait inspiré Michel-*
*Ange. Les regarder sans dépit, sans haine, sans envie...*
*Tour de force dont je suis encore incapable. Humi-*

*lité, humilité, vertu inaccessible! Mais aussi, qui veut
être humble?*

J'ai recommencé à fumer. *Silence. Evitons les commentaires humiliants.*

Pourquoi Rochat me fait-il penser tantôt à Danielle, tantôt à Etienne Beaulieu? Qu'est-ce qu'ils peuvent bien avoir en commun? Physiquement, rien du
tout.

Est-ce que je ne perds pas mon temps? Ne me suis-
je pas lancé sur une fausse piste? Tout ce que je fais
ici me semble tellement inutile.
— Ame, ma sœur, âme vois-tu la joie à l'horizon?
— Hélas! je ne vois que lassitude et fatigue, éreinte-
tement et courbatures.
— Regarde encore! Plus loin, beaucoup plus loin,
au bout de la route, qu'y a-t-il?
— L'abrutissement!

« Il faudrait, dit Rochat, faire cesser cette rupture
entre les intellectuels et les athlètes. Les premiers de-
vraient penser davantage à leur corps et les seconds
davantage à leur esprit. De cette façon on réaliserait
l'idéal romain: « Mens sana in corpore sano. » Il faudrait le pousser au pied du mur pour connaître toute
sa pensée. Je le soupçonne de croire que les jours de
pluie pourraient suffire à la culture de l'intelligence.

Ce n'est pas facile! J'avais raison de penser que le
malheur est plus simple à atteindre. Il y a des jours
où j'ai envie de revenir en arrière. Oui, renoncer à
cette lutte et sombrer à nouveau dans le gouffre.
L'image est banale et vieille comme le monde; ce
gouffre aussi qui attire tant d'êtres humains. D'ailleurs est-il prouvé que j'en sois sorti? Si j'en étais
tout à fait dégagé, éprouverais-je encore la puissance

*de son attraction? La souffrance, ce soir, m'attire assez
pour me faire comprendre pourquoi tant de gens se
résignent, que dis-je, se raccrochent à leurs maux. Il
faut pour s'en libérer un tel effort!*

*Ai-je été si malheureux? Il me semble que si je re-
prenais mon ancienne vie, j'y trouverais des éléments
de charme qui m'échappaient alors. Au moins, je
pensais, je vibrais, j'éprouvais des émotions, je ressen-
tais quelque chose... Cette vie des muscles me paraît
tellement abêtissante! J'ai l'impression que mon cerveau s'atrophie tous les jours de plus en plus.*

*La tentation de me laisser glisser sur une pente qui
peut mener au pire, exerce encore sur moi, par moments, une fascination qui confine au vertige. Savoir
jusqu'où on tombera en roulant de plus en plus bas!
Savoir ce qui adviendra quand on aura donné libre
cours à tous ses instincts; se laisser couler à pic, seulement pour voir ce qui arrivera et combien de temps et
comment on résistera... Oui, oui, morbide, malsain,
dangereux! Tous les mots ont été inventés pour qualifier ces rêveries. Et après? — La santé dans ce milieu d'athlètes prend une allure de simplicité si mo-
notone. La ligne droite toujours, le geste utile, profitable... C'est parfois tentant d'essayer autre chose!*

*Déjà trois semaines sont passées, dont seul mon
corps, par sa fatigue, a constaté la fuite. En somme
je n'ai fait que changer le mal de place; avant, c'est
moralement que je souffrais, maintenant, c'est physiquement. J'ai l'impression de n'être plus que chair et
muscles. Une bête! On me transforme en bête! Et
j'accepte...*

*Je n'avais pas atteint le fond du gouffre au moment
où, pris de panique, j'ai cru que j'y étoufferais si je
ne me dépêchais d'en sortir. J'aurais dû attendre encore, glisser un peu plus bas, jusqu'à toucher le sol.*

*Puisque de toute façon je devais en sortir, il fallait
avoir le courage de descendre les derniers barreaux de
l'échelle afin de voir au moins comment on vit dans
ces marécages et comment on y respire et ce qui sub-
siste encore de conscience.*

*Dialogue entre deux Mathieu: le meilleur et le pire.*

— *Imbécile! On ne remonte pas la pente une fois
qu'on a atteint les bas-fonds!*

— *Je dois être encore trop novice dans le sentier de
la vertu. Les chemins que j'ai quittés gardent pour
moi leur aimant. Il y a dans le marasme un curieux
attrait et dans le malheur accepté, voulu, consenti, un
charme obscur que les anges ne comprendront jamais.*

— *Et dans la joie, tu ne vois donc rien?*

— *La joie est si difficile, si pénible à conquérir!
Redevenir ce que j'étais serait tellement plus simple.*

— *Veule, mou, facilement abject?... N'en as-tu pas
assez souffert?*

— *Bah! étais-je vraiment si malheureux? Ne le suis-
je pas davatage aujourd'hui au milieu de ces athlètes
sans interrogations? Plus seul maintenant que jadis,
plus laid par contraste, plus à plaindre ici que là-bas?
A la ville, j'en trouvais d'autres comme moi, des rejetés, des ratés... L'alcool nous donnait l'illusion de
la fraternité, parfois même de la bonté... Ici, parmi
ces hommes qui ne vivent que de grand air et de
mouvements, je me sens plus perdu que jamais.*

— *C'est ta propre faiblesse qui te perd! Et ta vanité, ton inépuisable, ton insondable, ton incommen-
surable vanité d'homme! Tu pleurais sur ton corps;
te voici en train de le remodeler, de quoi peux-tu te
plaindre encore?*

— *De l'inanité même de ce désir...*

— *Si tu avais la force de ne pas souffrir de te trouver laid, tu n'aurais pas besoin d'être ici et je n'aurais
pas à te convaincre de persévérer, car alors ton esprit*

*aurait atteint un degré d'évolution dont tu es encore
loin. Ne renonce pas si vite à une lutte profitable
aussi bien à ton esprit qu'à ton corps. Essaie encore
et crois en toi. Une vie réussie est un acte de foi perpétuellement renouvelé. De foi en soi d'abord...
Vivre dans le plein épanouissement d'une individualité consciente, affranchie du malheur, libérée du doute, prête à toutes les recherches, ouverte à toutes les
connaissances, tendue vers toutes les joies... Que
peux-tu m'opposer à cela qui soit plus beau que cela?
« Délivrez-nous du mal »... Te souviens-tu de ces
mots? Ils résument tout, Délivre-toi du mal, de la tentation du mal et par le fait même tu seras délivré du
malheur. Le mal et le malheur, ne sens-tu pas qu'au
fond c'est la même chose?*

## CONCLUSION

*Il faudrait être plus cynique que je ne le suis pour
demeurer insensible à de si belles paroles, surtout
quand on en est l'auteur. L'important est de savoir
improviser soi-même le petit boniment qu'on ne tolé-
rerait de personne. Mathieu, écoute-moi bien: Tu
apprendras à te dominer de gré ou de force et tu mar-
cheras à la joie à coups de pieds dans le derrière.
Compris? Ferme ce cahier; cesse de te regarder vivre.
N'écris pas ta vie. Vis-la!*

# CHAPITRE V

Début d'avril. Le soleil de plus en plus chaud triomphe de l'hiver et transforme en gros sel la neige des montagnes. Les heures de Mathieu filent si vite, entre les mains de Rochat, qu'il constate à peine leur fuite.

Depuis quelques jours, pourtant, la culture physique et le sport exigent de sa volonté un effort moins pénible et s'effectuent sans éreintement. La coordination de ses muscles s'améliore; ses réflexes deviennent plus rapides et plus sûrs; mais son état d'esprit ne lui permet pas encore d'enregistrer d'aussi petites satisfactions.

Les pensionnaires du Camp ont changé. Pas plus qu'il ne s'est mêlé aux premiers, Mathieu ne fraternise avec les nouveaux. Pourtant, il s'habitue peu à peu aux employés de la maison qu'il a plus souvent l'occasion de voir. Le sport collectif lui apprend la camaraderie. Sa réserve peu à peu s'atténue; il lui arrive même de causer presque amicalement avec Mademoiselle Randier dont il apprécie la discrétion et l'humour.

Avec Rochat il demeure silencieux, subissant toujours malgré lui cette force stimulante qui le tient en haleine. Son orgueilleuse irritabilité fond au fur et à mesure qu'il comprend que l'ancien lutteur ne s'intéresse pas aux êtres tels qu'ils sont, mais tels qu'ils seront au sortir de ses mains. D'ailleurs quelle autre attitude que la simplicité pourrait-il adopter en présence d'un homme qui connaît ses imperfections dans les moindres détails et qui l'a vu si souvent découragé et près d'abandonner la lutte?

Un matin, après le petit déjeuner, l'athlète lui dit:

— Je dois aller à Sainte-Agathe pour affaires. Je compte m'y rendre par le train et revenir en ski par les montagnes. Voulez-vous m'accompagner? Au plus une dizaine de milles. Vous pouvez le faire, vous n'êtes plus un débutant.

Mathieu, flatté, sourit et accepte presque joyeusement.

— D'ailleurs je vais vous faire exécuter quelques exercices qui vous mettront en forme. Suivez-moi...

Ils ont à peine commencé que Mademoiselle Randier s'approche, soucieuse de connaître l'avis de l'athlète au sujet d'une transaction relative à l'établissement. Rochat l'interrompt, en haussant les épaules.

— Qu'est-ce que vous voulez que je vous dise! Faites pour le mieux, mais ne me dérangez pas pour rien. Allez, Mathieu...

— Pour rien! s'exclame-t-elle. Ce n'est pas rien, il s'agit du Camp!

Il se redresse une deuxième fois:

— Le Camp est-il en faillite?

— Pas encore, mais du train dont vont les choses, ça pourrait bien arriver.

— Eh! bien, attendons. Quand ce sera arrivé, prévenez-moi. D'ici-là, vous avez carte blanche pour tout. Prenez toutes les décisions que vous voudrez; mais ne m'en parlez pas.

Désespérant de retenir son attention, elle sort en soupirant, tandis qu'il reprend:

— Ployez bien le genoux, c'est ça... Encore... Ces mouvements sont merveilleux pour réchauffer les muscles. Allez-y encore... Savez-vous que votre dos se redresse? Dans quelque temps vous serez droit comme un bel arbre.

Ils vont quitter le Camp lorsqu'un pensionnaire, arrivé la veille, parle de se joindre à eux.

— Bien sûr, Brunet, approuve Rochat, venez. Profitons-en, la saison de ski achève...

Ils traversent le lac pour se rendre à la gare. Mathieu, agacé, jette de temps à autre un regard de rancœur sur le nouveau venu dont la présence gâche le plaisir qu'il escomptait de cette randonnée. Observé par une tierce personne, il craint de mal exécuter tous ses mouvements.

Vers une heure, l'ancien champion ayant terminé les affaires qui l'amenaient à Sainte-Agathe, les trois hommes s'engagent sur la piste marquée d'une feuille d'érable, qu'ils doivent suivre jusqu'à Val-Morin.

— Vous verrez, c'est une des plus jolies pistes des Laurentides. Et qui descend presque tout le long.

Le soleil est clair et chaud. Mathieu s'arrête bientôt pour enlever son coupe-vent dont il se ceint les reins, et se hâte de rejoindre le chef de file qui bat la piste.

— Voulez-vous que je passe en avant? propose-t-il, gêné de laisser à Rochat la partie la plus pénible de la randonnée.

L'homme sourit sans se retourner.

— Non, dit-il, réservez vos forces.

— Bah, je ne me suis jamais senti aussi bien! riposte le jeune homme, étonné de l'énergie qu'il sent en lui. Je finirai par croire que ce n'est pas par sadisme que vous m'avez fait subir tant d'exercices depuis un mois!

Il se retourne pour jeter un coup d'œil sur Brunet qui, loin derrière lui, ferme la marche.

« Une vraie tortue! Nous allons probablement être obligé de le traîner tout l'après-midi comme un boulet. Quel dommage qu'il soit venu! »

Mais il l'oublie bientôt pour admirer le paysage qui l'entoure. Ce beau jour a la couleur de son état d'âme.

« La vie est belle aujourd'hui. Aujourd'hui je suis content de vivre, et même content de faire du ski!

Je me sens comme un dieu, même si j'ai encore l'air d'un évadé de sanatorium...

Il jette un regard de tendresse sur l'ancien champion qui marche d'un pas allongé, ferme et stable, ployant bien les genoux pour avancer le plus loin possible la spatule de ses skis.

Première descente. Sûr de ses réflexes, Mathieu s'élance, accélérant sa vitesse à coup de bâtons dans la neige. Griserie. Satisfaction du mouvement bien fait, sans hésitation ni gaucherie. Plaisir des muscles qui obéissent sur commande, souples et dociles. Contentement du corps libre qui s'exprime par des gestes précis, achevés, complets. Excitation du virage audacieux, exécuté dans les règles.

— Bravo! s'exclame Rochat, qui l'a regardé descendre.

Mathieu rit. Ils attendent en causant le dernier skieur qui vient bientôt s'étendre à leurs pieds, dans une pose loufoque. Se redressant à l'aide de ses bâtons, il s'exclame:

— Je déteste cette neige granulée! Pas moyen de réussir un virage; les carres ne mordent pas...

Mathieu sourit.

— Vous trouvez?

Le souvenir de ses récentes humiliations le pousse pourtant à chercher des excuses à la maladresse de son compagnon.

— Vous avez dû mal cirer vos skis. Demain je vous les arrangerai, j'ai une laque épatante.

Il rejoint Rochat qui a pris les devants.

« Qu'est-ce qui me prend? songe-t-il. Je ne vais certainement pas lui cirer ses skis. Qu'il se débrouille!

Il faut maintenant gravir une longue pente. Une lumière crue éclaire le paysage. Pas de demi-teintes. Les premiers plans se dessinent avec précision sur le ciel pur. Les arbres projettent des ombres dures et compactes, les montagnes les plus éloignées se profilent avec insistance, les unes en mauve, les autres en bleu. Mille cristaux éblouissants jaillissent de la neige qui s'irise, décidant Mathieu à sortir ses verres fumées. Il les porte à ses yeux et subitement tout s'éteint; tout devient sombre et morne, aussi gris qu'un jour de pluie. Saisi par ce brusque changement, il enlève ses lunettes noires, rendant au soleil sa clarté, à la nature sa joie.

— Pouah! je pouvais bien être morbide! s'exclamat-il, dégoûté.

D'un geste vif, irréfléchi, il lance ses lunettes pardessus les sapins qui bordent le sentier.

— Ne montez pas en V quand vous pouvez le faire autrement, conseille Rochat. Ici, par exemple, vous pouvez grimper en demi-escalier, ça demande moins d'effort.

— Mais je ne suis pas fatigué du tout! proteste vivement le jeune homme.

— J'espère bien, nous avons à peine un mille ou deux derrière nous. C'est à plus tard que je pense. Le ski est le sport le moins fatigant du monde, si l'on pratique l'économie des forces.

« Évidemment, à son âge il est bon de mesurer chaque geste ».

Une heure se passe ainsi. Le jeune homme, qui commence à ressentir un certain essoufflement, grogne tout bas.

« Il disait que ça descendait tout le temps! »

S'arrêtant, il hasarde une timide remarque.

— Soyez logique, mon petit. Avant de descendre il faut monter. La descente, c'est la récompense.

Ils atteignent enfin le sommet. La vue s'étend de tous côtés, magnifique, mais Mathieu épuisé ne la regarde pas. Essoufflé, il cesse de marcher et s'éponge le front.

Le chandail rejoint aussitôt le coupe-vent. Torse nu, en pleine lumière, il se sent pénétré par une chaleur qui le comble de bien-être et lève vers le ciel un visage rayonnant.

— Soleil, soleil, murmure-t-il avec volupté, mettant dans ce mot sa liberté nouvelle.

Allégé, souriant, il reprend sa marche. Debout au bord de la pente, Rochat s'informe:

— Brunet vous suit toujours?

— Il montait derrière moi tantôt.

— Attendons-le ici. Je n'aime pas laisser une trop grande distance entre les skieurs.

Levant son bâton, il désigne le panorama.

— Croyez-vous que c'est beau!

— Ça doit vous faire regretter la Suisse? demande Mathieu.

L'athlète semble étonné.

— Croyez-vous que je resterais ici, si je soupçonnais qu'il existe au monde un pays susceptible de me plaire davantage?

Désarmé par cette réponse, Mathieu scrute le profil qui se découpe net et précis sur le ciel.

— J'aurais pourtant cru que la Suisse, pour un skieur...

Les yeux clairs s'assombrissent.

— J'ai passé mon enfance dans une maison adossée à une montagne qui n'en finissait plus d'être haute et inaccessible. J'ai failli me rompre les os plusieurs fois sans parvenir à l'escalader...

Il reste un moment silencieux et murmure soudain:

— C'est comme la mer, tenez, ça me déprime...

Mathieu rit.

— Evidemment! Vous ne pouvez pas la traverser à la nage!

Rochat sourit, perplexe, et ne répond pas tout de suite.

— Peut-être.. concède-t-il enfin. Oui, ce qui me plaît ici, c'est peut-être justement que je n'y rencontre pas d'obstacles insurmontables. Cette nature, si âpre soit-elle, est taillée à la mesure de l'homme.

— Autrement dit, conclut-il, vous n'acceptez de vi-

vre qu'en face des difficultés que vous vous sentez
capable de vaincre.

— Je ne suis qu'un homme, réplique doucement
Rochat. Ce qu'un homme peut faire, je peux le faire.
Là où il faudrait être un dieu, je prends la fuite.

— Ouf! ça monte soupire Brunet qui s'approche
les traits tirés par la fatigue.

L'athlète, tendant le bras, indique au pied de la
montagne un pâté de maisons qui plaque sur la neige
des taches vives et colorées.

— La jaune... C'est une épicerie où nous pourrons
manger. Ça vous remettra d'aplomb.

Quelques instants plus tard, attablés devant une
tasse d'eau chaude où se dissout un cube de Bovril,
les trois hommes mordent dans les sandwichs qu'on
leur a préparés.

— Ça va mieux? demande Rochat.

— Pas encore, répond Brunet, je suis écrasé. J'ai
été fou d'entreprendre une aussi longue randonnée
le premier jour. Il y a deux ans que je n'ai pas fait
de ski.

— Et vous, Mathieu?

— Moi, ça va... C'est même la première fois que
j'apprécie une excursion de ce genre.

L'ancien lutteur ne laisse jamais passer une leçon
profitable sans la souligner.

— La différence entre vous, déclare-t-il, c'est que
l'un est entraîné et l'autre ne l'est pas. En plus, Brunet, vous fumez, je crois?...

— Oui...

L'athlète triomphe.

— Voilà! Ça vous coupe le souffle! Allez, Mathieu,
dites-lui que vous êtes un autre homme depuis que
vous avez renoncé au tabac.

— Heu... en effet, répond le jeune homme, n'osant
avouer qu'il a recommencé à fumer.

Il rougit soudain, se souvenant qu'au début de son
séjour au Camp il a intérieurement qualifié d'hypo-

crites les pensionnaires qui se cachaient de Rochat
pour agir à leur guise.

Le regard affectueux posé sur lui le trouble si bien
qu'il se sent rougir derechef. « C'est quand même
idiot que je n'ose pas lui dire la vérité, ça me regarde,
après tout! »

— Vous verrez, mon petit, dit l'athlète, encore quelques mois d'efforts, de moins en moins pénibles d'ailleurs, et vous serez récompensé de tous vos sacrifices.

« Si au moins il ne me regardait pas comme ça! J'ai
l'impression de trahir un enfant... C'est d'autant plus
ridicule qu'il pourrait être mon grand-père! »

Les yeux trop limpides se détournent enfin et Mathieu recommence à respirer plus à l'aise. « Je ne
fumerai plus, ça règle mon cas! C'est trop difficile de
lui mentir. »

— Trois heures! s'exclame Rochat. Partons si nous
voulons arriver de jour. Nous n'avons pas encore fait
la moitié du chemin.

Le visage de Brunet s'allonge.

— Courage, ça ira bien. Essayez de marcher plus
vite. Gardez toujours un pas rapide, ça active la circulation du sang.

Une montagne à gravir et à descendre, encore une
autre, une autre encore... Pourquoi les pentes sont-
elles toujours plus hautes du côté où il faut les monter? Mathieu, qui n'est pas loin d'être aussi épuisé
que Brunet, parvient difficilement à conserver une
distance égale entre Rochat et lui. Il essaie pourtant
de se stimuler vigoureusement.

« Je ne suis pas si fatigué, et, mon Dieu, même si
je le suis, ça s'endure... Cette vie est exactement celle
qu'il me faut; tellement saine, tellement propre, et
fortifiante, et vivifiante! Tout le vocabulaire hygié-
nique, quoi! Il serait bon que je me souvienne de
temps à autre que j'ai été malheureux au point de
vouloir mourir »...

Il soupire et s'arrête pour s'éponger le front.

« Dire qu'on appelle ça un pays froid! »

Au sommet de chaque montagne il faut attendre Brunet. Mathieu ne s'en plaint pas, cette halte lui permettant de se reposer.

— C'est encore loin? demande-t-il.

— A la vitesse où nous allons, ça pourrait bien nous prendre encore deux heures, répond Rochat. Ce qui nous fera cinq heures et demie de marche. Savez-vous que les champions font ce même trajet en une heure et quelques minutes?

Il semble aussi alerte qu'au moment du départ. Ce corps puissant qui se détache sur le ciel, dominant la plaine, irrite soudain Mathieu par le spectacle de son invulnérabilité...

— Vous n'êtes même pas fatigué! s'exclame-t-il avec rancœur.

Le regard bleu s'étonne.

— Moi? Non... Et vous? Oui? A bout de souffle?

Sa voix prend des intonations chaudes et pleines de sollicitude.

— Soufflez-dit-il, soufflez fort afin de vider l'air de vos poumons... Encore... Là, prenez maintenant de profondes inspirations, c'est ça... encore... Encore... N'est-ce pas que ça va mieux?

— Oui, avoue Mathieu, désarmé.

— Vous voyez, il y a un remède à tout. Je parie qu'avant longtemps vous aimerez autant que moi cette vie au grand air. Au début on la trouve dure, mais bientôt on ne peut plus s'en passer.

Mathieu retrouve une lueur de son ancienne raillerie pour s'informer:

— D'après vous, c'est le secret du bonheur?

L'athlète sourit de tout son visage.

— Non, répond-il, c'est le secret de la santé. Celui du bonheur, le connaissez-vous?

« Il est bien capable de l'avoir trouvé! C'est le premier homme content de son sort que j'aie rencontré. S'il a le culot de me résumer en quelques mots une

formule que je cherche depuis si longtemps, je le tue
sur place. »

— J'aimerais bien le connaître, dit-il intrigué.

— Ce n'est pas bien malin, avoue Rochat d'un air
complice. Il s'agit de faire uniquement les choses qui
vous plaisent.

— Mais ce n'est pas toujours possible! proteste Mathieu.

— Si, croyez-moi, c'est toujours possible. Rien au
monde ne me ferait accomplir une chose qui m'embête. Au Camp, tenez, je me réserve uniquement les
tâches qui m'intéressent. Il y a toujours quelqu'un
pour se charger des autres.

Le visage inquiet de Mademoiselle Randier suppliant l'athlète de la conseiller revient à la mémoire
de Mathieu qui demande pensivement:

— Mais n'est-ce pas un peu égoïste?

L'homme paraît surpris. Son visage animé se ferme
subitement à toute communication.

— Peut-être, répond-il simplement.

Dédaigne-t-il de se justifier, ou se sent-il incapable
de déterminer les causes qui l'ont poussé à choisir
cette attitude plutôt qu'une autre? D'ailleurs y a-t-il
vraiment eu choix de sa part?

Changeant aussitôt de sujet, il interroge:

— Vous êtes sûr que Brunet n'a pas d'ennuis? C'est
curieux qu'il mette tant de temps à nous rejoindre.

— Le voici, dit Mathieu pointant son bâton vers
une silhouette qui sort du bois. Continuons, il nous
retrouvera au bas de la côte.

Rochat repart. Le jeune homme lui laisse le temps
d'atteindre le pied de la colline qui disparaît derrière
les arbres, et admire une fois de plus cette énergie
sans défaillance.

« N'est-il rien de plus qu'un égoïste? Cette théorie,
la met-il toujours en pratique? Oui, sans doute... Tel
qu'il est, ce n'est pas assez d'avoir une opinion, encore faut-il qu'il la sente et qu'il la vive. Faut-il croi-

re que l'égoïsme est en définitive la meilleure voie à suivre pour être heureux? »

Il s'élance à son tour au milieu des arbres, se frayant facilement un passage. Un cri derrière lui le force à s'arrêter brusquement. Etendu au pied d'un bouleau, Brunet appelle. Le jeune homme remonte, inquiet, devant le visage crispé qui se tend vers lui.

— Vous êtes blessé?

— Oui... ma jambe!

— Pas cassée, j'espère?

— Je ne sais pas...

« Il ne manquerait plus que ça! » songe Mathieu, ennuyé. Déchaussant ses skis, il se penche pour délacer la bottine de son camarade dont la cheville enfle rapidement. L'athlète, qui a aussi entendu le cri, vient le rejoindre et se courbe à son tour.

— C'est une fracture, dit-il, pensif, cherchant la meilleure ligne de conduite à tenir.

Brunet ne se plaint pas, mais ses traits contractés témoignent de la souffrance qu'il endure.

— Je pourrais rester avec lui pendant que vous continuerez au village, propose Mathieu. Vous n'aurez qu'à nous envoyer quelqu'un avec une traîne-sauvage.

— Non, décide Rochat, ce sera trop long. Nous sommes encore loin. Je vais ramener Brunet sur mon dos.

Le blessé proteste, mais l'athlète tient bon.

— Vous serez plus vite arrivé. Nous allons laisser vos skis ici, je reviendrai les chercher demain.

Il se courbe davantage pour que le blessé, soutenu par Mathieu, puisse se hisser sur ses épaules avec un minimum de douleur.

— Et soyez bien tranquille, je ne vous laisserai pas tomber. Ce n'est pas la première fois qu'il m'arrive de porter quelqu'un.

Il descend la pente avec précaution, aussi solide et stable qu'auparavant, à peine plus courbé. Ma-

thieu le suit en silence. Brunet ne retardant plus
la marche, aucun arrêt ne lui permet maintenant de
reprendre son souffle. Une fatigue écrasante l'envahit peu à peu et le pousse au découragement. Une
heure passe, une autre encore. Des paysages toujours
nouveaux s'offrent à ses yeux lui donnant l'impression d'être encore à des milles et des milles du Camp,
perdu dans une nature inconnue, à la suite d'un dieu
inflexible chargé de l'entraîner irrémédiablement à
sa perte. A bout de forces, il butte maintenant contre chaque obstacle, s'écrase dans la neige et résiste
mal à l'envie d'y rester étendu jusqu'à ce qu'on vienne à son secours. Une colère subite s'empare de lui.

« Qu'est-ce qu'il pense aussi de m'entraîner dans
une excursion aussi longue! Bon pour lui qui abat
ses vingt-cinq milles par jour depuis des années, mais
je n'ai pas soixante-quinze ans d'entraînement, moi!
Il n'a pas besoin de se vanter de faire uniquement
les choses qui lui plaisent sans penser aux autres! Ça
crève les yeux! J'aurais dû m'en apercevoir plus
tôt! J'en ai assez de lui! J'en ai assez de son égoïsme! Demain, je m'en vais! Pas plus tard que demain! »

Surexcité par la rage, il se prend à détester Rochat
de toutes ses forces. Avec quelle joie il lui crierait
des injures, si l'autre était encore à la portée de sa
voix. Mais il a laissé s'allonger la distance qui les
séparait. L'athlète doit être loin maintenant, trop
loin pour l'entendre. Mathieu croit le voir marcher
de ce pas élastique et souple qui jamais ne s'épuise
et son exaspération redouble.

Poussé par un besoin de vengeance qui exige un
assouvissement immédiat et brutal, il s'élance aussi
vite qu'il le peut sur les traces de Rochat. Le voir
seulement, l'apercevoir de loin et lui crier qu'il est
un monstre, lui crier qu'il le hait, qu'il abuse de
moi, qu'il abuse de tout le monde! Encore un bois
à traverser, encore une pente à escalader, encore un

sommet à franchir... La colère transporte Mathieu
qui ne ressent plus sa fatigue et marche, glisse, grim-
pe et court à toute allure. Lui crier que je le hais!
Il faut qu'il sache que je le hais! Que c'est fini! Que
je m'en vais, que... Le voici!

En plein élan, Mathieu s'arrête, essouflé, interdit,
le cœur soulevé d'une brusque émotion. Devant lui,
la silhouette de Rochat, doublée de celle du blessé,
contourne le sommet dénudé d'une montagne. Son
ombre géante s'allonge sur la neige, fantastique,
irréelle.

— J'avais oublié... j'avais oublié qu'il portait
l'autre...

Un sentiment de remord et d'admiration succède à
la colère. S'efforçant de rejoindre le couple, il s'ex-
horte au stoïcisme à coups d'invectives grossières.

« Tu es une vache! Un sale vache! Il faut toujours que tu te lamentes, que tu te plaignes, que tu
brailles! De nous trois, à l'heure actuelle, lequel est
le mieux partagé, sinon toi? Et c'est toi qui geins!
Je parie que Brunet a le courage de se taire... Quant
à Rochat, s'il parle, c'est pour l'encourager. Regarde-le bien, ce drôle d'égoïste qui ne fait que les choses qui lui plaisent. Regarde-le bien s'esquinter à porter un homme sur ses épaules, pendant des heures,
comme si c'était la chose la plus simple du monde.
Tu ne comprends pas, hein? Ça te dépasse, ce genre
d'égoïsme-là! C'est loin de ta mesquinerie!

Ainsi stimulé, il parvient presque facilement à finir le reste du trajet et trouve encore la force d'aider
l'athlète à transporter le blessé dans la maison. Epui-
sé, maintenant il s'effondre dans un fauteuil, convaincu d'avoir atteint la limite de ses forces. Rochat,
toujours actif, s'empresse de donner à Brunet des
soins qui l'apaiseront en attendant l'arrivée du médecin de Sainte-Agathe, auquel un employé est allé
téléphoner.

Prêt à passer dans la salle à manger, il entraîne Mathieu qui soupire en le suivant.

— Vous n'êtes donc jamais épuisé?

La main de l'athlète se pose familièrement sur l'épaule du jeune homme, tandis que ses yeux pétillent de malice.

— Vous ne le savez peut-être pas, Mathieu, mais tout est dans la tête. A moins d'être malade ou blessé, un homme n'est épuisé que lorsqu'il accepte de l'être.

Il se redresse en riant. Mathieu rougit, cinglé par cette phrase. Résolu de prouver à Rochat qu'il lui reste encore de l'énergie, il renonce à sa réserve habituelle et entreprend pour les convives un récit de la randonnée où il se donne à dessein un rôle ridicule qui fait ressortir la force de l'ancien lutteur. L'amplification des monologues qu'il improvise pour se stimuler lui obtient un succès de rire qui ne laisse pas de l'étonner et de le ravir.

Mis en verve par sa narration, les pensionnaires racontent à leur tour des aventures semblables où Rochat prend chaque fois figure de dieu invulnérable. L'athlète rit.

— Vous êtes des enfants, dit-il. Ce que je fais, n'importe qui peut le faire.

L'effort qu'il vient de fournir ne se trahit que par l'incroyable quantité d'aliments qu'il absorbe pour réparer ses forces. Rien ne l'empêche de danser après le dîner, avec autant d'entrain que les autres soirs.

Résolu à résister autant que lui, Mathieu trouve l'audace de demander une leçon de ping pong à un pensionnaire qu'il a soin de choisir parmi les plus mauvais joueurs, et se force à relancer la balle jusqu'au moment où il voit Rochat s'installer devant une table de bridge. Alors, il se permet d'être fatigué et monte à sa chambre où il s'écrase sur son lit.

La joie l'envahit, malgré l'épuisement de son corps.
Une joie douce mêlée de lumière; lumière faible encore, mais réconfortante.

— Je crois que je commence à comprendre... je ne
sais pas très bien ce qu'il y a à comprendre, mais je
sens que j'ai appris quelque chose aujourd'hui.

# CHAPITRE VI

Grâce désarmante du printemps qui renaît, matin lumineux et tendre, si tendre que le cœur s'amollit devant une telle béatitude; tiédeur enivrante qui enfin détend l'être tout entier; clarté paisible qui n'a plus la dureté des ciels d'hiver; printemps si cher, cher printemps si mérité, printemps-récompense...

Mathieu, étendu dans l'herbe, se sent pénétrer par la chaleur du soleil et s'abandonne à la joie d'un lyrisme intime qui le fait doucement divaguer.

Depuis près de deux mois, il vit seul dans un chalet que Rochat lui a prêté en attendant la réouverture du Camp des Athlètes, fermé pendant la saison morte. Ces jours calmes, meublés de silence, achèvent de l'apaiser.

L'emploi de son temps ne varie pas: culture physique, marches en montagne, bains de soleil, leçons de lutte, de boxe, d'escrime, etc. Rochat, complaisamment, lui transmet toute sa science. Mieux que dans un miroir, Mathieu, dans les yeux de l'athlète, constate l'amélioration de ses muscles et en retire une satisfaction qui le fait maintenant supporter sans se plaindre des exercices les plus épuisants.

Parfois, pourtant, il s'étonne d'accorder à sa santé une importance telle que tout en comparaison devient fade.

« C'est que je ne veux plus maintenant que je les connais, renier les joies du corps, songe-t-il pour s'excuser. J'en ai été sevré trop longtemps! »

Ses livres dorment encore dans le fond de la valise où les a placés Lucienne. Tout en lui proteste à la

seule pensée de les ouvrir, comme si la littérature
était à jamais liée pour lui à l'idée de souffrance.
Toutes ses anciennes préoccupations subissent le même sort. « Ne plus penser, renoncer à l'introspection
qui a failli me conduire au suicide, sinon à la folie.
Vivre; n'être que sensations. Ne plus rien attendre
des autres; ne plus exiger, mais recevoir; n'être rien
de plus qu'un corps harmonieux qui vibre à l'unisson
de la nature, au rythme de la terre, comme un animal
qui s'épanouit sans contrainte. Que puis-je demander
de plus? »

— *Ça te suffit? Tu es sûr d'atteindre le bonheur de
cette façon?*

« Une certaine sorte de bonheur, paisible et sans
interrogation. Oui, c'est tout ce que je demande. Je
ne veux rien demander de plus »

Sa pensée se referme sur cette dernière phrase. Il se
lève, ne songeant plus qu'à se livrer à des mouvements
rythmiques qui achèvent de lui faire croire à la sérénité.

Une cloche sonne au loin, qui le fait soupirer d'aise
car la faim se fait sentir et l'idée d'un repas substan-
tiel fait maintenant partie de ses raisons d'aimer la
vie.

Mademoiselle Randier, chez qui il mange depuis le
début de la saison morte, l'accueille gaiement.

— Venez vous asseoir, dit-elle, et goûtez un peu
cette soupe!

— Nous n'attendons pas Monsieur Rochat? demande Mathieu, étonné.

— Non, il est allé à la ville assister à une partie de
lutte.

Le jeune homme s'asseoit en silence, jetant un regard de regret sur la place vide de l'athlète dont la
présence lui manque.

— Bonne nouvelle pour vous, Mathieu, fait Mademoiselle Randier en s'installant à ses côtés. J'ai reçu
une lettre de notre ancien comptable, Robert, vous

savez? Il a décidé de ne pas revenir cet été, alors j'ai pensé à vous.

— Pourquoi à moi?

— Mais, n'est-ce pas l'emploi que vous désiriez? Monsieur Rochat m'avait dit le jour de votre arrivée que...

— En effet, interrompt-il sans enthousiasme.

— Ça vous paierait... Evidemment, vous auriez du travail à faire...

— C'est à ça que je pense.

Mademoiselle Randier le regarde avec inquiétude. Va-t-il devenir aussi paresseux que tant d'autres athlètes incapables de se résoudre à gagner leur vie?

— Il faudra vous occuper de la correspondance, faire enregistrer les clients, écouter les réclamations, mettre de l'ordre dans les factures...

— Et rester derrière le comptoir la plupart du temps?

— Evidemment, répond-elle en retournant au poêle, mais cela ne vous empêchera pas de faire la culture physique avec les autres, le matin.

Mathieu se voit, soudain, objectivement, au milieu de paperasses, affairé et préoccupé, tandis que d'autres sortent et s'agitent au grand air, tandis que des clapotis d'eau lui parviennent, tandis que le soleil enivre d'autres corps que le sien, tandis que d'autres vivent dans la lumière; sa lumière...

— Non, proteste-t-il, repoussant le tableau, non, je ne veux pas. Trouvez-moi autre chose. Je ne veux plus vivre à l'intérieur des maisons.

— Moi qui croyais vous faire plaisir!

— Merci quand même. A l'heure actuelle, je préfère vivre dehors le plus possible. J'accepterai n'importe quel travail, mais dehors.

— Ça vous paiera moins...

— Mais je n'ai pas besoin d'argent! Je n'ai aucune dépense depuis que je ne fume plus.

— Vous auriez pu en profiter pour faire des économies qui à l'automne vous serviraient à... je ne sais
pas, moi...

Mathieu rit. Sa vie se dessine devant lui...

— Qui vous dit qu'à l'automne je voudrai partir?
Monsieur Rochat m'a assuré qu'il trouverait toujours
à m'employer si je voulais rester avec lui.

Mademoiselle Randier le regarde affectueusement.

— Je ne demande pas mieux, vous savez! Je croyais
que vous étiez venu au camp pour refaire votre santé
et que votre intention était de retourner à la ville en
septembre.

— C'est aussi ce que je croyais, répond-il pensivement, mais puisque je suis heureux ici, autant y
rester!

Rien ne lui semble plus facile que d'envisager son
existence entière au Camp des Athlètes. Ce bonheur
actuel lui suffit pleinement. Pourquoi demanderait-il
davantage?

# CHAPITRE VII

Juin s'achève dans la paix. Mathieu doit bientôt abandonner son chalet et partager la maison des employés. Ce sont les mêmes qui reviennent; il les retrouve sans excès d'enthousiasme, mais les accueille avec camaraderie.

Les premiers clients arrivent bientôt. Cette fois, il ne cherche plus à les fuir et se mêle à eux sans contrainte, partageant leurs repas et leurs jeux. Il accepte même de prendre des leçons de danse d'une pensionnaire sans âge et sans beauté, mais débordante d'entrain. Juillet passe sans apporter de changement à sa vie.

La culture physique en été se fait sur la plage et se termine par un plongeon dans l'eau. Mathieu, ce matin-là, se sent en pleine forme et se livre allègrement aux exercices, lorsqu'il voit soudain se fixer sur lui le regard lourd et plein de promesses d'une jeune femme allongée sur le quai. Stupéfait, furieux de se sentir rougir, il détourne aussitôt les yeux, craignant de s'être trompé. Il lui faut quelques minutes pour admettre que ce regard sans équivoque s'adresse bien à lui. Etonné, il observe à la dérobée la jeune femme qui semble l'évaluer de la tête aux pieds.

« Que le diable l'emporte! » songe-t-il, agacé par la trop grande évidence des désirs qu'on jette soudain à ses pieds.

Mais il est flatté. Malgré lui, il ne peut s'empêcher de surveiller sa conquête, redoutant de la voir se lasser de l'indifférence qu'il affecte d'opposer à ses provocations.

Un quinquagénaire, essoufflé par les exercices, s'arrête et soupire en haussant les épaules.

— Ma foi, s'il faut tant se fatiguer pour être beau, j'aime mieux rester laid!

Il sort du groupe et va rejoindre la jeune femme qui lui crie d'une voix vulgaire:

— Continue donc, Ernest, ça te fera du bien, tu es mou comme une guenille. Fais-toi aller un peu!

— Facile à dire quand on se contente de regarder les autres, grogne-t-il en se laissant choir à ses côtés.

— Oh! moi, j'ai pas besoin de ça! riposte-t-elle en s'étirant pour faire valoir des formes qui lui ont valu tant de plaisirs extraconjugaux.

Son regard ne quitte pas Mathieu qui à son tour l'évalue. « Un peu grasse, mais appétissante pour ceux qui aiment les plaisirs faciles ». Là-dessus il s'interroge. Aime-t-il les plaisirs faciles? Comment répondre d'une chose qu'on ne connaît que par oui-dire? Son expérience se limite aux femmes qu'on paie. Depuis son entrée chez Rochat, il a fait preuve d'une continence qui se pourrait qualifier d'exemplaire si elle avait été choisie, mais elle a tout juste été subie. Et non sans protestations intimes, et non sans avoir recours à des souvenirs de collégien.

« Je serais bien fou de refuser ce qu'on semble vouloir m'offrir si spontanément, d'autant plus que c'est la première fois que cela m'arrive! A moins que je ne me trompe... Elle s'amuse peut-être à me faire marcher?... »

Repris par ses anciens doutes, il évite de regarder la jeune femme et, aussitôt les exercices terminés, se jette dans le lac, comptant sur la fraîcheur de l'eau pour calmer son émoi.

Elle s'appelle Annette, le quinquagénaire est son mari; ils ne sont au Camp des Athlètes que pour deux jours. Mathieu, maintenant renseigné, cherche au cours de la matinée à se faire valoir. Comment pourrait-elle s'empêcher de faire des comparaisons entre

son mari et moi? » songe-t-il avec satisfaction. Il
éprouve une agréable revanche à mettre en évidence
ce corps que les femmes ont si longtemps négligé, et
se glorifie à l'idée de repousser la première offrande
qu'on lui fait. « Pourquoi me presser, maintenant
que je sais que je peux plaire? Je choisirai moi-même
et quand cela me tentera. »

Mais Annette n'en est pas à ses première armes et
sait varier son jeu. Sûre d'avoir bien fait comprendre
ses intentions, elle délaisse subitement le jeune homme et, de l'après-midi, ne lui accorde plus un regard.
Piqué, Mathieu recherche maintenant ce que ce matin il dédaignait. Rien à faire. Dérouté par l'indifférence qu'on lui témoigne, il renonce brusquement à
une poursuite dont l'échec risquerait d'être préjudi-
ciable à une sérénité acquise au prix de tant d'efforts,
et prend la résolution de ne pas se présenter à la
salle de danse après le dîner.

Seul, indépendant, orgueilleux et ennuyé, il va se
promener en canoë sur le lac, irrité tant par la lune
et la tiédeur de l'air que par les images trop précises
qui se pressent dans sa tête.

« J'ai agi comme un imbécile, songe-t-il troublé à
la pensée que cette femme, sur laquelle il croit avoir
des droits parce qu'elle l'a regardé, se pâme sans doute dans les bras d'un autre. Que m'importe sa vulgarité puisqu'elle est consentante. Appétissante et consentante, que peut-on demander de plus à une femme
qui ne s'appelle pas Danielle? C'est bien de moi de
faire le fier comme si j'avais tous les jours des occasions semblables!

Il revoit d'autres femmes qui ont aussi paru le remarquer depuis la réouverture du Camp, mais dont il
n'a osé s'approcher de crainte d'être bafoué. Qu'il ne
sache pas parler aux femmes, personne ne le sait
mieux que lui. Leur indifférence, quand ce n'était
pas leur mépris, l'a pour longtemps marqué. Devant
elles, même maintenant qu'il n'a plus à rougir de sa

laideur, il reste sombre, inquiet, facilement sarcastique
et toujours redoutant quelque remarque désagréable.
Aucune ne lui a encore donné l'impression qu'il pouvait être réellement désirable. La seule Annette...

— Elle n'en vaut pas la peine! Elle n'en vaut pas
la peine! murmure-t-il entre ses dents, rageant de sentir monter en lui un désir sans proportion avec l'objet qui en est la cause. J'ai bien fait de la laisser à un
autre!

— *Cesse donc de te mentir. Tu crèves de dépit!*

Aussi irrité que jadis par ces protestations qui jaillissent de lui toujours trop vite pour qu'il puisse les
repousser, Mathieu donne dans l'eau un grand coup
d'aviron.

« C'est faux! Si j'avais voulu!... »

— *Tu es toujours le même Mathieu incapable
d'agir! Tu n'as pas changé!*

Cette idée le plonge brusquement dans une panique
dont il essaie de s'évader en protestant de toutes ses
forces. « C'est faux! C'est faux!! C'est faux! Je me
fous des autres maintenant. J'ai cessé d'agir en fonc-
tion de l'opinion des autres. J'ai changé. Je ne suis
plus le même! J'ai changé! » Pour mieux s'en convaincre, il appelle à la rescousse tous les exploits sportifs qu'il a accomplis à la suite de Rochat, et revoit
mentalement toutes les occasions qu'il a eues de vaincre sa paresse, sa jalousie, sa vanité. Les exemples ne
manquent pas pour lui prouver qu'il est aujourd'hui
un homme comme les autres. — Comme les autres,
murmure-t-il avec satisfaction, je suis comme les autres maintenant. Et je ne suis pas plus forcé que les
autres de faire l'amour avec la première femme venue.
Je choisirai qui je voudrai, quand je voudrai...

Apaisé par ces raisonnements, il ramène le canoë
au rivage et va regagner sa chambre, lorsque le son
d'un tango lui parvient par les fenêtres ouvertes. Son
trouble renaît, et le désir d'aller retrouver Annette.
Mais Annette voudra-t-elle encore de lui? Hésitant,

malheureux, il voudrait rentrer, mais ne parvient pas
à s'arracher à ce rythme obsédant et plein de langueur. « Musique bête, rage-t-il intérieurement, musique obscène faite pour les plaisirs vulgaires. Qu'un
tango suffise à me bouleverser, c'est vraiment trop
idiot! J'étais bien avant l'arrivée de cette femme;
qu'avait-elle besoin de venir ici! Si encore j'étais sûr
qu'elle ne rirait pas de moi. Je ne veux plus qu'on
rit de moi! »

— *Tu vois bien que tu n'as pas changé!*

« J'ai changé! » Cessant de raisonner, il court à la
salle de danse où Annette, collée à un danseur, évolue, allanguie, offerte, toujours aussi évidente. Ses
cheveux frisent sur sa nuque moite; la tête renversée
en arrière, elle rit d'un rire plein d'abandon; un rire
déjà horizontal.

« Ce sera moi! » décide Mathieu. Profitant d'un
arrêt du phonographe, il se dépêche d'aller rejoindre
la jeune femme.

— Nous dansons la prochaine ensemble, déclare-t-il
abruptement.

Ce ton de commandement semble la ravir et la jette
molle et servile dans ses bras au moment où la musique reprend.

— Je vous ai attendu toute la soirée, murmure-t-elle
d'une voix plaintive.

Il la regarde sans sourire, incapable de trouver un
mot aimable, tant la pensée qu'elle pourrait le repousser au dernier moment le préoccupe.

— J'espérais tant que vous viendriez me rejoindre,
continue-t-elle.

Mathieu se tait toujours, trop troublé pour répondre. Son attitude le sert malgré lui. Habituée à des
phrases toutes faites, à des mots triviaux et directs
qu'elle s'amuse d'ailleurs à provoquer, Annette, toujours consentante, n'a jamais été brusquée. La gravité de Mathieu et son visage fermé lui font soudain
penser à l'amour tel qu'on le voit dans certains films.

Toute frissonnante, elle s'abandonne au bras ferme qui la conduit le long d'une valse sans complexité.

— Que tu danses bien! soupire-t-elle tendrement.

Il rougit et se mord les lèvres, devinant bien qu'elle cherche à lui plaire sans souci de la vraisemblance. Danser lui paraît encore un acte compliqué et plein d'audace qu'il a conscience de ne réussir qu'à moitié.

— J'aime danser avec toi, poursuit-elle avec des yeux qui chavirent.

— Tais-toi! coupe-t-il, ce n'est pas nécessaire!

Interdite, elle lève vers lui un regard inquiet. Pourquoi refuse-t-il de jouer le jeu?

— Je ne comprends pas, bafouille-t-elle. Vous êtes fâché?

Son inquiétude rassure Mathieu qui se hasarde à demander, non sans brusquerie:

— Ce soir?...

Annette cette fois reconnaît son langage.

— Tout de suite, si tu veux...

— Viens...

Ils pénètrent dans le hall où des joueurs de bridge se taisent, aussi perplexes et graves que des généraux à la veille d'une bataille. Annette désigne un crâne poli, rosé par le soleil.

— C'est mon mari, glisse-t-elle tout bas, à son âge c'est mieux qu'il joue aux cartes.

Son rire un peu éraillé s'élève. Mathieu ne répond pas, se contentant de la suivre sous la lune.

— C'est bête que je parte demain, dit Annette au moment où le jeune homme allait la quitter. Ça ne me tente plus de partir maintenant.

Ses deux bras se nouent autour du cou de Mathieu qui ne se dégage pas tout de suite.

— Dommage, répond-il, presque sincère.

Comment ne lui serait-il pas reconnaissant du don qu'elle vient de lui faire? La certitude d'avoir été choisi parmi d'autres hommes, le rend presque doux. Une femme au moins l'a recherché. Un jour, d'autres

femmes mieux qu'Annette, qui sait peut-être même...
Non, ne mêlons pas Danielle à cette nuit.

— Viens à Montréal avec moi... Mon mari s'en va
dans les Cantons de l'Est pour affaires.

Elle le supplie doucement, les yeux levés vers lui,
avec une insistance qui le flatte.

— Je ne peux pas, répond-il en se penchant pour
l'embrasser une dernière fois. Va, tu es gentille, je ne
t'oublierai pas...

Elle le regarde, soudain étonnée, et murmure d'une
voix rêveuse:

— C'est drôle, toi, c'est après que tu es gentil. D'habitude c'est tout le contraire.

Une tristesse subite voile son regard.

— Surtout ne change pas, dit-elle presque plainti-
vement, c'est tellement mieux comme ça.

Une femme m'a choisi, une femme m'a préféré
aux autres, une femme s'est donnée à moi... Qu'importe qu'elle ait l'habitude de ce don spontané puisqu'elle m'a révélé la seule chose que je voulais savoir:
que j'ai changé, que j'ai cessé d'être répugnant, que
je peux plaire, qu'on peut me désirer, moi; me désirer
moi, Mathieu...

Le lendemain, Annette, qu'il retrouve sur la plage,
lui lance des regards complices qui le font rire.

— J'irai te rejoindre dans ta chambre à dix heures,
lui souffle-t-elle après les exercices de culture physique.

Mathieu n'a pas le temps de répondre et entre dans
la salle à manger, ennuyé de la voir disposer de lui
aussi facilement. Mais cet agacement s'évanouit à la
pensée qu'Annette doit quitter le Camp le jour même.

Penché à sa fenêtre à l'heure dite, il guette sa venue
lorsqu'une automobile entre dans le parc de station-
nement; une Buick décapotable qu'il connaît bien
pour avoir eu trop souvent l'occasion de la convoiter.

— Bernard! s'exclame-t-il d'une voix étouffée en
reculant brusquement dans le fond de sa chambre.

Pourquoi cette arrivée lui cause-t-elle une si folle
angoisse? C'est comme si tout son passé brusquement
lui montait à la tête.

« Je ne veux pas le voir! Je ne veux voir personne
de mon ancienne vie. Surtout pas un Beaulieu! »

Annette frappe à la porte, et refrappe avant qu'il
ne l'entende.

— Je pensais que tu n'étais pas ici, s'écrie-t-elle lorsqu'il lui ouvre enfin. J'ai eu peur, je me demandais
où te retrouver.

— Je veux m'en aller, dit-il brusquement. Peux-tu
m'emmener à Montréal? Quand pars-tu? Comment
te rends-tu à la ville? Ton mari a-t-il une auto?

Ce flot de questions étonne la jeune femme qui
croit tout de suite être en cause et s'exclame gaiement:

— C'est vrai, tu veux venir avec moi C'est épatant!
Ernest veut partir à deux heures, c'est ça que je venais
te dire! Il a une auto, je t'emmène!

Maintenant qu'il est sûr de pouvoir éviter Bernard,
Mathieu se calme.

— Ecoute, dit-il, tu vas me rendre un service.

— Bien sûr.

— Il y a quelqu'un qui vient d'arriver et que je ne
veux pas voir. Tu vas t'informer discrètement; discrètement, entends-tu; afin de savoir combien de
temps il doit rester ici.

Le visage d'Annette s'allonge.

— Ah! s'exclame-t-elle, dépitée, c'est pas à cause de
moi que...

Mathieu se penche et l'embrasse, pressé de faire la
paix.

— Il s'appelle Bernard Beaulieu. Va vite.

Annette revient quelques minutes plus tard.

— J'étais là quand il a signé son nom, dit-elle, tout
essoufflée d'avoir couru.

— Et alors? demande Mathieu.

— Il est ici pour la semaine! s'écrit-elle vivement.
— Bon! décide Mathieu, ça règle mon cas, je pars avec toi. Je serai près de la gare à deux heures.
— Pourquoi pas ici?
— Je t'ai dit que je ne voulais pas voir ce type-là.
— Qu'est-ce qu'il t'a fait?
— Pas de questions. Je t'aime bien et quand nous serons à la ville tu ne regretteras pas de m'avoir rendu service. Pas un mot à personne, hein? Va, maintenant, je veux préparer ma valise.
— Laisse-moi rester encore un peu... Je ne te dérangerai pas.

Bien qu'il ait envie d'être seul, Mathieu n'ose la mettre à la porte et entreprend de rassembler ses vêtements. Pourtant il se retourne après un moment, ennuyé d'être observé pendant qu'il circule dans sa chambre en maillot de bain.

— Ça m'ennuie que tu sois là. Va-t-en, veux-tu?
— Mais, je ne disais par un mot!
— Non, mais tu me regardes et ça me gêne.
— Pourquoi? demande-t-elle. J'aime te regarder. T'es plutôt beau, tu sais.

Saisi, Mathieu s'approche vivement.

— Répète un peu ce que tu viens de dire?

Annette lève vers lui des yeux étonnés.

— J'ai rien dit qui pouvait te fâcher!

Il se penche vers elle et insiste plus doucement cette fois.

— J'ai seulement dit que tu étais plutôt beau...
— Seulement ça, oui! s'exclame-t-il avec un éclat de rire. Eh bien! tu ne peux pas savoir l'effet que ça me fait! C'est mon corps ou mon visage que tu trouves ... presque beau?

Il la scrute, si grave maintenant qu'Annette hésite à répondre.

— Les deux, je pense... Non, ton visage est moins beau... Mais il y a quelque chose d'attirant. C'est les yeux... ou la bouche... je ne sais pas.

— Oui, tu me dis ça, je suppose, comme tu m'as dit hier soir que je dansais bien?

Elle rougit et secoue vivement la tête.

— Non, non, hier, c'était pas la même chose, je... j'étais...

— Pourquoi? insiste Mathieu voyant qu'elle s'arrête, pourquoi?

Elle se mit à rire, soudain distraite.

— Ça te fait tellement plaisir que je te trouve beau?

— Réponds à ma question. Pourquoi disais-tu qu'hier ce n'était pas la même chose?

Annette hésite encore.

— Je ne sais pas... peut-être parce que je te connaissais mal... Il y a des hommes qui aiment qu'on leur mente. Toi, ça t'agace, alors, je ne te dirai plus que des mensonges vrais... Je veux dire des mensonges que tu pourras croire...

Mathieu rit, content malgré tout de cette forme de sincérité. Prenant entre ses mains la tête de la jeune femme, il murmure doucement.

— Annette, je veux me souvenir de toi toute ma vie...

# CHAPITRE VIII

Lucienne Normand soupire en consultant sa montre. Dix heures moins le quart... Jules repose, presque calme ce soir; tout semble indiquer qu'elle pourra enfin se payer le luxe d'une longue nuit de sommeil. A moins que la chaleur étouffante ne l'empêche de dormir.

Traînant les pieds, elle se dirige vers sa chambre et commence lentement à se déshabiller, évitant d'allumer la lumière qui la forcerait à baisser le store. Aucun souffle d'air ne lui parvient de la fenêtre grande ouverte dont les barreaux ressortent dans l'obscurité, plus noirs que la nuit, et plus que jamais transformant la pièce en cellule de prisonnier.

— J'étouffe, murmure-t-elle, j'étouffe ce soir...

Immobile, trop lasse pour réagir, elle ne se sent de courage que pour regretter d'avoir refusé l'invitation d'Eugénie prête à l'emmener passer quelques semaines à sa maison de campagne.

— Tu es épuisée, l'air pur te fera du bien. Qu'est-ce qui t'empêche de faire transporter Jules à l'hôpital pour un mois?

« Jamais! » avait intérieurement protesté Lucienne; mais elle s'était contentée de dire qu'elle n'osait confier à personne la tâche de soigner son mari.

Le désintéressement de cette réponse n'avait pas manqué d'éblouir Eugénie, qui ne se lassait pas de chanter les louanges de son amie depuis qu'elle la voyait se dévouer nuit et jour au chevet de Jules.

Les commentaires flatteurs que lui vaut sa conduite, semblent à peine toucher Lucienne qui, pour la

première fois de sa vie, ne cherche à tirer aucun parti
de son nouveau malheur. Sa joie est ailleurs. Que lui
importe maintenant ce que l'on dit ou pense d'elle?
Tous ses désirs n'ont-ils pas été exaucés, et bien au-
delà de ses espérances? Voir trembler devant elle
l'homme qui l'a si longtemps bafouée, suffit ample-
ment à la combler. Ce retour est son œuvre, l'œuvre
de sa patiente volonté, de son inépuisable acharne-
ment, la seule réussite dont elle ait lieu de se glorifier.
Elle tient enfin sa proie bien en main; muette, impuissante, à sa merci. Jour et nuit à sa merci. A sa
merci jusqu'au dernier souffle; jusqu'à la mort, à sa
merci.

— Oh! pourvu qu'il ne meure pas tout de suite!
gémissait-elle souvent les premiers jours, lorsqu'elle
voyait le malade traverser une crise qui risquait de la
priver de sa vengeance.

— Vous devriez le renvoyer à l'hôpital, disait Etienne, vous n'êtes pas organisée pour soigner une maladie aussi grave.

Combien de fois a-t-elle dû repousser des conseils
de ce genre! Renvoyer Jules? Lui donner cette satisfaction? Combler ainsi son vœu le plus cher? Jamais!
Car Jules n'a pas eu besoin de parler pour exprimer
son désir de retourner à l'hôpital. Son regard suppliant a plus d'éloquence que les paroles. Lucienne
si loquace les premiers jours a bientôt craint de rassa-
sier par les mots, des sentiments si longtemps contenus
et s'est résignée au silence. C'est par les yeux qu'ils
communiquent maintenant l'un et l'autre.

De jour en jour pourtant cette joie qu'elle avait
crue inépuisable, s'apaise et pâlit. Chaque heure trouve Lucienne plus fatiguée, plus indolente, physiquement prête à céder, ne parvenant qu'à force de volonté à ne pas haïr moins que la veille et se reprochant
comme une faute cette indifférence où la plonge un
épuisement quasi complet de tout son être.

— Si au moins je pouvais dormir! soupire-t-elle en
faisant un effort pour se lever.

Malgré sa hâte à revêtir ses vêtements de nuit, plus
légers que ceux du jour, elle ne parvient pas à accé-
lérer ses mouvements et s'irrite de sentir dans tous ses
membres une sorte d'engourdissement qui la prive de
son énergie habituelle.

La lumière du corridor projette assez de clarté pour
lui permettre de s'approcher du miroir. Mais la voici
qui s'arrête, le cœur battant. Quelqu'un a marché!
Elle est sûre d'avoir entendu marcher quelqu'un...
Tremblante, envahie par une pensée qui l'affole subitement, elle écoute. C'est bien cela, elle ne s'est pas
trompée! Les pas se rapprochent; des pas chancelants
qui semblent hésiter... Comment a-t-il pu se lever?
Pourquoi s'est-il levé? Veut-il la tuer? S'il a trouvé
la force de marcher, il trouvera aussi bien la force de
la tuer! Comment est-ce arrivé? Comment a-t-il pu
se lever?

Immobile, les mains crispées sur sa poitrine, en
proie à une terreur qui la cloue sur place, elle attend,
incapable de faire un geste ou de proférer un son.

Les pas s'arrêtent, une lumière s'allume dans le
salon, les pas reprennent... Une silhouette bientôt
se profile, à contre-jour, dans l'embrasure de la porte,
celle d'un homme, éclairée de dos par l'ampoule du
corridor.

Les bras de Lucienne retombent, tandis qu'une
bouffée de sang lui monte à la tête. Les pensées de
nouveau se coordonnent, et bientôt se précipitent.
« Comment ai-je pu croire?... Les pas venaient d'en
avant! Je suis en train de devenir folle!!... Qui est-
ce?... Un voleur?... »

Retrouvant son sang-froid coutumier, elle cherche
à distinguer les traits du visage masqué d'ombre.

— Que voulez-vous? demande-t-elle sèchement.

La silhouette se dandine un moment sans répondre,

puis se redresse, tandis qu'une voix raille, nasillarde
et sarcastique:

— De l'argent, chère maman, rassurez-vous, — rien
de plus que de l'argent!

— Mathieu! s'écrie Lucienne, stupéfaite.

— Mathieu lui-même, répond le jeune homme en
s'inclinant avec un grand geste qui met en jeu son
équilibre.

— Veux-tu me dire ce qui te prend d'entrer chez
moi, en pleine nuit, comme un voleur? demande-t-elle
durement, contente pourtant de retomber dans une
réalité moins troublante. Va m'attendre au salon.
J'enfile une robe de chambre et je viens te rejoindre.

Il lui tourne le dos sur un mot grossier. Sa pensée,
bien qu'alourdie par l'alcool qu'il n'a cessé d'absorber
depuis le matin, demeure en partie lucide. Adossé au
mur, il regarde autour de lui, mais sans rien voir.
Ce ne sont pas les meubles qu'il reconnaît d'abord, ni
les bibelots, ni les cadres, ni même le crucifix de
Papineau, mais l'atmosphère de la pièce, de l'appartement, l'atmosphère de son enfance, de sa jeunesse.

— Comment ai-je pu endurer cela si longtemps?
Comment ne suis-je pas parti plus tôt! s'exclame-t-il
avec un sursaut de rancœur.

Lucienne qui vient le rejoindre va riposter, mais
s'arrête, interdite, cherchant à retrouver son fils dans
ce garçon différent dont elle ne reconnaît que la voix.

Où sont les lunettes noires, où sont les traits tirés
sans cesse parcourus de tics, le teint jaune et brouillé,
les épaules courbées, où est l'ancienne maigreur de
Mathieu, qui l'apparentait à sa mère? Évidemment,
c'est bien Mathieu; oui, il avait ces traits, ce nez et
cette bouche, ce front large et ce menton obstiné, et
voilà bien ses cheveux... Mais où a-t-il pris cette peau
bronzée et ce teint clair, cette taille dégagée, ces épaules sans défaillance et ce quelque chose d'autre encore
qu'elle ne parvient pas à définir, et qui tient de toute

son attitude plutôt que d'un seul détail de sa personne?

Impressionné lui-même par cette prise de contact avec son passé, Mathieu n'a pas constaté tout de suite la stupéfaction de sa mère; mais il ne l'a pas aussitôt observée qu'il s'en réjouit, sensible à tout ce qui lui rappelle à quel point il a changé. Se redressant, il rejette ses épaules en arrière et circule devant elle, de dos, de face, de profil.

— Hein? qu'est-ce que vous dites de ça? persifle-t-il, exagérant à dessein ses attitudes vaniteuses. Hein? dites un peu ce que vous en pensez?

Mais Lucienne hoche la tête avec un mépris non déguisé. Tous les supplices à cet instant lui sembleraient préférables à celui de reconnaître une transformation trop avantageuse pour son fils.

— Qu'est-ce que c'est que cette tenue? demande-t-elle avec hauteur. Même pas de cravate?... Et ce pantalon froissé, et taché, ma foi?... Tu es donc toujours aussi malpropre?

Momentanément saisi par cette voix dont il avait oublié la sécheresse, Mathieu se reprend et ricane.

— Ça va, ça va, réplique-t-il avec une indifférence gouailleuse. Votre visage dépité en dit plus long que vos paroles. Vous êtes battue, admettez-le donc!

Lucienne pince les lèvres et, ne trouvant rien à répondre, lui lance un regard hargneux. Battue ou non, son attitude ne changera pas.

— Et l'autre? demande Mathieu en déplaçant pour s'y asseoir la chaise de la table à écrire. Comment est-il? Toujours moribond?

Croisant la jambe, il continue, sarcastique:

— A moins que vous ne l'ayez achevé?

Lucienne se tait, la bouche dure, le visage fermé. Le jeune homme éclate de rire.

— Que je suis bête! Comme si vous laisseriez passer une aussi belle occasion de récolter la considération générale, tout en assouvissant votre vengeance! Je parie, au contraire, que vous le soignez très bien, de crainte qu'il ne vous échappe!

Lucienne se tait toujours. Ce fils nouveau qu'elle reconnaît mal, l'étonne et la désarme: Comment l'atteindre aujourd'hui? Quels sont maintenant ses points faibles? Faute de savoir où le frapper, elle préfère garder le silence et l'examiner froidement avec un mépris qui finit par atteindre son but. Peu accoutumé à la voir sans protester subir ses injures, Mathieu perd pied et s'agite.

— Eh bien! quoi, parlez! Etes-vous devenue aussi muette que lui?

« Non, pas battue encore! » triomphe intérieurement Lucienne qui marque aussitôt le point en demandant d'une voix coupante:

— Comment es-tu entré sans sonner? Tu as donc gardé la clé de l'appartement? Rends-la moi tout de suite! Tu te trompes si tu crois que tu pourras venir m'ennuyer désormais à toute heure du jour et de la nuit.

Mais Mathieu mène depuis cinq mois une vie trop paisible pour ne pas reprendre facilement le contrôle de ses nerfs. « Quand je pense qu'elle m'a fait trembler pendant des années! » songe-t-il en ricanant. Ce petit rire, qu'elle reconnaît, pique Lucienne qui répète plus durement:

— La clé, tu as compris? Donne-moi cette clé!

Le petit rire persiste.

— La donner, pas si bête! Elle est à vendre. Combien m'offrez-vous? Un bon prix s'il vous plaît, j'ai besoin d'argent.

— Dégoûtant personnage! Tu vas sortir d'ici immédiatement! Et sans un sou, tu entends? Espèce de voyou!

— Allez, allez, pas de crise! Je ne fais que prendre ce que j'ai eu la bêtise de vous donner. Avez-vous oublié que je vous ai fait vivre pendant des années mal-

gré la façon ignoble dont vous me traitiez? L'avez-
vous oublié?

Ces mots, par les évocations qu'ils suscitent, rani-
ment la vieille haine dont il s'était cru délivré. Les
humiliations que sa mère lui a fait subir tout au long
de son enfance assaillent brusquement sa mémoire.

— Essayez donc aujourd'hui de me traîner devant le
miroir comme vous faisiez jadis! crie-t-il de toute sa
voix. Essayez donc de lever la main sur moi! Essayez
donc de me frapper!

Un déchaînement imprévisible le pousse vers elle,
menaçant, le poing tendu. Trop saisie par la soudai-
neté de cette colère pour songer à se défendre, Lucienne courbe la tête et se laisse choir sur le bras d'un
fauteuil.

Mathieu pourtant retient son geste, subitement
arrêté par la stupidité même de sa conduite; comme
s'il lui était donné de voir toute la scène objectivement aussi bien que subjectivement — à la fois acteur
et spectateur — et d'en juger l'absurdité. Indécis, il
hésite, le poing tendu. Un rire timide et dépité lui
échappe tandis que son bras retombe gauchement.

— Hein! croyez-vous, quel mélo nous sommes en
train de jouer! s'exclame-t-il en se balançant mala-
droitement sur ses jambes.

Lucienne cache son visage entre ses mains, trop
humiliée pour songer à tirer parti d'une indécision
qui pourrait lui donner la victoire.

« Battue, songe-t-elle, oui, je suis battue... je suis
trop vieille pour lui tenir tête maintenant... je n'ai
plus la manière... je ne sais plus lui en imposer... »

Aussi accablée que si Mathieu l'avait réellement
frappée, elle courbe encore le front pour murmurer:

— L'argent est dans mon tiroir, toujours à la même place... prends ce que tu voudras...

« Elle ne sait même plus se défendre! » songe-t-il,
envahi par une pitié qui le laisse inquiet et désemparé.

*« Va-t-en, retourne là-bas... Tu n'as rien de bon à
faire ici! »*

« Mais retourner là-bas... c'est retrouver Bernard, et
je ne veux pas! Je ne veux plus revoir aucun membre
de cette famille! Plutôt revivre encore avec ma mère
que de renouer des relations avec les Beaulieu. »
Entre elle et lui, au moins, certains liens subsistent;
les liens d'une pauvreté commune, d'humiliations
ensemble supportées... Une égalité de sort existe entre
eux, qui rend leurs rapports supportables; entre les
Beaulieu et lui, aucune égalité ne lui paraît possible.
Quoi qu'il fasse, il restera toujours à leurs yeux le
parasite des premières années.

« Qu'ils paient encore pour moi! murmure-t-il en
marchant d'un pas ferme vers la chambre de sa mère.
Ils lui rembourseront bien la somme que je lui pren-
drai! »

Tous ses mouvements maintenant sont rapides et
précis. L'ivresse s'est dissipée. Pressé d'en finir, il se
dépêche de s'emparer des billets de banque.

*— Tu vois bien que tu n'as pas changé! Ce que tu
fais en ce moment tu l'aurais fait il y a six mois!*

Mais Mathieu ricane, avec un haussement d'épaules
et quitte l'appartement. Dehors, il y a Annette qui
l'attend; une Annette de plus en plus consentante,
une Annette qui, outre le plaisir des sens, lui apporte
un réconfortant tribut d'admiration, le premier que,
de sa vie, on lui paie; un tribut d'admiration qu'on
ne lui offrirait pas, s'il n'avait pas vraiment changé.

# CHAPITRE IX

La maison de campagne des Beaulieu — non moins imposante, et non moins luxueuse que leur maison de ville — s'élève sur une butte qui domine le lac Saint-Louis.

Indifférent à tout ce qui l'entoure, Bernard traverse le hall d'entrée, le front creusé d'un pli que la vue de sa famille ne parvient pas à effacer complètement.

— Comment, c'est toi! s'exclame Eugénie en allant au devant de son fils.

— Déjà revenu? s'étonne Nicole, tandis qu'Albert s'écrie:

— Tu n'as pas mis de temps à t'ennuyer de Marie-Louise!

Bernard ne peut jamais, sans rougir, supporter qu'on le taquine au sujet de ses sentiments intimes. Embarrassé, ne trouvant rien à répondre, il serre la main que son père lui tend.

Discret par habitude autant que par tempérament, Etienne se garde bien de paraître remarquer l'air préoccupé du jeune homme.

— Tu tombes bien, dit-il simplement, nous allions justement nous mettre à table.

— Allons-y tout de suite, propose Nicole impatiente, je dois être à Montréal à huit heures et demie.

Rappelée à ses devoirs, Eugénie s'empresse aussitôt de sonner la bonne pour lui faire ajouter un nouveau couvert. Bernard redoutant les questions qu'on pourrait lui poser, se tourne vers sa sœur.

— Pourquoi es-tu si pressée d'aller à la ville?

Nicole prend un air ennuyé qui cache mal son excitation intérieure.

— Ne m'en parle pas! Je fais partie d'une émission empoisonnante qui me force à...

— Peuh! Tu es bien contente, avoue-le donc! interrompt son mari, sarcastique.

Eugénie hoche la tête, incertaine. Elle n'arrive pas encore à prendre au sérieux la carrière de sa fille.

— Je ne joue pas à la radio tous les jours, reprend Nicole, mais on m'a déjà confié plusieurs rôles. N'oublie pas que je commence seulement! D'ailleurs, ajoute-t-elle d'une voix à la fois grave et détachée, moi, c'est le théâtre surtout qui m'intéresse. A propos Bernard, savais-tu qu'hier, à la dernière assemblée du comité... Bernard! Je te parle!...

Pris en flagrant délit de rêverie, Bernard se met à bafouiller.

— Heu... Quel comité?

— Tu ne sais pas encore que je fonde une troupe de théâtre?

— Oui, oui, proteste le jeune homme, confus. Oui, je me souviens, excuse-moi.

Mais elle se croit tenue de lui rappeler toutes les démarches qu'elle a dû entreprendre pour créer ce mouvement dont elle est directrice, auquel elle se dévoue corps et âme, et qui doit un jour...

— Oh! ça va, ça va! interrompt Albert excédé, j'aimerais bien que nous parlions d'autre chose!

Méprisante, Nicole se tait, adoptant un air lointain qui indique assez le peu de cas qu'elle fait de l'appréciation de son mari. Sûre de la revanche que lui réserve l'avenir, son esprit s'évade dans des rêves de gloire. « Le premier octobre, un an jour pour jour après le fiasco d'« Ondine » je monterai ma première pièce. Et alors on verra de quoi je suis capable! »

Eugénie s'agite, mal à l'aise, cherchant à dissiper le silence qui a suivi les protestations de son gendre. Bien qu'elle supporte mal les manières brusques d'Al-

bert, surtout lorsque sa fille est en jeu, elle tient avant
tout à la concorde.

— C'est surtout pour faire plaisir à son frère que
Nicole reparlait de théâtre, intervient-elle doucement.
N'oubliez pas que Marie-Louise s'occupe aussi de ce
mouvement...

— Comment, s'écrie Bernard, interloqué, Marie-
Louise doit?...

— Oh! c'est récent, fait Nicole, elle ne s'est décidée
qu'hier. C'est justement ce que j'allais te dire.

— Tu l'as vue hier?...

Embarrassé par le regard inquisiteur de sa mère, il
s'arrête, n'osant pousser plus loin son interrogatoire.
Il voudrait savoir si Marie-Louise a raconté à Nicole
que leurs fiançailles étaient rompues, mais il manque
de courage pour le demander et rougit, persuadé que
chacun peut lire sur son visage que seul l'espoir
d'avoir une nouvelle explication avec sa fiancée l'a
fait revenir des Laurentides. Son regard malheureux
rencontre celui de son père qui détourne aussitôt les
yeux et le sauve en changeant de sujet.

— Ton amie Lucienne m'a appelé au moment où
j'allais quitter l'usine, annonce-t-il à sa femme.

D'un ton compatissant, le ton-des-malheurs de
Lucienne, Eugénie s'exclame aussitôt:

— Pauvre femme! Que je la plains! Pourquoi
t'appelait-elle?

— Pour me demander d'aller la voir demain.

— Jules serait-il plus mal?... A moins qu'elle n'ait
eu de mauvaises nouvelles de son sans-cœur de fils?

Content de trouver un dérivatif à sa peine, Bernard
s'écrie presque joyeusement:

— Je le sais, moi, où est Mathieu! Du moins, je sais
où il a passé les derniers mois.

L'avalanche de questions qui l'assaillent lui fait
regretter de n'avoir pas pensé à raconter plus tôt ce
qu'il a aprris de Mathieu au Camp des Athlètes.

— Mathieu dans un centre de culture physique! s'exclame Albert en se tapant la cuisse avec un grand éclat de rire. Elle est bonne! Elle est bien bonne!

— C'est incroyable! s'écrie Nicole. Ma foi, je le voyais encore mieux dans le journalisme!

— Mais comment a-t-il les moyens de vivre à l'hôtel? s'étonne Eugénie.

Etienne, attentif, guette les paroles de son fils.

— Mais il travaille, répond le jeune homme, il gagne sa vie en travaillant au Camp.

— A quoi faire? Comptable, je suppose?

— Non, il s'occupe des chaloupes, il aide à la vaisselle, il...

L'étonnement que suscite sa réponse le pousse à s'arrêter, interdit, et à mesurer pour la première fois la distance qui sépare ces deux milieux dans lesquels il évolue pourtant avec tant d'aisance.

— Homme de peine, autrement dit, laisse tomber Albert avec un mépris non déguisé.

— Pauvre Mathieu! s'exclame Nicole, prête, devant une si grande infortune, à oublier tous les sarcasmes de son ami d'enfance.

Aussi attristée et humiliée que si l'honneur de son clan se trouvait compromis par cette révélation, Eugénie s'écrie avec pitié:

— Oui, pauvre Mathieu! En être rendu là! Un Normand! Quelle déchéance!

Etienne se tait, cherchant sans y parvenir à imaginer son filleul dans ses nouvelles fonctions.

— Tu dis qu'il est là depuis cinq mois? demande-t-il perplexe.

— Oui...

— Mais alors tu l'as vu? questionne Nicole.

— Non! Chose curieuse, il a disparu sans prévenir personne, le jour même de mon arrivée. On l'a cherché partout jusqu'à ce qu'un villageois affirme l'avoir vu monter dans une automobile du côté de la gare.

— Bizarre qu'il soit parti justement comme tu arrivais, dit Albert.

— Au contraire, c'est facile à comprendre! dit Nicole. Il a dû apprendre l'arrivée de Bernard... Mets-toi à sa place, je ne sais pas si tu aimerais qu'on te voie occuper un emploi aussi humiliant!

— Il faut absolument que tu le sortes de là, Etienne, quand cela ne serait qu'à cause de sa mère. Pauvre Lucienne, déjà si cruellement atteinte!

Inapte à formuler une pensée dont il voudrait pourtant se libérer, Bernard s'agite, mal à l'aise, cherchant vainement à dissiper ce qui lui paraît être une erreur. Découragé d'avance à l'idée de faire comprendre aux siens à quel point l'atmosphère du Camp des Athlètes diffère de la leur, il bredouille faiblement:

— Mathieu n'est peut-être pas si malheureux que vous le croyez...

— Bernard! proteste Nicole, ça prouve bien à quel point tu es incapable de te mettre à la place des autres!

Eugénie déplore également le peu de discernement de son fils.

— Réfléchis, voyons! Pense un peu à l'éducation que Mathieu a reçue, à la famille à laquelle il appartient, au nom qu'il porte, à ses antécédents...

Vaincu par la logique même de ces arguments, Bernard n'ose plus reprendre la parole. « C'est vrai ce qu'elles disent, songe-t-il avec perplexité, mais on dirait que c'est vrai seulement ici... » Devinant que cette pensée heurterait les idées de son entourage, il ébauche un mouvement de recul, prêt à se dérober si on le questionne. Le regard interrogateur de son père, d'avance, l'inquiète.

Etienne essaie pourtant d'y mettre de l'amitié. « Quel dommage, se dit-il en s'attardant à admirer la beauté du jeune homme, qu'il ait aussi hérité de l'intelligence de sa mère. Je sens bien qu'avec plus d'es-

prit il aurait des choses à dire. Dans cette affaire particulièrement... Il faut que j'essaie de le faire parler. »

Pressée de partir, Nicole précipite le repas. Elle n'a
pas aussitôt quitté la maison que l'industriel entraîne
son fils dans la salle de billard, sous prétexte d'y jouer
une partie. Si habile soit-il à faire parler les autres,
ce n'est pas sans difficulté qu'il parvient à délier la
langue de Bernard rendu méfiant par les commentaires qu'il a entendus au cours du dîner. Il ne s'anime que peu à peu et ce n'est qu'après bien des hésita-
tions qu'il se laisse amener à brosser un tableau de la
vie au Camp des Athlètes.

Penché sur la table verte, Etienne écoute, vivement
intéressé.

— Quelle sorte d'homme est-ce, Rochat?

Comme tous ceux qui ont connu l'athlète, Bernard
n'échappe pas au désir d'exagérer ses exploits et d'en
faire un surhomme. Son enthousiasme finit par intriguer Etienne, qui pourtant ne se prive pas de ramener le personnage à des proportions plus humaines.

— Que pense-t-il de Mathieu? demande-t-il lorsque
son fils s'arrête.

— Je ne sais pas... Je n'ai pas osé le lui demander
tant il paraissait mécontent de son départ précipité.

— Tu n'as aucune idée où il peut être à l'heure actuelle? Je parle de Mathieu...

— Non! Peut-être à Montréal?...

Lorsque les deux hommes quittent la salle de billard, Etienne connaît du Camp des Athlètes tout ce
qu'un autre peut lui en dire et parvient sans peine à
en reconstituer l'atmosphère.

« Il n'y a que Mathieu que je n'arrive pas à y si-
tuer », songe-t-il, perplexe.

# CHAPITRE X

Anxieux d'en savoir davantage sur le compte de son filleul, Etienne Beaulieu se présente chez Lucienne dès neuf heures du matin, avant même de se rendre à l'usine. Mais le visage ravagé qui s'offre à lui l'émeut au point de lui faire oublier ses préoccupations.

— Etes-vous malade, Lucienne? demande-t-il vivement en retenant dans la sienne la main osseuse qu'elle lui tend.

Un sourire amer plisse la lèvre de madame Normand.

— Je n'ai pas cette chance! Me trouvez-vous tellement changée? Cela ne m'étonnerait pas, car je n'ai pas dormi depuis des semaines!

— Jules?...

— Oui, d'abord ça été lui. Des crises sans arrêt... Non, ne prenez pas la peine de me dire que je devrais le renvoyer à l'hôpital...

Ses yeux cernés de noir fixent durement l'industriel. Rassurée par son silence, elle reprend:

— Mais depuis deux jours, c'est à cause de Mathieu que je ne dors pas...

— Vous l'avez vu? Il est donc venu ici?

Lucienne commente à sa façon la visite de son fils.

— Je veux ravoir cette clé qu'il a gardée. Je refuse d'être à la merci de son ivresse. Songez qu'il a levé la main sur moi; qu'il était prêt à me battre; qu'il m'aurait battue si je n'étais parvenue à lui échapper, au prix de quelles difficultés, d'ailleurs!...

Elle se redresse, trop fébrile pour demeurer assise, prête à croire elle-même les mots qu'elle invente et retenant mal les larmes de rage et d'humiliation qui lui montent aux yeux.

— Vous a-t-il dit où il habitait? demande Etienne.

— Non, mais vous n'aurez qu'à donner sa description aux détectives. Il n'y a pas d'être au monde qu'on ne finisse par retrouver, pour peu qu'on le veuille. Vous...

Elle se tait brusquement, regrettant cette phrase qui trahit ses anciennes préoccupations. Son trouble échappe à Etienne. Suivant le cours de ses pensées, il l'interroge prudemment de manière à lui faire croire que ses questions n'ont pour but que de l'aider à retrouver Mathieu.

— Vous a-t-il dit au moins où il a passé les derniers mois?

— Non... Tout ce que je peux vous dire, c'est qu'en partant d'ici à la fin de mars, il s'est rendu à Val-Morin, dans les Laurentides.

— Comment avez-vous appris cela? s'exclame-t-il, stupéfait.

— C'est là qu'il m'a demandé de lui faire parvenir ses valises.

Etienne, contrarié, écrase dans un cendrier la cigarette qu'il vient d'allumer.

— Pourquoi me l'avoir caché! Vous m'aviez affirmé que Mathieu était aux Etats-Unis. Pourquoi ne pas m'avoir dit ce que vous saviez?

Etonnée, elle se retourne pour le toiser et riposte non sans hauteur:

— Et pourquoi vous l'aurais-je dit?

Il hausse les épaules, s'abstenant de répondre, navré à la pensée qu'il aurait pu pendant tous ces mois suivre les faits et gestes de Mathieu, et l'aider au besoin, sans qu'il le sache. La narration de Lucienne ne laisse pas de l'inquiéter.

— Vous dites qu'il était ivre?

— Ne fallait-il pas qu'il le soit pour lever la main sur moi?

— Non, répond-il froidement. Un fils peut trouver
ailleurs que dans l'alcool des raisons d'en vouloir à sa
mère.

— Que voulez-vous insinuer? En tout cas, je peux
vous affirmer qu'il avait peine à marcher droit lorsqu'il est entré, et qu'en sortant d'ici il est allé rejoindre une femme aussi ivre que lui qui l'attendait dehors. C'est pour une femme qu'il m'a volé cet argent!
Une femme de rien du tout; probablement une gour-
gandine! Un voleur de chemin, voilà ce qu'il est devenu. Un voyou! Je veux que vous le fassiez arrêter
par la police.

Epuisée, elle reprend son fauteuil et se tait. Le
silence s'établit entre eux, bientôt coupé par les gé-
missements du malade dont les plaintes, d'abord con-
fuses et sourdes, s'élèvent de plus en plus. Lucienne
courbe machinalement la tête, gémissant tout bas:

— Ne me dites pas qu'il va recommencer une crise!

Tout son corps se ploie, protestant d'avance contre
l'excès de fatigue que présagent les cris rauques.

— Il faudrait lui donner une piqûre, murmure-t-
elle d'un ton morne, sans trouver le courage de se
lever.

— Puis-je vous être utile? demande Étienne, espérant la voir réagir tant lui sont pénibles les lamenta-
tions de Jules.

Perdue dans une rêverie douloureuse, elle ne répond pas. Il se lève à tout hasard et se dirige vers la
chambre, mais elle le rejoint à l'entrée et le repousse
brusquement.

— Laissez, laissez! ordonne-t-elle, retrouvant sa fébrilité. Vous ne sauriez même pas quel remède lui
donner.

Elle passe devant lui et s'approche de la table de
chevet encombrée de produits pharmaceutiques. Debout sur le pas de la porte, Etienne s'attarde à examiner le malade, s'entêtant à retrouver en lui quelques
traits du beau Jules tel qu'il l'a connu jadis: brillant,

tout en transports, en éclats frénétiques, en exalta-
tions joyeuses, sans qu'aucun raisonnement ne vienne
jamais tempérer la poussée des désirs. Si fortes étaient
alors ses impulsions qu'il semblait toujours plus vivant qu'un autre et débordant d'une inépuisable énergie qui permettait à sa famille de lui prédire un glorieux avenir.

« Comment arriver à savoir ce qu'il pense aujour-
d'hui de tout cela? songe Etienne qui regrette d'être
privé d'un moyen de communiquer avec le malade.
Quelle conclusion Jules tire-t-il lui-même de sa vie
dans ses moments de lucidité. Se peut-il qu'il ne regrette rien et que la somme de ses plaisirs lui paraisse
valoir une fin aussi pitoyable? Ou faudrait-il pour
cela plus de raison qu'il ne lui en reste?...

La piqûre commence sans doute à faire effet, car
les plaintes ont cessé. Content de retrouver le silence,
l'industriel va quitter la chambre lorsque les yeux de
Jules fixés sur lui avec intensité, le retiennent immobile sur le pas de la porte.

— Jules! s'exclame-t-il spontanément, heureux de
ce regard qui ne contient plus aucune trace de démence.

Les lèvres de l'homme s'entr'ouvrent, mais il n'en
sort que des sons incohérents.

— Venez! commande vivement Lucienne, vous
voyez bien qu'il est incapable de parler.

Etienne hésite, croyant lire une supplication dans
les yeux levés vers lui. N'y tenant plus, il s'approche
du lit, prend doucement la main du malade et lui
parle avec amitié, d'une voix qu'il veut réconfortante
afin de calmer l'insoutenable angoisse du regard.

— Il ne vous comprend pas! affirme catégoriquement Lucienne qui s'agite, vous voyez bien qu'il ne
vous entend même pas! Il n'a pas toute sa raison,
c'est facile à voir! Laissez-le donc, je vous dis qu'il
ne vous comprend pas!

— Alors que vous importe? demande froidement Etienne. Et pourquoi vous inquiétez-vous tellement?

— Parce que vous le fatiguez! Ce n'est pas vous qui devez le soigner! Laissez-le tranquille, le médecin a défendu qu'on l'ennuie, surtout au début d'une crise. J'en aurai pour une semaine à le calmer après votre départ.

Etienne se redresse, sans pourtant quitter des yeux le malade qui suit tous ses gestes. Qu'y a-t-il de vrai dans les paroles de Lucienne? N'osant insister, il sort à regret de la chambre.

— Pourquoi tenez-vous tellement à le soigner vous-même? demande-t-il, tandis qu'elle se hâte de refermer la porte derrière lui.

Reprise par sa lassitude, maintenant que le danger lui semble écarté, elle s'asseoit sans répondre. Il lui donne le temps de se rassurer puis, la voyant calme, décide de tenter un essai.

— Vous semblez tellement épuisée, ma pauvre Lucienne, renoncez donc à votre vengeance et renvoyez-le donc à l'hôpital...

Le visage bouleversé qu'elle tourne vers lui confirme ses pensées mais l'émeut au point de lui faire regretter ses paroles.

— Quelle vengeance? balbutie-t-elle. Que voulez-vous dire?

Son regard angoissé se pose sur lui, interrogateur. A-t-il deviné ce qui se passe en elle? Personne, personne au monde ne doit savoir! Comment le convaincre qu'il se trompe? Où puisera-t-elle la force de le dissuader alors qu'elle a déjà tant de mal à cacher son émotion? La fatigue lui fera-t-elle subir une deuxième défaite?

— Vous n'allez pas me faire croire, reprend Etienne — décidé à poursuivre bien qu'il lui en coûte — vous n'allez pas me faire croire que c'est par amour que vous le gardez ici? Si vous l'aimiez vraiment,

vous le renverriez à l'hôpital où il recevrait de meilleurs soins.

Les lèvres de Lucienne se mettent à trembler.

— Mon devoir, commence-t-elle...

Mais des larmes si abondantes montent à ses yeux
qu'elle s'interrompt, impuissante à refouler sa détresse.

— Vous êtes épuisée, continue Etienne d'une voix
où elle chercherait en vain l'ombre d'un reproche.
A quoi bon vous acharner encore? Laissez-le donc
partir, vous avez besoin de repos autant que lui...

— Je ne veux pas... je ne veux pas qu'il s'en aille,
sanglote-t-elle.

Il la sent près de céder, si près, qu'il se tait n'osant
abuser d'une faiblesse passagère; car, aussitôt remise, ne regrettera-t-elle pas d'avoir lâché sa proie?
Il la laisse pleurer un long moment, l'oubliant pour
penser à la supplication qu'il a cru lire dans les yeux
de Jules. N'est-ce pas cela précisément qu'il désire:
qu'on le sorte d'ici?

— Faites-le pour vous, sinon pour lui, Lucienne,
reprend-il, se gardant toujours de la brusquer. Tôt
ou tard, d'ailleurs, votre santé vous forcera à le faire.
Vous n'y résisterez pas, vous le savez bien...

Elle ne le sait que trop et déplore assez cet épuisement qui, depuis quelques semaines, tempère l'acuité d'une haine qu'elle avait crue sans limite. Qu'a-t-
elle à faire d'une vengeance qui ne s'exerce plus
qu'automatiquement, sans lui apporter la moindre
satisfaction? Renvoyer Jules; n'est-ce pas encore le
meilleur moyen de retrouver la force de le haïr? Mais
s'avouer vaincue parce que son corps n'a plus suffisamment d'énergie pour alimenter une passion aussi
exigeante, mais se séparer de lui, mais renoncer à cette
présence qu'elle a si longtemps désirée, n'est-ce pas
renier le but même de sa vie et la priver de sens et
de raison d'être?

L'industriel se garde bien d'interrompre un silence dont il profite pour réfléchir: « Dire qu'elle croit le détester. Je serais curieux de peser la part d'amour qui entre dans sa haine. Une mauvaise sorte d'amour, si l'on veut, mais n'est-ce pas la plus fréquente? Cette sorte d'amour qui se résume par une phrase: Je t'aime, donc tu m'appartiens. Comme si un être humain pouvait appartenir à un autre... »

— Faites ce que vous voulez, murmure enfin Lucienne d'une voix si basse qu'il doit se pencher pour l'entendre; faites ce que vous voulez, mais ne me demandez pas de m'en occuper.

— Je me charge de tout, répond doucement Etienne qui songe aussitôt: « Voilà ce que l'on gagne à se mêler des affaires des autres. »

— Quand voulez-vous?... demande-t-il en se levant.

— Quand vous voudrez, répond-elle indifférente.

Sa figure vieillie porte la marque d'un tel renoncement et d'une si grande lassitude qu'il suggère avec insistance:

— Vous devriez partir aussi, aller vous reposer à la campagne...

Elle secoue négativement la tête. Après un moment d'hésitation, il propose encore:

— Venez à la maison, nous serons heureux de vous accueillir...

— Je ne veux voir personne.

Rien ne semble devoir la sortir de l'abattement qui la tient courbée en deux, les mains croisées sur ses genoux. Pressé maintenant de la quitter, Etienne se dirige vers la porte.

— Au sujet de Mathieu, si je comprends bien, c'est surtout dans le but de ravoir votre clé que vous tenez à le faire rechercher?

Lucienne hausse les épaules sans répondre. Que lui importe Mathieu? Elle n'a retrouvé Jules que pour le perdre une deuxième fois, à quoi bon s'obstiner à

vivre? Quelle sera la saveur d'une vie désormais privée d'espoir, d'amour et de haine?

Ce n'est qu'au moment où l'industriel va quitter la
pièce qu'elle retrouve assez d'animation pour supplier
d'une voix défaite:

— S'il doit partir, Etienne, que cela se fasse vite...
Demain j'aurai peut-être changé d'idée!

# CHAPITRE XI

— Et Michelle?

— Oh! Michelle, tu sais!... c'est une histoire qui tire à sa fin! répond allègrement Bruno. Depuis quelques semaines, je l'ai à peine vue.

— Et la troupe?

Allongée sur le divan, Danielle s'amuse à soulever toutes les objections qui lui passent par la tête pour le seul plaisir d'entendre son frère les réfuter.

— Bah! La troupe! Je n'y suis quand même pas lié pour la vie! objecte-t-il en reprenant sa promenade frénétique au milieu des meubles. J'ai d'ailleurs l'impression qu'elle aura tout à y gagner.

Depuis qu'il a reçu une proposition d'aller jouer à New-York, il ne cesse d'énumérer toutes les raisons sérieuses qui le déterminent à s'y rendre, comme si son seul désir ne lui paraissait pas suffisant pour justifier son départ. Certes, le rôle qu'on lui offre n'a rien de passionnant; mais c'est un premier rôle et le salaire qu'on lui propose n'est pas loin de l'hypnotiser.

— Pense un peu, s'exclame-t-il, à tout l'argent que je pourrai mettre de côté pour monter des pièces à mon retour!

Et, comme Danielle rit, il proteste avec véhémence:

— Ne t'imagine pas, surtout, que je vais perdre la tête parce qu'on m'invite à jouer à New-York.

Sa seule intention — il tient à le proclamer — est de profiter d'une occasion qui lui permettra d'étudier ce qui se passe sur les scènes américaines, afin de faire profiter un jour son pays de l'expérience acquise à l'étranger.

— Songe au prestige que je recueillerai si je parviens à me faire remarquer aux Etats-Unis! Et ce n'est pas seulement sur moi que retombera ce prestige, mais sur toute ma troupe!

— Que dis-je, sur ma troupe! interrompt emphatiquement Danielle. Sur le Canada français tout entier!

— Parfaitement! réplique-t-il d'un ton convaincu. Ris tant que tu voudras, c'est une des raisons qui me poussent à accepter!

— Farceur! s'exclame-t-elle en riant.

Mais Bruno ne l'écoute plus.

— Attends que je revienne et tu verras que je ne serai plus seulement le pauvre petit Bruno Cinq-Mars, susceptible de toutes les erreurs, puisqu'il n'a pas quitté son clocher; d'avance on me fera crédit, d'avance on sera prêt à m'admirer...

— Tu n'es pas un peu injuste? proteste Danielle, songeant à l'accueil presque toujours favorable que son frère a rencontré jusqu'à ce jour. Mais il est inutile aujourd'hui de chercher à ramener Bruno à de justes proportions. Chaque heure lui fournit de nouvelles raisons de quitter Montréal, ville ingrate, ville inculte, en faveur de New-York, ville de rêve, Babylone des arts. Parti sur ce thème, il ne s'arrête pas facilement.

La sonnerie du téléphone l'interrompt. Danielle étire un bras et saisit le récepteur. La voix d'Etienne Beaulieu, qu'elle n'a pas revu depuis le soir où il est venu dans sa loge, la surprend agréablement.

— Peux-tu venir me rejoindre? demande-t-il, je voudrais te parler.

— Inutile, n'est-ce pas, de vous demander de qui il s'agit?

Elle devine son sourire au bout du fil, tandis qu'elle prend note de l'adresse qu'il lui indique. Bien que

cette adresse l'étonne, elle remet à plus tard le soin
de l'interroger.

— Dis-lui que je vais jouer à New-York, souffle
Bruno, ça va bien l'épater. Dis-lui que je pars demain!

Mais le récepteur est déjà posé.

— Je l'avertirai, ne t'inquiète pas, dit-elle en se
levant.

— Où vas-tu? Qu'est-ce que mon oncle te voulait?

— Me voir, répond-elle évasivement.

Ennuyé de renoncer à une conversation dont il faisait l'objet, Bruno cherche à la retenir.

— Et Julien qui revient justement de sa tournée!
Tu devais venir te baigner avec nous? Il sera très
déçu...

Un lac clair, de l'eau pure et rafraîchissante, un
après-midi de soleil et de grand air, le sourire de Julien qu'elle n'a pas vu depuis des semaines... Danielle
hésite, brusquement tentée de manquer au rendez-
vous qu'elle vient de prendre.

— Une autre fois!... Pas aujourd'hui! dit-elle vivement en quittant la pièce.

— Tant pis, soupire Bruno déçu, j'irai seul. Tu
pourras toujours nous rejoindre plus tard au Café
Michel.

Danielle, pensive, ne répond pas. La voix de son
oncle lui a rappelé tous les incidents de l'hiver et
tous les visages qui y ont participé: Les affreux jours
de lutte intérieure qui ont suivi l'échec d'« Ondine »;
le programme hebdomadaire qui tous les mercredis
réunissait la troupe; l'insistance de Nicole auprès de
Bruno et des autres réalisateurs pour obtenir des rôles; les répétitions de la pièce de Sartre et toutes les
discussions qu'elles suscitaient; l'odieuse soirée, la
fausse et absurde soirée passée avec Jacques Aubry;
les intrigues de Michelle pour jouer Électre; le théâtre, les belles et satisfaisantes représentations des
« Mouches »; l'interdiction de jouer la pièce à Qué-

bec, suivie peu après de la condamnation par Rome de toutes les œuvres de Sartre; les premiers succès de Nicole et son air vainqueur; la tendresse de Julien toujours présente et gratuite; les cours d'art dramatique, les programmes de radio... Et au milieu de tout cela, au premier ou au second plan, l'angoisse de Mathieu, d'un Mathieu toujours sur la défensive, d'un Mathieu cynique, acerbe, méprisant, qu'elle n'a jamais réussi à désarmer. Et c'est en faveur de ce Mathieu qu'elle s'est engagée; et c'est cette promesse qu'on lui rappelle aujourd'hui; aujourd'hui où tout cela semble si loin qu'il lui faut faire un effort pour se rappeler certaines scènes.

« Où peut-il bien être? songe-t-elle avec humeur. A Montréal, sans doute, puisque mon oncle m'appelle... Qu'est-ce qu'il a bien pu devenir pendant tout ce temps?

Une espèce d'indifférence qui s'apparente à l'ennui l'envahit à la pensée de retrouver le jeune homme. « Passe encore de le voir en hiver, songe-t-elle, mais en été!... L'été en plein soleil, l'été quand tout est clair! » Mais elle repousse cette pensée qui lui paraît absurde et se hâte de sortir de la maison.

« Rue Champlain, songe-t-elle en relisant l'adresse qu'Etienne Beaulieu lui a donnée, ce doit être là que Mathieu habite maintenant. Il est peut-être malade?... »

Un lac clair, un eau rafraîchissante et pure... Avoir manqué cette joie à cause de Mathieu! « En tout cas, que mon oncle ne s'imagine pas que je vais jouer les gardes-malades! Je veux bien aider Mathieu moralement; mais physiquement, jamais! »

Voici la rue Champlain et voici la porte de la maison. Un coup de sonnette auquel répond presque aussitôt Etienne Beaulieu. Son sourire autant que son regard produisent sur Danielle leur effet apaisant. « Comme tout devient simple quand il est là! »

Il s'excuse d'avoir enlevé son veston et de la recevoir en chemise.

— Il fait si chaud. Si tu y tiens pourtant...

Danielle se contente de rire, rassérénée.

— Il est ici? demande-t-elle à voix basse.

— Qui ça? demande-t-il surpris. Ah! Mathieu?... Mais non, tu es ici chez moi.

Amusé de l'étonnement que provoque sa réponse, il ajoute en riant:

— Et la preuve, c'est que je vais immédiatement te servir un verre de bière bien froide qui te rafraîchira.

Elle le suit curieusement, et s'arrête à ses côtés dans la cuisine. L'idée de ne pas retrouver Mathieu immédiatement lui rend sa gaieté habituelle.

— Je ne comprends pas ce que vous faites dans cette maison! s'exclame-t-elle tandis qu'il remplit les verres.

Il rit en répondant:

— Et moi, je comprends encore moins ce que tu y fais toi-même! Sais-tu que tu es ma première invitée?

Ils reviennent au salon. Danielle, perplexe, s'asseoit dans un des fauteuils de peluche et se tait, éprouvant inconsciemment le besoin de demeurer silencieuse et passive comme si l'atmosphère de la pièce, en la pénétrant, devait la renseigner. Etienne la regarde et réfléchit: « C'est probablement idiot ce que je fais là. Quel besoin ai-je aujourd'hui de révéler une partie de moi-même sur laquelle j'ai toujours eu soin de me taire? Et pourquoi l'avoir choisie, elle, une gamine en somme... Mais l'âge n'a rien à voir puisque je la sens mon égale.

Danielle lève la tête et, se tournant vers lui:

— Au fond, qu'est-ce que vous cherchez exactement?

— Au sujet de Mathieu? questionne-t-il.

— Non, non, vous-même, vous, Etienne Beaulieu... Je sens bien que votre intelligence est toujours en éveil, mais à la recherche de quoi?

— Mais d'un art de vivre, je suppose? répond-il en souriant. D'un moyen d'atteindre au bonheur, non

pas pour le plus grand nombre, mais pour chaque individu en particulier...

— Et vous l'avez trouvé?

— En ce qui me concerne, oui.

Intéressée, Danielle se penche vers lui.

— Et quel est ce moyen?

Etienne sourit affectueusement.

— Mais tu le sais aussi bien que moi, grâce à cette
fameuse intuition qui te sert si bien.

Elle lève vers lui un regard perplexe.

— Elle me sert bien, mais elle ne m'aide pas à formuler ce que je ressens. J'ai peur que vous ne me
croyiez plus intelligente que je ne le suis en réalité,
ajoute-t-elle avec un sourire. Je n'ai pas à me vanter
d'un excès de raisonnement!

— L'intelligence n'est pas faite que de raisonnement, mais aussi de perception, de compréhension...
N'as-tu pas saisi, bien avant moi, le problème de Mathieu, par exemple?...

— Mais il aurait fallu être aveugle pour ne pas voir
que Mathieu souffrait.

Etienne hoche la tête.

— Ou vivre tellement près de lui qu'on ait cessé de
le voir, ce qui est mon cas, et ce que je ne me pardonne pas.

Déposant son verre, il se lève et va vers une petite
table dont il ouvre un tiroir.

— Tiens, lis ça, dit-il en revenant vers elle, tu me
diras ce que tu en penses.

Intimidée, croyant qu'il lui donne à lire son propre
journal, Danielle hésite un moment avant d'ouvrir
les cahiers qu'il a déposés sur ses genoux.

Saisie dès les premières lignes, elle s'arrête, regardant Etienne.

— Mathieu?... interroge-t-elle, le cœur serré.

Il s'incline silencieusement.

Indécise et troublée, Danielle proteste:

— Mais n'est-ce pas un terrible abus de confiance?
Et la pire des indiscrétions?... Mathieu détesterait
qu'on lise ce qu'il a écrit pour lui, pour lui seul!

— Ecrit-on jamais uniquement pour soi? Il y a dans
ces cahiers, certaines recherches de style qui me font
croire... Mais là n'est pas la question! Je n'ai, pour
l'instant, aucun autre moyen à ma disposition de te
faire connaître Mathieu tel qu'il est. Je tiens à ce que
tu saches pourquoi sa présence te rendait malheureuse
et pourquoi, surtout, il t'attirait malgré cela.

La jeune fille ne proteste plus et reprend le cahier,
poussée par le désir d'en savoir davantage. Mais sa
curiosité s'évanouit bientôt pour faire place à l'émotion. Le sentiment de culpabilité qu'elle a toujours
éprouvé en présence de Mathieu se réveille aussi trou-
blant, aussi angoissant que si Mathieu l'accusait. Ne
l'accuse-t-il pas d'ailleurs? N'est-elle pas visée dans
ce réquisitoire contre le monde? Ne l'a-t-elle pas rejeté comme les autres et comme les autres, forcé, condamné au silence. « Je ne l'ai pas laissé parler... Il
avait quelque chose à dire et je ne lui ai pas permis de
le dire! »

Le souvenir de la soirée qu'elle a passée avec Jacques s'associe bientôt à sa lecture et l'éclaire peu à
peu sur l'angoisse quotidienne de Mathieu. N'est-ce
pas cela justement qui lui arrive? N'est-ce pas cette
même sensation, cent fois amplifiée, cent fois renouvelée, qu'il éprouve continuellement au milieu de
tous? Cette odieuse sensation d'être perdu, égaré, de
se heurter à un mur d'incompréhension; cette attente
vaine d'un moment ou d'un mot qui lui permettrait
enfin d'être lui-même? Est-il amené, jour après jour,
comme elle l'a été ce soir-là, à commettre des actes en
désaccord complet avec sa nature? Mais alors personne ne connaît le véritable Mathieu, pas plus elle que
les autres; chacun n'a eu de lui que des gestes faux et
tous se trompent à son égard comme Jacques s'est
trompé sur elle? Cette idée l'émeut et la bouleverse

comme une injustice. Comment Mathieu a-t-il pu to-
lérer cela toute sa vie sans devenir fou?

Le dernier cahier lui échappe et se referme sur ses
genoux tandis qu'elle murmure le cœur serré par une
émotion qu'elle ne cherche plus à dominer:

— C'est encore pire que je ne l'imaginais!

— Peut-être cela te paraît-il plus pénible parce que
Mathieu ne parlait jamais de lui-même, dit Etienne
après un moment de silence. Ses réactions seules le
trahissaient.

Il se félicite intérieurement de son initiative. Rien
ne pouvait mieux que cette lecture, rendre Mathieu
présent à Danielle et lui inciter le désir de l'aider.

— Je suis certain maintenant de pouvoir le retrouver, dit-il, et certain de ne pas le perdre de vue. Si
j'ai hésité si longtemps à intervenir directement dans
sa vie, c'est que j'ai toujours été convaincu qu'on ne
peut rien pour les autres, autrement que matériellement, s'ils sont pauvres, ou physiquement, s'ils sont
malades. Qu'en penses-tu toi-même?

— Je ne sais pas, répond-elle, la tête pleine encore
des cris de Mathieu. Personnellement, je détesterais
qu'on s'occupe de moi.

— Parce que tu n'as besoin de personne pour être
heureuse, parce qu'instinctivement ou intuitivement,
si tu préfères, tu sais ce qui est bon pour toi. Mathieu
ne semble pas le savoir... S'il paraît le deviner par
moments, le plus souvent cette connaissance lui échappe. Je t'ai dit tantôt que je cherchais, après bien
d'autres et comme bien d'autres, le « secret » du bonheur. J'en arrive à me demander si un homme qui
serait capable d'être lui-même constamment, vingt-
quatre heures par jour, ne posséderait pas une partie
importante de ce secret. Les moments les plus heureux ne sont-ils pas ceux-là précisément où l'on agit
en toute liberté, avec un naturel parfait; ceux où l'on
arrive à s'exprimer par des actes qui, loin de nous
contrarier, nous permettent de nous épanouir?

— Mais cela peut mener loin! proteste Danielle.
Pourquoi pas jusqu'au crime si c'est la haine qu'on
porte en soi et qui exige son épanouissement?

— Non; car être soi-même en toute circonstance
implique une force intérieure qui ne peut tendre qu'à
l'amélioration de l'individu. Les criminels, aussi bien
que les fous, me paraissent au contraire, des êtres que
les circonstances, ou une faiblesse qu'ils n'ont pas
cherché à vaincre, ont privés de la satisfaction de s'exprimer. Le crime n'est jamais qu'une solution désespérée qui ne saurait tenter un homme en parfaite
possession de lui-même. Est-ce que tu n'as pas eu l'impression en lisant les cahiers de Mathieu qu'une grande partie de sa souffrance tient justement à une incapacité de trouver le ton juste, de savoir ce qu'il est
exactement et d'agir en conséquence?

— Oui, c'est à cela que tient son angoisse, soyez en
sûr! s'exclame Danielle. Je n'imagine pas de pire
malheur pour un homme qui a quelque chose à dire,
que de vivre parmi des sourds.

Etienne hésite quelques secondes avant de demander:

— Crois-tu que Mathieu ait raison de craindre qu'il
n'existe plus pour lui de moyen de communications
possibles avec les autres? Je me suis demandé bien
souvent moi-même s'il n'était pas trop tard pour...

— Non! interrompt spontanément Danielle, non il
n'est pas trop tard! Je saurai bien le faire parler
maintenant. Quand il verra que je l'écoute, que je
l'entends, que je le comprends, que nous avons le même langage, il parlera! J'arriverai bien à le libérer
malgré lui!

Allégé, l'industriel éprouve avant de répondre le
besoin de lui sourire.

— Voilà ce que j'attendais de toi, dit-il affectueusement, mais j'avais peur que cela ne te semble impossible.

— Dites-moi simplement où je peux le retrouver...

Ils commentent l'un et l'autre les renseignements rapportés par Bernard.

— Mathieu retournera sans doute au Camp des Athlètes, ne serait-ce que pour reprendre ses valises, dit Etienne. S'il n'y va pas lui-même, il écrira pour les faire venir et donnera une adresse qui nous permettra de le retrouver. Par Bernard, je saurai tout. C'est simplement une question de jours.

— Que comptez-vous faire s'il retourne à Val-Morin?

— Je crois que c'est encore ce qui pourrait lui arriver de mieux, répond-il pensivement. Dans ce cas, il faudrait que tu ailles passer quelques jours là-bas; je ne vois pas d'autre moyen pour toi d'entrer en relation avec lui.

— Dans un camp d'athlètes! s'exclame-t-elle en riant.

Etienne hésite, perplexe.

— J'irais bien moi-même, avoue-t-il, mais Mathieu ne semble éprouver que du mépris pour moi. Mon arrivée risque de le faire fuir une deuxième fois. Si je t'envoie à ma place, c'est que je mise sur l'amour que tu lui as déjà inspiré, que tu lui inspires peut-être encore... Mais je ne veux pas te leurrer; ce milieu a peu de chances de te plaire; je doute que tu y rencontres beaucoup d'intellectuels ou d'artistes...

Danielle proteste.

— Qu'est-ce qui vous fait croire que je tienne uniquement aux intellectuels et aux artistes? J'en vois à l'année! Je suis ravie au contraire de cette nouvelle expérience!

— Et ton travail? interroge Etienne, soucieux d'apaiser un dernier scrupule.

— Bah! l'été, il ne se fait presque rien à la radio; tout le monde en profite pour prendre des vacances.

Cette solution l'enchante. Vivre au grand air au milieu d'êtres sains, alors qu'elle avait redouté d'avoir à se pencher au chevet d'un malade, quel heureux

changement de tableau! Mais elle se reproche aussitôt cette réaction qui lui paraît mesquine. Pour
l'instant, Mathieu seul doit compter. Comment vit
Mathieu parmi des athlètes? Problème insoluble.
Quel étrange besoin de se torturer à bien pu le pousser à chercher un emploi là où il pouvait le plus se
sentir humilié?

— A propos, dit-elle, suivant son idée, avez-vous
jamais pensé à trouver Mathieu aussi laid qu'il le
dit?

— Je me suis également fait cette réflexion, répond
Etienne. Non, je le trouvais quelconque tout au plus.
Et toi?...

— Morbide surtout, et peu soigné de sa personne...
Mais pas tellement laid. Comment a-t-il pu en venir
à cette conclusion?

— Sois sûre que sa mère y a contribué! riposte-t-il.

Mais, répugnant à noircir Lucienne à cette heure
où il la devine si malheureuse du transport de Jules
à l'hôpital, il s'empresse de changer de sujet.

— Si Mathieu reste à Montréal, dit-il, il faudra que
tu t'arranges pour le rencontrer...

— Par hasard? demande-t-elle amusée. Savez-vous
que s'il ne s'agissait pas de quelqu'un qui souffre, ça
deviendrait un jeu très divertissant?

Rassuré, Etienne interroge, sûr maintenant de la
réponse:

— Alors, je ne te demande pas une chose au-dessus
de tes forces, ou tout à fait opposée à ta nature?

— Non, pas du tout! Surtout depuis que j'ai lu ces
cahiers... Dites, me permettez-vous de les emporter?

Etienne n'hésite pas.

— Oui, garde-les, jusqu'au jour où tu pourras les
rendre à Mathieu. Si ce jour ne se présente pas, nous
les brûlerons...

Ils se regardent amicalement, contents de se sentir
unis par les liens plus mystérieux et plus forts que

ceux de la naissance. Danielle, sur le point de partir, jette un dernier coup d'œil autour d'elle.

— Savez-vous que cet appartement serait affreux si vous n'y étiez pas? Pas un livre, pas une œuvre d'art...

— Mais qu'est-ce que j'en ferais? demande Etienne qui semble soudain décontenancé.

Il jette autour de lui un regard circulaire et admet en souriant après un moment de silence:

— C'est vrai que c'est laid, mais puisque ça m'est égal...

# CHAPITRE XII

Réveil pénible des lendemains d'ivresse. Mathieu, en vain se tourne et se retourne dans son lit, cherchant un sommeil qui le fuit. Tous les klaxons de Montréal semblent s'être réunis à la porte de l'hôtel pour lui donner un concert matinal et l'encourager à l'action. Pestant et rageant, il se lève d'un bond et court fermer la fenêtre; mais cet effort ne réussit qu'à le réveiller tout à fait.

Le tapage et la chaleur de la ville l'accablent brusquement. Trop fatigué pour réfléchir, il ne résiste pas à l'impulsion de se vêtir à la hâte. Quitter au plus vite cette pièce sans âme, respirer un peu d'air; pas celui de la ville, mais celui de la campagne. Partir, retourner là-haut dans les montagnes et oublier ces quatre jours de folies.

Une plainte jaillit des couvertures:

— Oh! ma tête!

C'est Annette qui gémit, le visage caché sous les draps pour ne pas voir la lumière. Mathieu hausse les épaules, sans pitié pour un malaise qu'il partage. Soucieux de s'en aller sans prévenir la jeune femme, il évite tous les bruits qui pourraient la réveiller. Il sait si bien quelles seraient ses premières paroles:

— Tu es beau! Tu es beau! Tu es beau!... Car elle a vite compris ce qu'il attendait d'elle et ne lui a pas marchandé l'adulation. Tu es beau! Tu es beau!... Il n'en demandait pas tant; une fois ou deux auraient suffi. Mais Annette n'a aucun discernement. Tu es beau! Tu es beau! Tu es beau!

Mathieu secoue la tête avec écœurement. Ce matin, il la tuerait plutôt que de l'entendre débiter son répertoire d'éloges. Est-ce tout ce que ça donne, être beau? C'est ça que j'enviais aux autres? C'est après ça que j'ai tant crié? Quelques satisfactions des sens, dont on ne garde aucun souvenir? Quelques petites satisfactions d'amour propre qu'au fond de soi-même on trouve aussitôt ridicules?

Prêt à partir, il jette un regard inquiet sur les couvertures qui viennent de bouger de façon alarmante, et se tient immobile. Il se souvient qu'au moment du dernier abandon, Annette lui disait parfois qu'en se donnant à lui, elle lui donnait le meilleur d'elle-même. « Oui, ricane-t-il intérieurement, en marchant à pas de loup vers la porte, elle avait bien raison, car le reste ne vaut pas grand'chose! »

Cherchant à rassembler ses idées, il marche maintenant au milieu de la cohue. De la somme arrachée à sa mère, il ne lui reste que le prix d'un billet de retour à Val-Morin. Que doit-il faire? Retourner au Camp des Athlètes? Revoir Rochat qu'il a quitté sans un mot d'avertissement? Non, il ne s'exposera pas à l'humiliation de se faire congédier. D'ailleurs, il commence à en avoir plein le dos des conseils de Rochat, du genre de vie de Rochat, et de Rochat en particulier. « Premièrement: me trouver un emploi, décide-t-il après une longue réflexion, n'importe quelle sorte d'emploi, pourvu que je puisse vivre à la campagne. Deuxièmement: aller au camp, pénétrer, la nuit, dans le chalet des employés, faire mes valises en sourdine et déguerpir sans éveiller personne. »

L'autobus vers deux heures le dépose à l'entrée du village, à quelques milles du Camp des Athlètes. Fatigué par le voyage qui n'a fait qu'accentuer ses malaises, Mathieu juge bon de s'accorder encore une heure de loisir avant de partir à la quête d'un emploi. D'abord dormir quelque part, sous un arbre, afin de récupérer ses forces.

Respirant l'air pur à grandes bouffées, il traverse les champs, piétinant l'herbe haute, repris par le charme des Laurentides qui profilent au loin leurs courbes allongées de félins. Mais la chaleur du jour, l'affecte péniblement. Il se sent triste, abattu, abandonné, seul une fois de plus. — Je ne suis pas heureux, murmure-t-il avec désolation, je ne suis pas heureux... Cette constatation l'accable. Pourquoi n'est-il pas heureux? Je me suis donné tant de mal pour le devenir! Qu'est-ce qui me manque encore? N'est-il pas maintenant un homme comme les autres? En tout point normal, capable de plaire, jouissant d'une bonne santé, libre et sans responsabilité? Qu'est-ce qu'il faut de plus?

— Je ne m'aime pas, murmure-t-il à voix basse, je ne m'aime pas. Je voudrais m'aimer...

L'apparition de Rochat sortant d'un bosquet d'arbres à quelques pas de lui, le ramène brusquement à la réalité. Le cœur battant, il se jette derrière une haie de framboisiers, juste à temps pour éviter le regard de l'athlète qui passe sans le voir.

Où va-t-il? Il marche comme toujours de ce pas élastique et souple qui le conduit sans fatigue au sommet des montagnes. Son regard, presque toujours grave, semble, non pas poursuivre un but, mais au contraire repousser ce but toujours plus avant. Quel but?

La gorge serrée par une émotion inexplicable, Mathieu le suit des yeux. Une écrasante sensation de solitude le pénètre à la vue de la silhouette qui disparaît au tournant d'un sentier.

— Comme il est seul lui aussi...

A-t-il l'impression que tout le monde se prépare comme lui à trahir Rochat? Non, cette solitude le frappe subitement comme n'étant pas d'aujourd'hui seulement, mais de toujours. Il s'étonne même de ne pas l'avoir constatée plus tôt. « Ça crève pourtant les yeux qu'il est seul, seul même au milieu des autres. Il est sur un plan à part... Et pourtant il n'en souffre pas. Je jurerais bien qu'il n'en souffre pas. » Cette idée d'un Rochat assez libre pour se passer des autres, pour être heureux sans le secours d'autrui, sans l'adhésion d'autrui, capable de tirer sa joie de sa solitude même, l'irrite au point de lui paraître insupportable.

— Comment peut-il être heureux d'un état qui m'a fait tellement souffrir? proteste-t-il avec animosité, d'un état qui me tourmentera jusqu'à ma mort! Je ne veux pas être seul! Je ne veux pas être seul!

Animé de colère, de jalousie et d'envie, envahi par toutes les pensées mesquines qui l'ont accompagné tout au long de sa jeunesse, il se laisse choir dans l'herbe, cachant son visage plein de larmes entre ses bras repliés. Tant de regrets l'assaillent, qu'il les confond tous. Regret d'avoir quitté le camp; regret en voulant fuir un témoin de son passé, de s'être replongé dans l'atmosphère même de ce passé; regret d'avoir revu sa mère; regret de s'être livré sans joie à l'amour et sans plaisir à l'alcool; regret d'avoir gâché, par lâcheté, une vie agréable sinon heureuse; regret d'être forcé, pour sauver son orgueil, de traîter Rochat en ennemi...

— *Tu n'as pas changé, pauvre fou! Tu n'as pas changé...*

Au comble de l'exaspération, Mathieu se lève et se remet à marcher à grandes enjambées. « Oui j'ai changé, rage-t-il intérieurement. J'ai changé, mais qu'es-ce que ça m'a donné! » Sa rancœur s'élève contre Rochat qu'il n'a fait qu'imiter en tout et partout depuis cinq mois, contre Rochat qu'il a copié servilement dans l'espoir d'être un jour aussi heureux que lui. Qu'est-ce que ça m'a donné. Je suis peut-être moins moche physiquement, mais je ne suis pas plus heureux! Tandis que lui!...

— *Pourquoi serais-tu heureux en imitant Rochat?*
Saisi, Mathieu s'arrête, cherchant à se calmer afin de mieux comprendre.

— *Tu n'es pas Rochat. Il a trouvé sa voie, cherche la tienne.*

Agité par toutes les idées qui se pressent brusquement dans sa tête, il s'étend dans l'herbe, cherchant à coordonner ses pensées. Trop de suggestions se proposent à la fois; il n'y voit plus clair. Il cherche d'abord à repousser le cas de Rochat, pour ne réfléchir qu'à son propre problème. Mais il se perd bientôt dans une introspection qui ne le mène nulle part. Toutes les contradictions, toutes les complexités de son caractère, le gênent pour définir avec certitude ce qui serait susceptible de le rendre heureux. « Je ne sais pas qui je suis, je ne sais pas ce que je veux, je ne sais pas ce qui serait bon pour moi... » Il se remet à penser à Rochat avec envie, cherchant à comprendre et à peser les éléments de son bonheur. « Comment peut-il prendre encore tant de plaisir à s'occuper de son corps, alors qu'après cinq mois, j'en ai déjà plus qu'assez de m'occuper du mien? »

Mais la lumière se fait soudain. « Que je suis bête! songe-t-il avec agitation. Rien ne me prouve que Rochat, même s'il ne parle que de culture physique n'ait en vue que le développement de ses muscles! N'est-il pas avant tout un créateur, une sorte de sculpteur qui aurait choisi le corps humain, comme d'autres choisissent le marbre ou la glaise? Le corps des autres, depuis longtemps, doit l'intéresser autrement que le sien! C'est aux autres qu'il accorde son temps et son attention; c'est en transformant les obèses et les squelettes en éphèbes qu'il retire la plus grande partie de ses raisons d'aimer la vie. « Il a trouvé son moyen d'expression, alors qu'il me reste encore à découvrir le mien. »

Voilà au moins un pas de fait dans la compréhension de Rochat! En voici un autre: Rochat a su choisir, à sa vie, le cadre exact qui lui convenait. Outre les satisfactions que lui procure son métier, cette existence libre en pleine montagne favorise son goût du

sport, son besoin d'air pur, et satisfait son sens de
l'esthétique. Tout ici le sert. Est-il étonnant qu'il soit
en paix avec lui-même? Sa sérénité ne lui vient pas,
comme je l'avais cru, d'un corps harmonieux et du
bon fonctionnement de ses organes, mais du complet
épanouissement de toute sa personne. Là, encore, j'en
ai à apprendre!...

Mathieu arrête un moment ses réflexions pour soupirer de joie. Jamais il ne s'est senti aussi près de
comprendre ce qui lui manque, jamais il n'a éprouvé
si fortement la sensation d'être sur la bonne voie.
— C'est vrai que moralement, je n'avais pas changé,
murmure-t-il. Je n'avais rien compris!

Reprenant le fil de ses idées, il revient à l'athlète,
espérant tirer de cette analyse une leçon profitable.
Lorsque Rochat disait: Pour être heureux, il faut
faire uniquement les choses qui vous plaisent... ne
déformait-il pas inconsciemment sa pensée? Ne voulait-il pas dire plutôt, qu'il ne fallait consentir qu'aux
actes qui correspondent à la fois aux capacités et aux
exigences de l'individu? Dans ce cas, il ne s'agirait
plus d'égoïsme, mais d'une juste utilisation des dons
de chacun. Cela n'expliquait-il pas comment Rochat
qui, même par amitié, refusait de prêter une partie
infime de son temps à des questions financières auxquelles il n'entendait rien, n'hésitait pas une seconde,
le même jour, à porter sur ses épaules pendant des
heures, un skieur pour lequel il n'avait aucune affection particulière. Ce genre d'altruisme sans doute ne
le considère-t-il pas au-dessus de ses forces. C'est en
refusant un effort dont il se sait capable, qu'il se sen-
tirait diminué.

— Pourquoi ai-je mis tant de temps à comprendre
cela? soupire Mathieu. Cela m'aurait tellement servi
de le savoir.

Par un retour en arrière, il revoit toute sa vie et
tous les gestes qu'il a accomplis à contre-cœur, et dont

aucun ne lui a jamais donné une véritable satisfaction. Est-il étonnant qu'ayant grandi dans une atmosphère triste et amère, à accomplir sans grâce des actes
qui lui déplaisaient et dont le résultat ne lui attirait
jamais que des reproches, il ait abouti au dépit, à
l'aigreur, à l'envie, à la haine des autres et de lui-
même? Ce qui permet à Rochat tant de générosité et
de bonté véritable, n'est-ce pas justement parce qu'il
réserve son énergie aux causes correspondant étroite-
ment à ses tendances naturelles, au lieu de s'astrein-
dre à une série de faux sacrifices susceptibles d'entamer peu à peu aussi bien son intégrité que son désir
de donner? S'il donne si volontiers, n'est-ce pas parce
qu'il puise dans une partie de lui-même qu'il sait
inépuisable?

Heureux de songer qu'il commence enfin à comprendre ce que de brèves illuminations lui avaient
déjà laissé entrevoir, Mathieu s'allonge à nouveau
dans l'herbe, le cœur envahi d'une joie nouvelle.
Ses yeux s'ouvrent sur les brins de mil, d'orge et
d'avoine, chauds de soleil, dentelle blonde ondulant
sur le bleu du ciel. Séduit, il cesse de penser et ne
songe plus qu'à s'enivrer de l'odeur de la terre qui
emplit ses narines. La joie le pénètre. Un long moment se passe sans qu'il ne bouge, tant il espère, par
le silence et l'immobilité, retenir cette sensation
éblouissante de participer, de communier soudain à la
vie universelle.

Un insecte tout près de lui s'obstine à vouloir escalader une tige de blé. Son entêtement distrait Mathieu qui s'amuse bientôt à l'observer. En voici un
autre, et un autre, un autre encore... Il renonce bientôt à les compter découragé par leur abondance. La
précision de leurs mouvements, la fragilité de leurs
antennes et la mobilité de leurs yeux aigus, finissent
par le fasciner. A quoi servent-ils? Quel est leur rôle
dans l'ordre du monde? Naître et mourir, est-ce tout?
Ne leur est-il demandé rien de plus que d'accomplir

ce qui a été fait avant eux par des milliers d'insectes
de même famille, rien de plus que de répéter les gestes ancestraux en suivant les poussées d'un instinct in-
faillible qui les guide plus sûrement que le raisonnement de l'homme vers ce qui est leur bien propre?
D'où leur vient cette connaissance de ce qui est bon
pour eux, cette connaissance certaine, immuable?

La personne de Rochat, la vérité Rochat, s'impose
une fois de plus à l'esprit de Mathieu comme un achè-
vement ayant des liens mystérieux avec ses pensées
actuelles. L'athèle, en effet, ne tend-il pas lui aussi,
consciemment ou inconsciemment, vers un but auquel
il subordonne ses impulsions, et en vue duquel se coordonnent toutes ses facultés maîtresses? Quel peut
être ce but? A quoi Rochat peut-il tendre, sinon,
comme tout ce qui vit, à se réaliser complètement?
Comme une planète, lancée dans l'espace, se meut depuis son origine jusqu'à sa fin, suivant le mouvement
initial qui lui a été donné; comme une cellule qui
poursuit aveuglément son but depuis le moment où
elle a reçu l'élan vital jusqu'à celui où elle deviendra
plante, animal ou homme, Rochat semble obéir aux
lois qui le régissent comme s'il connaissait ces lois,
comme s'il savait de source certaine qu'en s'en écartant il ne ferait que trahir sa nature, alors qu'en les
acceptant, au contraire, il multipliera ses chances de
bonheur. Quelle somme d'expérience, de réflexions
et de conscience entrent dans cette connaissance de sa
nature, voilà ce qu'il reste à déterminer.

— Et puis non! décide brusquement Mathieu, que
Rochat soit arrivé à cette sorte de sagesse par une
série d'observations ou par intuition, cela ne change
rien à mon cas. L'important est avant tout de chercher comment, moi, je pourrai atteindre la sagesse,
ma sagesse. Je crois qu'il faut d'abord commencer
par obtenir une parfaite coordination entre mes paroles, mes pensées et mes gestes. Tout ce que je dois
faire, dire ou penser, doit être de moi, des centaines

de personnes l'auraient-elles dit, fait, ou pensé avant
moi. En un mot, tout recréer à mon usage.

La certitude d'être sur une voie qui ne peut que le
mener au bonheur, le comble déjà d'allégresse. Certes, il ne sait pas encore qui il est; ni ce qui le fait
différent des autres; il n'est pas toujours sûr non plus
de ce qu'il croit aimer; mais par contre, il commence
à savoir ce qui lui déplaît. En éliminant d'abord tout
ce qui lui est contraire, il finira bien par se connaître.
La nécessité de retourner au Camp des Athlètes s'impose à lui. « Primo, j'ai encore à apprendre de Rochat, et pas seulement au sujet de mon corps, cette
fois! Secondo, je crois maintenant deviner que ce que
je cherche on peut le trouver partout; alors aussi bien
là qu'ailleurs. »

Conscient, pour la première fois, d'être en harmonie avec la nature, avec la vie, il marche d'un pas
léger, s'émerveillant de tout. N'est-il pas solidaire de
ces milliers de vies cachées dans l'herbe, ne concourt-il
pas à ce bruissement continu, à cette palpitation de la
terre, ne contribue-t-il pas lui aussi à cette interminable symphonie de la création?

L'idée de faire partie de cette création, d'un tout
auquel il participe, bien que d'une façon particulière,
individuelle; l'idée d'être à la fois une partie et un
tout; un monde par lui-même, mêlé au rythme de
l'univers, le pénètre de joie.

— Maintenant, je crois que je pourrai m'aimer...
Pourquoi ne n'aimerais-je pas puisque j'aime tout le
reste?

# CHAPITRE XIII

Revenu au Camp des Athlètes, Mathieu a repris ses occupations, sans pourtant perdre de vue le problème qui le préoccupe. Rochat ne lui a fait aucun reproche. Il a écouté ses excuses en silence et lui a proposé, pour toute réponse de traverser le lac à la nage. Fatigué par les excès des derniers jours, le jeune homme s'est vu forcé à moitié chemin, de monter dans une chaloupe qui les suivait. L'athlète, déjà loin en avant de lui, s'est plongé la tête dans l'eau avec un grand éclat de rire. Mathieu a bien dû rire aussi.

Il rit volontiers, d'ailleurs, depuis quelques jours, car il cherche à modeler sa personnalité sur le portrait d'un Mathieu idéal auquel il voudrait ressembler; un Mathieu libre, joyeux, franc, plein de confiance et de candeur, modeste sans humilité, fier sans vanité, aimable, chaleureux et sympathique. Mais les difficultés et l'ennui qu'il éprouve à jouer ce rôle, l'amènent bientôt à y renoncer. « Ce n'est pas mon genre, soupire-t-il perplexe et désappointé. Hélas, ce n'est pas tout de décider qu'il faut être soi-même, encore faut-il savoir qui l'on est! »

Tendu maintenant à se découvrir sans se soucier de voùloir atteindre plus que lui-même, il épie chacune de ses réactions, observe scrupuleusement ses moindres gestes, conteste l'authenticité de toutes ses paroles et met en doute jusqu'au son de sa voix. Cette nouvelle méthode ne lui réussit pas mieux que la précédente. A s'examiner ainsi avec trop d'attention, il ne parvient qu'à douter de lui davantage et à sonner plus faux que jamais. Découragé par ces deux expériences, hésitant à interrompre cet essai de dissection qu'il ne sait par quoi remplacer, il s'inquiète une fois de plus.

« Je suis mal parti, c'est mauvais signe. J'ai peur de n'arriver jamais à m'exprimer sans fausseté. »

Déçu de lui-même, il songe à demander conseil à Rochat.

« Mais, se dit-il, en admettant qu'il puisse m'indiquer par quel moyen il est parvenu à se trouver, il y a danger que je cherche à m'appliquer une méthode qui pour s'être montrée efficace dans son cas, pourrait bien ne pas me réussir. Je risque de retomber dans l'erreur qui m'a poussé à l'imiter à tort et à travers.

Il se résigne à chercher seul et prend cette fois la décision d'éviter de parler à moins d'en éprouver la nécessité, ce qui donnera au moins à ses paroles un accent de spontanéité. Reprenant inconsciemment une ancienne habitude, il reporte bientôt son attention sur les gens qui l'entourent et se remet à observer ses semblables. Non plus avec la cruauté qu'il y apportait jadis, mais avec une curiosité qu'il veut impartiale. Et c'est dans cette observation des autres tellement conforme à sa nature qu'il parvient à s'oublier suffisamment pour agir avec ce naturel qu'il désespérait d'atteindre et qu'il trouve enfin la détente attendue.

« En somme, je refais ce que j'ai toujours fait, songe-t-il un soir en revenant du bureau de poste, havresac au dos. J'ai eu tort de croire que pour m'améliorer il fallait tout changer... »

Mademoiselle Randier à qui il remet le courrier de l'hôtel lui annonce quelques minutes plus tard l'arrivée prochaine de Danielle. Cette nouvelle suscite l'intérêt des pensionnaires qui connaissent tous par la radio, le théâtre et les journaux le nom des Cinq-Mars. Indifférent à leurs commentaires, Mathieu cherche à se remettre d'une surprise qui le replonge dans l'atmosphère de l'hiver précédent. « Qu'est-ce qu'elle peut bien venir faire dans un milieu tellement

différent du sien? s'étonne-t-il avec inquiétude. Je
suis sûr que rien ne lui plaira ici et qu'elle n'y restera
pas deux jours. Surtout quand elle verra que j'y
suis! »

L'idée de fuir s'empare de lui, plus forte encore
qu'à la vue de Bernard Beaulieu, tant il craint, en
retrouvant la jeune fille, de retomber dans son ancien
personnage. Revoir Danielle, il sait de reste que cette
idée consciemment ou non ne l'a jamais quitté; mais
il aurait voulu attendre son heure et ne se présenter
devant elle qu'une fois délivrée de ses inhibitions.
Est-il prêt à l'affronter? Ne sera-t-il pas d'autant plus
repris par le désir de railler qu'il tiendra à lui prouver à quel point il a changé? Si au moins elle avait
attendu, si au moins elle lui avait donné un mois de
plus pour se découvrir! Comment arriver à être lui-
même devant Danielle qui semble avoir inventé le
naturel comme un moyen d'expression qui lui serait
propre et qui n'appartiendrait qu'à elle? L'idée le
tourmente de n'avoir qu'une semaine pour se préparer à la recevoir.

« Et ce qu'il y a de pire, c'est que je devrai aller la
chercher à la gare! Si encore j'avais pu la retrouver
ici parmi les autres, naturellement, sans préparation...
Ou si encore je n'avais pas su qu'elle venait... »

Cette semaine qu'il aurait voulu allonger passe
pourtant aussi vite que les autres. Voici déjà le jour
de l'arrivée de Danielle. Mathieu, qui a pensé plusieurs fois à se faire remplacer par un camarade, se
résigne à se rendre à la gare. Une nuit de réflexion
l'a amené à trouver ses craintes ridicules et à accepter
simplement un état de choses contre lequel il ne peut
rien. « Assez de reculades! Puisque de toute façon
je ne peux éviter de la voir, autant ne rien changer
à ma vie à cause d'elle. Elle sera avec moi comme il
lui plaira d'être. Je conformerai mon attitude à la
sienne; ou plutôt non, pas d'attitude, je serai exactement comme je me sentirai... Éviter surtout de cher-

cher à créer une impression sur elle... Etre simple!
Etre simple! Etre simple! »

Le train s'arrête, le train qui amène Danielle. Les
voyageurs descendent et parmi eux, Danielle. Mathieu s'avance.

— Bonjour Danielle...

Bien que son cœur batte à tout allure, il est parvenu à parler d'une voix qui ne tremble pas. La
jeune fille, hésitante, s'avance vers lui avec un regard
plein d'interrogation et de perplexité.

— Mathieu? demande-t-elle sans parvenir à cacher
son étonnement à la vue du visage souriant qui l'accueille sans raillerie.

Est-ce là le Mathieu qu'elle doit retrouver? Le
Mathieu qu'il faut tirer du marasme et rendre à la
vie?

Le jeune homme, qui depuis une semaine ne s'est
préoccupé que de ses propres réactions, n'a pas songé
à prévoir la surprise de Danielle. La stupéfaction
qu'il lit sur ses traits le fait brusquement éclater de
rire.

— Eh bien! s'écrie-t-il avec une spontanéité qui ne
lui coûte aucun effort, suis-je si difficile à reconnaître?

— C'est-à-dire que c'est vous, sans être vous, avoue-
t-elle, cherchant en vain une réponse plus intelligente.

A son tour, elle ne peut s'empêcher de rire en se
rappelant les recommandations que lui faisait son
oncle en la quittant quelques heures plus tôt:

« Tu le trouveras sans doute plus déprimé et plus
sombre que jamais. Si la tâche te paraît trop lourde,
reviens... »

Craignant de le voir mal interpréter sa gaieté, elle
s'exclame aussitôt avec un élan de sincérité qui le
ravit:

— Mathieu, je suis contente de vous revoir!

— Tant mieux, dit-il, cachant mal son excitation
intérieure. Tant mieux, car nous aurons l'occasion de

nous rencontrer tous les jours, que vous le vouliez ou non.

Evasive, se demandant si elle doit avoir l'air de savoir qu'il habite au Camp des Athlètes, elle hésite à répondre. Mathieu la sort d'embarras en lui annonçant qu'il travaille à l'hôtel où il a, entre autres fonctions, celle d'aller chercher les clients à la gare et de les véhiculer en chaloupe.

Justement un client s'approche, que le jeune homme débarrasse aussitôt de sa valise.

— Et vous? demande-t-il en se tournant vers Danielle.

— J'en ai deux. Il faudra les réclamer à la gare.

Dans la chaloupe, elle insiste pour s'asseoir sur le dernier banc, laissant l'étranger la séparer de Mathieu qu'elle veut pouvoir observer à la dérobée afin de s'habituer à ce nouveau personnage si différent de celui qu'elle comptait retrouver. « Il semble tout à fait normal, songe-t-elle, et ne paraît avoir besoin du secours de personne. Je me demande ce que je suis venue faire ici! »

Ils se retrouvent sur la plage avant le repas de midi. Danielle, ennuyée d'avoir à offrir au soleil un corps de citadine, s'exclame en opposant son bras trop blanc au bras du jeune homme:

— Regardez-moi cette peau blafarde! Pouah! J'ai l'air malsain auprès de vous!

Particulièrement réjoui par cette phrase, Mathieu se laisse tomber sur le sable en s'exclamant avec un éclat de rire presque triomphant:

— Que ce soit vous qui me disiez ça!

— Et pourquoi pas moi?

— Parce qu'il n'y a personne au monde qui ait pu autant que vous me donner l'impression que j'étais malsain jusqu'à la pourriture!

Sans répondre, elle s'allonge sur le sable à ses côtés. Se redressant sur un coude, Mathieu demande:

— Vous souvenez-vous du soir où vous m'avez offert une corbeille de fruits qui était près de vous? Pensez-vous que je n'aie pas compris que, dégoûtée par mes réactions maladives, vous m'offriez spontanément ce que vous pouviez trouver à votre portée de plus frais, de plus sain, de plus naturel?...

— Vous croyez? demande-t-elle, pensive. Je n'ai jamais songé à m'expliquer ce geste.

— A quel autre mobile auriez-vous pu obéir? Je n'en vois pas d'autre, et ce n'est pourtant pas faute d'en avoir cherché!

Des pensionnaires viennent se joindre à eux. Forcé de leur présenter Danielle, Mathieu, déçu, les voit bientôt accaparer la jeune fille. Décidé à ne pas s'abandonner à la jalousie ou à tout autre sentiment qui risquerait de mettre en jeu une paix trop précaire, il se détache bientôt du groupe pour aller faire usage du tremplin, sans s'apercevoir que Danielle ne le quitte pas des yeux. Ce n'est pas tant l'amélioration physique de Mathieu qui impressionne la jeune fille que le calme du moins apparent de toute son attitude. Qu'est devenue cette exaspération intérieure qui rendait tout contact avec lui si pénible? Et l'expression renfrognée, mêlée à la fois d'envie et de supplication qui enlaidissait son visage? Et l'angoisse qui se dégageait de toute sa personne? Comment est-il parvenu à si bien se libérer? Que reste-t-il du Mathieu qu'elle a connu?

Craignant toutefois de se laisser leurrer par une métamorphose qui pourrait bien n'être que superficielle, elle se propose de réserver son jugement et de ne pas écrire à son oncle avant d'avoir observé Mathieu plus longuement.

L'atmosphère du Camp, la vie simple et sportive qu'on y mène lui plaît dès les premiers jours; aussi se prête-t-elle volontiers à la culture physique, aux excursions en montagne, au canotage, à la nage, etc... subissant sans résistance la personnalité de Rochat.

Mathieu, à qui elle parle de l'athlète avec enthousiasme, lui demande:

— Maintenant que vous l'avez connu, vous pourriez peut-être me dire en quoi il vous ressemble?

— A moi? s'étonne-t-elle.

— A vous, oui...

— Mais je ne vois pas du tout!... En quoi?...

— C'est ce que je cherche depuis longtemps. Quelque chose dans son comportement me fait penser à vous... Peut-être parce qu'il est heureux?

— Mais alors tous les gens heureux se ressembleraient?

— Vous croyez qu'il y a tellement de gens heureux? Vraiment heureux?...

— La question n'est pas nouvelle, dit-elle en souriant. La réponse non plus.

— Parmi tous les gens que je connaissais avant de rencontrer Rochat, vous me paraissiez être la seule personne capable de bonheur.

— Pourquoi dites-vous « capable » de bonheur?

— Parce que je crois maintenant que le bonheur est à la portée de tout le monde, mais que la plupart des gens n'en veulent pas, par paresse, par apathie, parce que le bonheur demande un effort trop grand et qu'il est plus facile de se résigner au malheur...

Danielle sourit.

— Mais si vous savez cela, Mathieu, vous ne serez jamais malheureux! Du moins pas pour longtemps...

— C'est bien mon intention! s'exclame-t-il en riant.

Fidèle à la promesse qu'il s'est faite de ne pas ennuyer la jeune fille de sa présence aussi bien que de ne pas souffrir de la voir avec d'autres, il évite de la rechercher et se tient volontiers à l'écart. C'est elle qui, le premier jour, lui a demandé de la faire placer à sa table, dans la salle à manger; c'est toujours elle qui propose: Une promenade en canoë, Mathieu? Un peu d'alpinisme, Mathieu? Venez-vous marcher, Mathieu?...

MATHIEU

« Comme tout lui est simple, songe Mathieu avec
àdmiration. Elle est partout chez elle. Aussi à l'aise
sur une scène que dans un salon, aussi libre à la campagne qu'à la ville. »

— Qu'est-ce qui a bien pu vous attirer ici? demaqn-
de-t-il un soir qu'ils marchent tous deux à travers un
champ.

— Et si je vous disais que c'est vous? répond-elle en
riant.

— Je ne vous croirais pas.

— Alors disons que j'éprouvais le besoin de faire de
la culture physique. Cette explication vous plaît-elle
davantage?

— A peine, dit-il, perplexe. C'est tellement étonnant qu'une vie aussi sportive puisse vous plaire!

— Ce qui est bien plus étonnant, c'est qu'elle vous
plaise à vous! riposte-t-elle spontanément.

Mathieu rit.

— N'est-ce pas? Vous n'auriez pas cru ça de moi?
Moi non plus d'ailleurs! Ce qui m'a amené ici, je
peux bien vous l'avouer maintenant, c'est que je souffrais terriblement d'être laid. C'est bête, hein? ajoute-
t-il avec un rire timide, content de sentir sur son
visage la protection de la nuit.

Songeant à certains passages des cahiers, Danielle ne
répond pas tout de suite.

— Je ne vous ai jamais trouvé laid, dit-elle enfin.
Et ne croyez pas que je cherche à vous flatter ré-
trospectivement.

— Peut-être, concède-t-il après un moment d'hésitation, je n'étais peut-être pas aussi laid que je le
croyais... Mais puisque je le croyais, ça revient au
même. Et d'ailleurs, qu'importe! Je sais maintenant
que j'étais pire que laid!

Cette fois, Danielle ne proteste pas.

— C'est intérieurement que j'étais laid, comprenez-
vous? Je ne cessais pas d'envier les autres, de les haïr,
de les mépriser, d'exiger d'eux une considération que

moi-même je n'accordais à personne. Je croyais que
le bonheur m'était dû et que tous mes déboires tenaient à une incroyable injustice du sort... Je ne
m'attardais pas à penser que j'étais, peut-être pas
complètement, mais du moins en grande partie, responsable de ce qui m'arrivait.

— Qu'est-ce qui vous a subitement amené à changer?

Mathieu revoit la nuit où il avait choisi de mourir;
il se rappelle l'ascension dans la montagne et cette
lutte de tout son être contre la mort. Les moments
d'exaltation qui ont suivi sa victoire, et l'illumination
qui devait le lendemain l'éclairer brusquement à
l'audition de la grande Toccate et Fugue, ont gardé
dans sa mémoire toute leur vivacité. Comment expliquer cela à Danielle, comment lui faire comprendre
l'éblouissement que ces deux joies successives ont apporté dans une vie si dénuée de joies.

— Je ne peux pas vous expliquer exactement ce qui
s'est passé, je pourrais peut-être l'écrire, mais le raconter, non... C'est encore trop près... Tout ce que je
peux vous dire, c'est que j'ai compris tout à coup que
je me trompais, et aussi que l'on m'avait trompé en
me faisant croire au malheur plutôt qu'au bonheur...
J'ai compris que j'en avais assez de souffrir et qu'il
fallait que j'en sorte puisque je n'acceptais pas de
mourir.

— Je ne crois pas d'ailleurs qu'on puisse désirer la
paix au point où vous l'avez désirée sans l'obtenir un
jour.

Mathieu, surpris, se penche vers elle.

— Comment avez-vous pu deviner une préoccupa-
tion que je croyais si bien cacher? Car ce n'était pas
pour rien que j'étais sascastique! C'est systématique-
ment que je m'acharnais à démolir les autres afin de
les amener à douter d'eux comme je doutais de moi.
Souvenez-vous à quel point j'étais mesquin, particulièrement avec vous...

— Vous deviez bien mal vous y prendre, puisqu'à deux reprises j'ai voulu que nous soyons amis...

Mathieu s'arrête et met ses mains sur les épaules de la jeune fille.

— Offrez-moi encore votre amitié, Danielle, et vous verrez maintenant si je la refuse!

Danielle sourit.

— Peut-on offrir ce qu'on a déjà donné?

Leurs visages sont si près l'un de l'autre que Danielle se demande soudain: « Qu'est-ce que je ferais s'il essayait de m'embrasser? »

Mais Mathieu se détache avant qu'elle ait résolu le problème.

— Eh bien! j'ai maintenant deux amis: Rochat et vous! Je ne sais pas s'il y a beaucoup de gens qui peuvent se vanter d'avoir deux amis!

« Trois! » songe Danielle qui pense à son oncle.

Ils reviennent lentement vers le Camp, tantôt causant et tantôt se taisant. Mathieu lève parfois la tête pour regarder les étoiles, les prenant intérieurement à témoin du fait que sa solitude a cessé d'exister et qu'il se sent délivré du poids qui le tenait captif. N'est-ce pas cela qu'il a tant cherché, l'amitié et la tendresse d'une femme? Que cette tendresse, que cette amitié lui vienne de Danielle, de Danielle qu'il a aimée, de Danielle qu'il aime, de Danielle qu'il croit pouvoir toujours aimer, n'est-ce pas la preuve même qu'il a eu raison de tendre à la joie en dépit de tout?

Ils arrivent à l'hôtel lorsque Mathieu s'étonne soudain:

— Comment se fait-il que vous ne m'ayez jamais demandé pourquoi je n'avais pas écrit la critique des « Mouches »?

— Parce que sais que vous l'avez écrite, répond-elle en riant.

Mathieu, stupéfait, la regarde non sans inquiétude.

— Comment l'avez-vous su? Par... Par Etienne Beaulieu?

— Oui...

— Eh bien! j'aurais voulu que vous la voyiez, cette critique! Vous ne seriez pas près de moi à l'heure actuelle si vous l'aviez lue!

— Je l'ai lue, répond-elle, amusée.

Un mouvement de colère dresse Mathieu contre son parrain. De quoi s'est-il mêlé? Quel besoin avait-il de communiquer cette critique à Danielle? Le désir sans doute de raconter son intervention et de se faire valoir! Mais l'étonnement de voir la jeune fille si calme apaise momentanément sa rancœur.

— Vous ne m'en voulez pas? murmure-t-il, troublé.

— Puisque vous l'avez fait retirer!

— Il vous a donc tout raconté! proteste-t-il, irrité de ce qui lui paraît être un abus de confiance. Pourquoi vous a-t-il parlé de cela? Pourquoi a-t-il...?

Mais Danielle l'interrompt aussitôt.

— Mathieu, vous êtes injuste!

— Oui, peut-être, bredouille-t-il, croyant subitement réentendre l'intonation presque tendre de son parrain lui parlant au téléphone au cours de cette nuit tumultueuse. Oui, peut-être, mais aussi de quoi se mêle-t-il?

— Suivez-moi, Mathieu!

Spontanément, elle saisit sa main et l'entraîne vers l'hôtel. Il la suit, intrigué, à travers les escaliers et les corridors jusqu'à sa chambre où elle le fait entrer.

Tirant une valise rangée sous le lit, elle l'ouvre pour en sortir deux cahiers noirs qu'il reconnaît aussitôt.

— Mes cahiers! s'écrie-t-il. Mes cahiers que je croyais avoir perdus! Où les avez-vous trouvés?

— Mon oncle me les a donnés pour que je vous les rende.

— Ils les a lus?

— Pourquoi cela vous blesserait-il? C'est à partir de ce moment qu'il s'est intéressé à vous.

— C'est donc par amitié qu'il a accepté de faire interrompre la publication de ma critique?

— Il s'en est occupé lui-même? s'étonne Danielle.

— Il ne vous l'a pas dit?... Ça n'a pas dû lui être facile d'ailleurs. Il faut avoir travaillé dans un journal pour le savoir! Je ne comprenais pas ce qui l'avait poussé à me rendre un si grand service. Comment aurais-je pu deviner que j'existais à ses yeux autrement que comme un parasite? Je me croyais tellement seul...

Ouvrant un des cahiers, il se met à le feuilleter, mais s'arrête bientôt, le cœur serré, par tout ce que ces pages lui rappellent.

— Vous les avez lus? demande-t-il, sans la regarder.

— Mon oncle me les a fait lire avant de m'envoyer ici.

— Vous êtes venue ici à cause de moi?

Danielle se met à rire.

— Mais pourquoi? balbutie-t-il. Pourquoi?

Elle hésite, se souvenant de ses répugnances premières.

— Parce que mon oncle, à la suite de votre visite à Montréal, a eu l'impression qu'il était temps d'intervenir et de vous aider d'une façon ou d'une autre. Il se trompait puisque...

— Non, il ne se trompait pas, soupire Mathieu, pensant que sa mère a dû renseigner Etienne. Je n'ai fait que des bêtises à la ville! Ce qui m'étonne, ce qui me bouleverse, c'est d'apprendre qu'au moment où j'écrivais ces cahiers, c'est-à-dire au moment où je croyais me débattre dans une solitude complète, deux personnes s'inquiétaient de mon sort. Vous avez essayé de me le faire comprendre, je le reconnais, mais lui?... Pourquoi se cachait-il d'avoir pour moi un peu d'affection, ou, si vous préférez, de s'intéresser à moi?

— Parce qu'il savait que vous le méprisiez. Si j'avais eu cette impression, je me serais tue également.

Mathieu rougit brusquement.

— Mais alors, murmure-t-il, vous savez maintenant que je... que je vous ai aimée?

— Oui, dit-elle doucement, et c'est ce qui m'a incitée à venir vous retrouver. J'espérais que cette affection n'était pas tout à fait morte et que grâce à ce
qui en subsistait peut-être, je parviendrais à gagner au
moins votre confiance.

Mathieu lui sourit.

— Ainsi, vous êtes venue ici dans le but de jouer
les gardes-malades?

Il éclate de rire, joyeusement.

— Danielle, ce rôle vous irait si mal! Avouez que
j'ai bien fait de me tirer d'affaire tout seul!

— J'avoue que c'est la première réflexion que je
me suis faite en vous retrouvant, confesse-t-elle, amusée.

— Vous ne regrettez pas d'être venue?

— Si je l'avais regretté, je serais déjà repartie.

— Voilà une réflexion à la Rochat! dit Mathieu
amusé. Vous voyez bien que vous lui ressemblez!

# CHAPITRE XIV

## LETTRE DE MATHIEU A DANIELLE

Oui, chère Danielle, j'avais bien reçu votre première lettre. Si je n'y ai pas répondu avant de recevoir la seconde, c'est que j'étais repris par d'anciens doutes qui me donnaient à croire que votre séjour ici avait été inspiré par une charité dont il me déplaisait d'être le bénéficiaire. De même, le fait que vous m'écriviez me semblait tenir plus de la bonté que de l'amitié, et ma vanité vous en tenait rigueur. Voyez à quel point je suis encore compliqué et morose, et jugez du chemin qu'il me reste à parcourir avant d'atteindre votre simplicité! Voulez-vous ne pas me garder rancune de cette lenteur à me corriger, en songeant que j'en suis le plus puni?

En outre — autant tout avouer, n'est-ce pas? — il m'a paru gênant tout à coup de penser que vous étiez au courant de mes efforts. Rien ne peut être plus glaçant qu'un regard posé sur soi, si plein de tendresse soit-il, si l'on y sent de l'expectative. Chercher à faire des progrès devant un témoin conscient m'a subitement paru impossible. Cette lutte, me disais-je, doit se passer au plus profond de l'être, sans aide ni témoin. Orgueil, orgueil! Le doute de soi-même ne tient-il pas toujours à un excès d'orgueil? C'est la crainte de ne pas être à la hauteur de votre attente qui m'a fait douter de moi; la crainte de vous décevoir.

Votre deuxième lettre a balayé toutes mes inquiétudes et m'a replongé dans la lumière. Ah! Danielle, que j'envie votre simplicité, votre aisance, votre assurance tranquille, tout ce qui fait que vous êtes vous, et non Mathieu Normand! Hélas, je suis encore loin de la grande sérénité, et pour peu que je cesse d'avoir l'œil ouvert et l'esprit en éveil, mes anciennes hantises, profitant d'un moment de paresse ou d'inattention, s'emparent aussitôt de moi.

J'ai cru longtemps que du jour où j'obtiendrais la paix intérieure, cette paix serait à la fois stable et définitive. Quelle erreur! Cette paix est sans cesse à reconquérir et ne peut jamais être considérée comme acquise. Et comment pourrait-il en être autrement? Dans un univers en perpétuel mouvement, en progression permanente, pourquoi l'homme aurait-il seul le droit de se figer dans l'immobilité? Il n'y a pas de véritable stagnation; le moindre arrêt est l'équivalent d'un recul. Une évolution aussi constante exige nécessairement un réajustement qui met en équilibre instable ma trop récente quiétude.

Ai-je besoin de vous dire, d'ailleurs, que j'ai d'abord été un peu découragé à la pensée qu'en me cherchant je n'atteindrais qu'un Mathieu transitoire, destiné à être modifié encore, et toujours susceptible de perfectionnement? Mais il m'a bientôt semblé que, loin d'avoir à me plaindre de cet état de choses, je devais m'en réjouir puisqu'il m'évitait de mettre un terme à un développement que je veux maintenant illimité.

J'ai un peu l'air de découvrir des vérités vieilles comme le monde, déjà trop explorées, et que j'aurais pu reconnaître depuis longtemps, du moins par raisonnement. Mais que vaut le raisonnement? De quelle valeur sauraient être les spéculations les mieux construites si elles ne sont passées qu'au filtre de la raison? Tant qu'une vérité n'a pas été éprouvée et sentie par l'être tout entier, tant qu'elle ne fait pas partie de sa chair et de son sang, tant qu'elle ne

trouve pas dans ses actes une application, et dans son
cœur une résonnance, tant qu'il n'en a pas mesuré
toute la justesse, tant que sa vie entière n'en a pas été
ébranlée, de quel valeur serait-elle pour l'homme?

J'aurai été lent à comprendre, Danielle, mais j'espère avoir compris pour la vie. Cette joie que j'ai
tant souhaitée, ce n'est pas en vain que je la cherchais: elle existe. Si j'ai mis tant de temps à l'atteindre, c'est que je refusais de reconnaître qu'elle
tient tout entière dans l'amélioration de l'individu,
et qu'il suffit de se vaincre pour que jaillisse la lumière. C'est dire que pour l'homme il n'y a qu'une
solution: être un saint! Beau programme, n'est-ce
pas?...

« Que comptez-vous faire désormais? me demandez-
vous dans chacune de vos deux lettres. Maintenant
que vous vous êtes découvert, il ne vous reste plus
qu'à trouver votre mode d'expression. »

Je voudrais pouvoir vous répondre que je n'ai aucune inquiétude à ce sujet et que je sais très bien ce
que je veux, mais je mentirais. J'avais d'abord en-
visagé de ne jamais retourner à la ville et de vivre
ici de sport et de grand air à la manière de Rochat;
mais je me leurrais alors, aussi bien sur la personnalité de Rochat que sur la mienne. Ma vie n'est
pas ici. Je sais au moins cela. Je sais également, ou
du moins je crois savoir, qu'un jour j'écrirai, mais
pas tout de suite. Je veux mûrir encore avant d'écrire.
Songez à tous les mauvais livres que cette attente
m'évite et dont je n'aurai pas à rougir plus tard!

Voulez-vous m'accorder jusqu'à la fin de septembre pour réfléchir et finir de m'épurer? Je vous retrouverai au début d'octobre à Montréal, où il me
faudra entreprendre la quête d'un emploi, n'importe
lequel pour commencer. Quel qu'il soit, je me sens
assez fort aujourd'hui pour ne pas en souffrir. Avec
le temps d'ailleurs, je finirai bien par découvrir la
situation qui me conviendra. Si vous avez des idées

là-dessus, vous serez bonne de me les communiquer car si je sais de plus en plus ce que je suis, je ne vois pas encore très bien, dans l'ordre des métiers, celui qui me conviendrait le mieux.

Danielle, vos deux lettres ne sont pleines que de moi. De grâce, ne m'encouragez pas dans une tendance où je n'ai que trop de facilité à tomber. Parlez-moi de vous, de votre vie, de ce qui vous intéresse en ce moment, de ce que vous faites, de ce que vous comptez faire, des amis que vous voyez, de Bruno, de Nicole, de mon parrain et encore de vous, de vous encore, de vous surtout!

J'embrasse avec ferveur vos deux mains tour à tour. Rien ne m'est plus précieux que l'affectueuse amitié que vous me témoignez; j'espère que vous ne me laisserez jamais la gâcher par un retour de mes anciennes névroses. Soyez ma lumière et ma sagesse, Danielle, source de clarté.

*Mathieu*

P.S. Rappelez-moi au souvenir d'Etienne Beaulieu. Ne lui dites rien en mon nom, sinon que j'aimerais le revoir. Un jour... pas tout de suite!

P.S. Cette lettre est abominablement sérieuse. J'ai peur d'avoir perdu, en m'améliorant, le peu d'humour que j'avais. A l'heure actuelle, j'ai toute la légèreté d'un philosophe allemand!

### LETTRE DE DANIELLE A MATHIEU

*Cher Mathieu,*

Votre lettre est exactement telle que je l'attendais. Et n'allez pas vous dépêcher d'interpréter cette phrase de mille manières désagréables. Je sens d'ailleurs qu'il serait sage de vous rassurer en vous disant tout de suite que je n'attends de vous rien d'impossible. Si j'ai un certain flair pour deviner les gens, par contre je manque totalement d'imagination pour me les figurer autres qu'ils sont. La preuve, c'est que votre transformation m'a plongée dans un étonnement dont je ne suis pas encore revenue. Soyez donc bien tranquille et bien à l'aise avec moi, car je vous accepte tel que vous êtes, non sans m'inquiéter d'ailleurs de vous voir prendre tous les jours un peu plus de place dans mes pensées.

Ceci dit, je crains bien de ne pouvoir aller plus loin dans les confidences, surtout écrites. C'est tellement froid une feuille de papier! Comment peut-on arriver à s'exprimer sans sécheresse quand on n'a pas devant soi la chaleur d'une réaction humaine, le contact même de la vie? Vous me disiez que vous vous sentiez, au contraire, beaucoup plus libre devant une page à remplir que devant un regard; voyez à quel point nous sommes différents. Ce qui vous glace me réchauffe; ce qui vous stimule me refroidit. J'ai besoin d'un public, et vous de silence. Notre amitié devrait donc nous être également profitable puisque nous avons tous deux à apprendre l'un par l'autre.

Aux nouvelles maintenant.

Maman me dit que votre mère vient d'abandonner son appartement afin de se retirer dans une maison de retraite où elle compte, paraît-il, finir ses jours. Comment peut-on se résigner si vite à être une vieille dame? A vrai dire, ce qui m'intéresse surtout dans cette nouvelle, c'est que je me demande maintenant où vous habiterez à Montréal.

Mon oncle, à qui j'en parlais, et qui s'intéresse toujours à vous — que cela vous plaise ou non — me charge de vous dire qu'il a, rue Champlain, un appartement qu'il met à votre disposition jusqu'à ce que vous soyez parvenu à vous tirer d'affaire.

Je déteste me mêler de ce qui ne me regarde pas, mais à votre place j'accepterais. Outre que les logements sont rares, mon oncle se fait un plaisir de vous être utile. Une seule chose le retenait. « Je crains, dit-il, que Mathieu ne m'en veuille de chercher à l'aider et d'être toujours placé dans la position de lui rendre service. » Mais je l'ai persuadé qu'il se trompait que vous ne manqueriez pas d'accepter son offre avec autant de simplicité qu'il en mettait lui-même. Ai-je eu tort?

Quant à l'emploi dont vous parlez, « n'importe lequel pour commencer », ne pensez-vous pas qu'il serait sage au contraire de ne le choisir qu'avec soin? Pouvez-vous entrevoir rien de plus pénible qu'une journée passée à accomplir des actes qui vous répugnent? Personnellement, j'attendrais d'être à la dernière extrémité avant de m'y résoudre. Vous savez aussi bien que moi que ce qu'on aime se fait sans fatigue, alors qu'on use le meilleur de son énergie à peiner sur un ouvrage qui n'entre pas dans nos capacités. Les bêtes, en cela, sont plus intelligentes que nous et ne cherchent pas à se détourner des fonctions pour lesquelles elles sont nées. Nous le faisons trop facilement. Ce qui me rappelle l'attitude pleine de bonne volonté d'un cousin qui, s'inquiétant de voir Bruno débordé de soucis matériels, s'exclamait: « Mon pauvre vieux, veux-tu me dire aussi pourquoi tu as choisi ce métier de crève-faim. Fais donc comme moi, vends donc des assurances! Je t'ai vu jouer souvent, il n'y a personne de plus convaincant que toi. Tu ferais une fortune en un rien de temps! » L'idée ne lui venait pas de chercher ce qui pouvait, à la scène, rendre Bruno si convaincant.

Venez à Montréal, Mathieu, nous discuterons ensemble de tout cela et nous finirons vite par découvrir le domaine où vous saurez être « convaincant, parce que convaincu ». En attendant de le trouver, pourquoi ne prendriez-vous pas vos repas chez moi, ce qui vous éviterait de faire un choix précipité, commandé par la faim? Je vous en prie, ne mettez pas de faux orgueil à vous débrouiller seul quand vous avez des amis qui ne demandent pas mieux que de vous aider, et auxquels vous aurez sûrement l'occasion de rendre service à votre tour. Je serai d'ailleurs d'autant plus ravie de manger avec vous que je manque d'appétit depuis que le départ de Bruno me laisse seule devant les plats.

Il est parti pour New-York avant-hier. Nous sommes (la troupe) tous allés le conduire à la gare, larmes aux yeux, cela va de soi. Cher Bruno! ai-je besoin de vous dire à quel point il était ému? Jusqu'au dernier moment il continuait à se chercher des excuses. « J'ai l'impression d'être un lâcheur! » disait-il en nous embrassant. Et en sautant sur le marchepied au moment où le train démarrait, il nous a crié: « Je reviendrai! Je reviendrai! » Un moment de consternation a suivi son départ, après quoi chacun s'en est allé de son côté. Je n'ai vraiment compris qu'à cet instant que la troupe était disloquée, dispersée, dissoute; et qu'il n'y avait plus rien à en attendre. Les autres devaient éprouver la même sensation. Mais qui songerait à blâmer Bruno d'avoir accepté un contrat aussi avantageux? Il n'est pas le seul que New York ou Paris attire et n'est ni le premier, ni le dernier à chercher ailleurs ce qu'il ne trouve pas dans son pays. Il faut une telle vocation pour être comédien dans une ville sans théâtre!

Mais j'aurais tort de vous laisser sur une note aussi pessimiste. Montréal, voyez-vous, est la ville des miracles, et un mouvement n'est pas aussitôt mort qu'un autre aussitôt naît. Et c'est ainsi que le premier octobre une nouvelle troupe, « La Comédia », dirigée par Nicole Beaulieu-Dupré, présentera « La Sauvage» d'Anouilh, avec Nicole Beaulieu-Dupré dans le rôle-titre. La mise en scène est également de Nicole Beaulieu-Dupré. Qu'en dites-vous? Vous voyez qu'il ne faut jamais désespérer!

Nicole, que j'ai eu l'occasion de rencontrer hier pour la première fois depuis quatre mois — dans un

studio de CKVL où elle venait de « subir » une inter-
view, m'a paru en pleine forme; plus démonstrative,
plus dynamique et plus redoutable que jamais. J'ai
cru comprendre que le départ de Bruno la soulageait
grandement, car elle a toujours redouté ses juge-
ments comme la peste.

« Inutile de te dire qu'il s'agit d'une troupe d'amateurs, s'est-elle empressée de déclarer. Nous jouons
pour un public d'amateurs qui s'intéresse comme nous
au théâtre. Ne te crois pas obligée de venir, je suis
à peu près certaine que cela ne te plaira pas. Je sais
assez ce que tu penses de moi pour ne m'attendre à
aucune indulgence de ta part. » Toutefois, elle s'est
dépêchée de m'offrir deux billets. Sur quoi nous
sommes allées boire un verre au Ritz afin qu'elle
puisse déverser sur moi le flot de ses confidences.

Sa troupe, bien qu'elle ne compte aucun acteur,
a l'avantage de réunir le nom des marques de commerce les plus en vue de la ville. Cherchez dans les
confitures, la bière, les biscuits, le bois, etc... et vous
aurez la liste de tous les membres. Ce qu'il y a de
plus extraordinaire, c'est que Nicole parle de ce mouvement avec un enthousiasme si communicatif, avec
une ferveur si persuasive, qu'à la fin de l'entretien,
bien que je sois prévenue contre elle, je n'étais pas
loin d'être tout à fait gagnée à sa cause; impressionnée
en tout cas par ses dons d'initiative et d'organisation.
Quant à ses talents de comédienne et de metteur en
scène, c'est autre chose, et je réserve évidemment
mon jugement. Mathieu, devriez-vous avancer votre
arrivée de quelques jours, il faut que vous assistiez à
ce spectacle. Qui sait, Nicole nous surprendra peut-
être? Je vous réserve un de mes deux billets.

Comme dernière nouvelle, je vous annonce que
vous verrez bientôt Michelle d'Ars dans le premier
rôle d'un film tourné par une de nos compagnies
cinématographiques. Elle travaille, paraît-il, avec un
zèle infatigable et ne se plaint jamais d'avoir à repren-

dre des scènes. Les directeurs sont enchantés. Je crois
qu'elle ira loin et qu'elle sera magnifique au cinéma,
car elle a un des visages les plus animés que je con-
naisse.

Et voici que j'ai épuisé ma liste. En dehors de vous
apprendre que tante Eugénie renouvelle complètement son salon, à l'occasion du mariage de Bernard
qui doit avoir lieu dans deux semaines, je n'ai plus
rien à vous dire.

Quelle lettre interminable! Moi qui ne me croyais
pas douée pour la correspondance! Vous voyez ce que
peut accomplir l'amitié!

Mathieu, je vous quitte en vous donnant le baiser
de paix. Mais soyez sûr que je le reprendrai si vous
refusez d'assister avec moi à la première de Nicole.

A très bientôt, n'est-ce pas?

*Danielle*

Mathieu à Danielle

*Chère Danielle,*

Votre lettre m'a plongé dans un tel état d'effervescence que, si je n'avais mis un frein à mon enthousiasme, je n'aurais fait qu'un saut jusqu'à Montréal, tant
pour discuter avec vous, point par point, chacune de
vos phrases, que pour chercher à occuper encore plus
de place dans votre esprit.

Vous ne saurez jamais quelle « immense simplicité »
il me faut pour accepter d'habiter le logement de la
rue Champlain qui me rappelle une petite scène de
chantage pas jolie du tout, dans laquelle je suis loin
d'avoir tenu le beau rôle. Et ceci résume bien la
question. Je n'ai rien à reprocher à mon parrain:
ce sont uniquement les torts dont je me suis rendu
coupable à son égard que j'ai tant de mal à « lui »
pardonner. Toutefois, puisqu'il veut bien les oublier
lui-même, j'aurais mauvaise grâce à montrer moins de
générosité! Voulez-vous lui dire que j'accepte son

offre et le remercier en attendant que j'aie l'occasion
de le voir?

J'accepte « avec non moins de simplicité » de partager quelques-uns de vos repas et de faire devant vous
le bilan de mes capacités afin que vous m'aidiez à
trouver l'emploi idéal. Vous n'imaginez pas à quel
point je suis touché de tout ce que vous faites pour
moi, et combien il me tarde de vous retrouver. Mon
impatience à vous revoir est presque aussi grande que
le désir que j'ai d'assister au spectacle de Nicole; si
bien que je ne sais plus si c'est à cause d'elle ou de
vous que je précipite mon départ. Pourriez-vous me
le dire?

Ce retour à la ville ne laisse pas d'ailleurs de m'inquiéter un peu. Si votre regard ne m'empêche plus
d'être moi-même, celui des autres me trouble encore
et, pour peu que je le sente agressif, méfiant ou condescendant surtout, il me prend des envies de recourir
comme jadis au sarcasme. Dieu sait pourtant que le
sarcasme est une arme facile et sans grandeur, et qui
ne fait qu'exciter celui qui en est atteint au lieu de
le désarmer. La candeur est autrement impression-
nante; mais n'est pas candide qui veut!

Saurai-je, une fois revenu à la civilisation, mettre en
pratique ce que j'ai appris et compris dans le silence?
Saurai-je, sinon m'adapter aux autres, du moins accepter qu'ils ne s'adaptent pas à moi? Cela semble de
loin très facile, mais suis-je aussi fort que je le crois?
Vaines questions, auxquelles l'expérience seule répon-
dra.

Vous allez rire de moi, Danielle, mais je me sens
aussi ému que si j'étais placé au seuil d'un monde
nouveau. Et pourtant rien n'a changé, le monde est
tel qu'il était. Mon regard seul est différent, qui me
permet de le voir sous un autre jour. Mes lunettes
noires gâchaient tout! N'allez pas vous dire toutefois
que je crois avoir trouvé à ma vie une réponse définitive; je veux au contraire avoir l'œil bien ouvert; con-

tinuer à chercher; et ne pas craindre, si je me trompe, de renier demain ce qui aujourd'hui m'est une vérité.

Danielle, chère Danielle, précieuse Danielle, j'arriverai à Montréal dans deux jours. Faites donc sonner le gros bourdon de Notre-Dame, car il me tarde de commencer à vivre cette existence neuve qui m'attend et à laquelle je veux apporter toute l'ardeur d'un néophyte converti à la joie.

*Mathieu*

*Achevé d'imprimer à Montréal
sur les presses
de l'Imprimerie Saint-Joseph
le douzième jour de décembre
de l'an mil neuf cent soixante-sept
pour le Cercle du Livre de France*